S0-ABD-615

ro
ro
ro

Der Musiker, Schauspieler und Schriftsteller Heinz Strunk wurde 1962 in Hamburg geboren. Er ist Gründungsmitglied des Humoristentrios Studio Braun und hatte auf VIVA eine eigene Fernsehshow. Sein Buch «Fleisch ist mein Gemüse» (rororo 23711) verkaufte sich fast 400 000-mal. Es ist Vorlage eines preisgekrönten Hörspiels, einer «Operette» im Hamburger Schauspielhaus und eines Kinofilms. Auch die folgenden Bücher des Autors, «Die Zunge Europas» und «Fleckenteufel» (rororo 25224), wurden zu Bestsellern.

«Strunks Reflexionen aus dem beschädigten Leben sind von einer nicht mehr zu überbietenden Trostlosigkeit, die freilich erträglich wird durch die bezwingende Komik, die er auch diesmal dem Leiden abgewinnt. So entfaltet dieses meisterliche, mit großer Wahrhaftigkeit geschriebene, im Innersten berührende Buch zuletzt eine reinigende Wirkung, die alleine dem Lachen zu danken ist.» *(Frankfurter Allgemeine Zeitung)*

«Deprimierend lustig, ein Herr Lehmann für Schlaue.» *(Akif Pirinçci)*

«Wenn einer es schafft, die angeödete Ironie-Fraktion der Hamburger Flaschenbiertrinker zum Lachen zu bringen, muss er schon was draufhaben. Heinz Strunk, ‹Kulturschaffender mit Schwerpunkt Humor›, schafft das seit mehr als zehn Jahren.» *(Stern)*

«So ist ‹Die Zunge Europas› letztlich ein wilder, über 300 Seiten starker Rundumschlag eines der wenigen humoristischen Schwergewichte deutscher Sprache.» *(Galore)*

«Selten lagen Lachen und Leiden näher beieinander.» *(Spiegel Online)*

«Ganz große Klasse.» *(Jan Weiler)*

Heinz Strunk

Die Zunge Europas

Roman

Rowohlt Taschenbuch Verlag

Veröffentlicht im Rowohlt Taschenbuch Verlag,
Reinbek bei Hamburg, Februar 2010
Copyright © 2008 by Rowohlt Verlag GmbH,
Reinbek bei Hamburg
Lektorat Marcus Gärtner
Umschlaggestaltung any.way, Cathrin Günther
(Umschlagbild: Philipp Rathmer)
Satz FF Quadraat PostScript (InDesign) bei
hanseatenSatz-bremen, Bremen
Druck und Bindung CPI – Clausen & Bosse, Leck
Printed in Germany
ISBN 978 3 499 24843 6

Für den Fink

SONNTAG
Nichts schmeckt so gut, wie Dünnheit sich anfühlt

Wie fast jeden Sonntag bei gutem Wetter hatten die Gäste des Cafés «Pustekuchen» sämtliche Stühle nach draußen geschleppt und gluckten nun in viel zu großen Gruppen an viel zu kleinen und noch dazu wackligen Bistrotischen. Normale, große und extragroße Spezialfrühstücke gaben sich auf Tischplatten in Größe DIN A3 ein beengtes Stelldichein. Um das fragile Gleichgewicht nicht zu gefährden, galt es, Besteck, Teller und Tassen wie beim Mikado langsam und vorsichtig in eine nicht einsturzgefährdete Parkposition zu bugsieren. Mühsam, egal, denn es war Sonntag, der einzige Tag der Woche, auf den es sich zu freuen lohnt. Einige Gäste schienen regelrecht vorgehungert zu haben: Vor Appetit bebende Hände pulten gekochte Eier auf, schmierten daumendick Konfitüren auf ofenwarme Baguettebrötchen und belegten großzügig die belastbaren Vollkornbrotscheiben. Carpe diem. Eine Scheibe Käse, eine Scheibe Wurst. Dazwischen ein Stängelchen Petersilie oder ein Tomatenachtel. Und obendrauf eine Silberzwiebel. Im Hintergrund Chill-out-Musik. Die Leute aßen und aßen und aßen. Ihre Augen glänzten vor Appetit. Ab Mittag wurde das Angebot um Quiches,

Croques, Suppen, Salate und ein vegetarisches Pasta-gericht ergänzt. Brunch as brunch can. Nachmittags Saisonkuchen, der passt immer noch rein. Wer sich einen Tisch gesichert hatte, gab ihn bis zum späten Nachmit-tag / frühen Abend nicht auf, da konnte es so heiß sein, wie es wollte.

Und es war heiß. Ein stabiles Azorenhoch hielt den Kontinent seit Wochen in tropischer Umklammerung. Nach dem verregneten Mai und dem bibberkalten Juni hatten sich die Menschen Mitte Juli noch über das uner-wartete Comeback des Sommers gefreut, der putschar-tig die Herrschaft an sich gerissen hatte. Doch nach fünf Wochen schönen Wetters begann sich die Hitze in etwas Feindliches zu verwandeln. Es war, als hätten sich unter die lieben Sonnenstrahlen Mikrowellen oder kurzstrahlige Lichtschübe gemischt, bereit, den Körper bis zur molekula-ren Ebene unheilvoll zu durchdringen. Schneidbrennende Drecksscheibe. Das ganze Land war wie angezündet. Nach vielen Jahren war es in der Lüneburger Heide wieder zu Waldbränden gekommen, und in einem Altersheim bei Elmshorn hatte sich ein achtundsiebzigjähriger Mann aus dem dritten Stock in den Tod gestürzt, weil es selbst nachts nie kühler als 25 Grad wurde. Die Bild-Zeitung schürte die Angst vor dem drohenden Armageddon («Mördersom-mer – schon mehr als 1000 Hitzetote», «Bald Sahara an der Elbe?», «Wann explodiert die Sonne?») mit dem gleichen Erfindungsreichtum, mit dem sie sonst die pornographi-schen Phantasien ihrer Leser bedient. Ungefähr eine Wo-che sollte es noch so bleiben. Mindestens. Vielleicht auch zwei.

Obwohl für mich als Freiberufler der Sonntag ein Tag wie jeder andere ist, verbringe ich die Zeit zwischen halb zwölf und halb eins regelmäßig im «Pustekuchen», da es zu Hause allein doch etwas trostlos ist und ich meinem an Ritualen armen Leben auf diesem Wege außerdem zu so etwas wie Struktur verhelfe. Struktur vortäusche. Struktur, Taktung, Rituale usw. Außerdem belausche und beobachte ich gern Menschen. Na ja, das sagen viele von sich, aber ich behaupte, dass meine Beobachtungen genauer sind. Da ich erst spät komme (halb zwölf ist ja nun wohl objektiv spät), muss ich mich fast immer irgendwo dazusetzen. Als Dazusetzer ist man unbeliebt, weil die anderen ja gerade extra früh aufgestanden sind, um sich die Tageshoheit über einen eigenen Tisch zu sichern, Exklusivnutzung im Kreis der Lieben. Dazusetzer zählen nicht zum Kreis der Lieben, Dazusetzer sind eine Bedrohung, dreiste Provokateure, die die fröhliche Stimmung durch ihre bloße Anwesenheit kaputt machen und manchmal sogar noch was auf den Tisch stellen (Mikadoeffekt). Sobald sich ein potenzieller Dazusetzer nähert, nehmen die Tischrechteinhaber daher instinktiv eine Art Drohhaltung ein: Sie spannen den Körper an, verengen die Augen zu Schlitzen und ziehen den Kopf zwischen die Schultern, bis sie in etwa so aussehen wie giftige Dschungelfrösche, die aus dem Zustand völliger Bewegungslosigkeit unvermittelt einen Riesensprung machen und ihre Opfer mit einem einzigen Haps verputzen können. Ich tu natürlich immer so, als würde ich das nicht bemerken, und setze mich, extra ohne zu fragen, dazu. Nur an manchen Tagen fehlt es mir an Energie, Power, Mut, Entschlossenheit,

Chuzpe; dann schaue ich die Leute traurig an und schleiche mit hängenden Schultern davon. Variante: Ich gehe entschlossen vorbei, als wollte ich eh woandershin (Haltestelle / Kiosk / Sonntagsspaziergang).

Lediglich an dem winzig kleinen Zweiertisch ganz rechts außen war heute noch ein Plätzchen frei. Eben, kein Platz, sondern ein Plätzchen, ein Katzentisch, mit extra kleinen Stühlen, die extra nicht zusammenpassten, Miniaturaschenbecher und winzigen Salz- und Pfefferstreuern. Im Zuckerstreuer kämpfte eine Wespe ums Überleben. Auf einem lächerlich schmalen und seltsam hohen Stuhl, der aussah wie ein Kindersitz, thronte eine Frau und wühlte sich durch die Sonntagszeitung. Mit ihrem pechschwarzen, von einer knallroten Strähne durchsetzten Bubikopf, der *witzigen* Brille (lila Gestell mit gelben Tupfern) und dem Hosenanzug (meine Güte, bei den Temperaturen Hosenanzug) sah sie aus wie eine Grünen-Politikerin aus den frühen Neunzigern. Auf ihrem Brustbein bildeten sich Schweißperlen, die in den Ausschnitt des T-Shirts rannen, und ihr Hals verschwand fast im hellgrünen Jackett, aus dem sie herausschaute wie ein Vogel aus einem Sack. Kiebig. Missgelaunt. Sie warf mir einen bösen Blick zu. Offensichtlich mochte sie Männer im Allgemeinen und mich im Speziellen nicht. Männer: Erst besetzen sie fremde Tische, dann fremde Länder. Alles andere ist Täuschung, Leerlauf und Übersprungshandlung. Politische Arbeit lässt keinen Raum für Humor. Sie kratzt sich unter den schweißnassen, dichtbehaarten Achseln und weiß, dass sie recht hat. Esther! Sie *musste* Esther heißen. Ich wusste auch, dass ich recht hatte. Und ich mochte sie auch nicht.

Ich ging zum Bestellen nach drinnen, sonst kann man am WE warten, bis man schwarz wird. Betreiber / Servicekräfte / Reinigungspersonal / Inhaber des «Pustekuchen» sind eine Frau und ein Mann um die dreißig, von denen ich bis heute nicht weiß, ob sie lediglich Geschäftspartner sind oder ein Pärchen mit allem Drum und Dran. Manchmal denke ich ja, manchmal wieder nein. Zärtlichkeiten tauschen sie nie aus, aber das will ja nichts heißen.

Die Frau (Karen) ist sicher eins achtzig, eine knochige Erscheinung mit flachem Gesicht. Das Auffälligste an ihr: Links oben grau angelaufener Schneidezahn. Vielleicht hat sie Angst vor dem Zahnarzt, oder der Zahn ist ihr Markenzeichen, ein Schönheitsfleck paradox, die Leute kommen ja auf die verrücktesten Ideen. Das andere Markenzeichen ist ihr platter Po, wirklich, platt wie eine Briefmarke. Vielleicht hängen Zahn und Po auch zusammen: Als sie unter Vollnarkose den Zahn hat machen lassen wollen, war die Tinte auf der OP-Anweisung zerlaufen, und der Chirurg hat ihr versehentlich den ganzen Po abgesaugt.

Der Mann (Frank), halber Kopf kleiner, spillrige Beine, dürre Schultern, hat aufgrund seines ausdruckslosen Gesichts eine frappierende Ähnlichkeit mit Fantomas, dem genialen Superganoven aus den Louis-de-Funès-Filmen. Der Fantomas im Film trägt allerdings eine Gummimaske, bei Frank hingegen ist, soweit ich das beurteilen kann, alles Fleisch. Vielleicht ist sein Gesicht schlecht durchblutet, oder er ist als Kind in eine Gefriertruhe gefallen. Oder: karges Innenleben. Egal, man weiß es nicht, und fragen kann ich ihn ja schlecht.

Komplettiert wird die Mannschaft von einem ewig in Schwarz gekleideten, sehr jungen Mädchen, das aber meistens nur an den Wochenenden dort ist, manchmal auch Fantomas an seinem freien Tag vertritt. Sie sieht aus wie ein Gruftie, wenn es die überhaupt noch gibt, hat ein angemessen mondbleiches, von unzähligen Äderchen durchzogenes Gesicht und praktisch keine Taille: ein Fässchen. Um den Hals trägt sie Pilzketten aus Fimoknete, die im Schwarzlicht der Goapartys immer so schön leuchten. Mutmaßung: In einer Ecke ihres WG-Zimmers hat sie sich ein Atelier eingerichtet, wo sie unermüdlich Elfen, Trolle und Gnome bastelt. Ihr rechtes Handgelenk zieren Eintrittsbänder diverser Events: Shivamoon, Excalibur, Fusion. Das sieht aus wie Wolle Petry mit seinen Freundschaftsbändern.

Dass in der *Gastro* eigentlich immer alles zack, zack gehen muss, ist nicht zu Fantomas und seiner Crew vorgedrungen. Zeitlupenhaft schlurfen sie auf Puddingbeinen in die Küche und wieder zurück, wie Lebewesen, die ihren Stoffwechsel je nach Bedarf rauf- und runterfahren. Wenn Kaffee durchläuft, schnüffeln sie manchmal sehnsüchtig, sie dürfen das braune Teufelszeug jedoch nie selber probieren, da ihre auf halber Kraft laufenden Schwachstromkörper unter Koffeineinfluss sofort kollabieren würden. Die Gäste haben sich dran gewöhnt, dafür sind die Preise für die Gegend sehr moderat. Mein interner Spitzname fürs «Pustekuchen»: «Zombiecafé», wahlweise «Café der Untoten».

Ich blieb so lange am Tresen stehen, bis sich Fantomas meiner erbarmte. Er sagte nichts, schaute mich nur an. «Wie immer. Einen großen Bohnenkaffee und eine kleine Apfelschorle. Ich sitz da drüben.» Ich zeigte irgendwohin. Er nickte und verzog sich in die Küche. Ich habe ihn, soweit ich mich erinnern kann, noch nie sprechen hören. Seltsam, wenn einem Aussehen, Gang und Mimik bzw. nicht vorhandene Mimik vertraut sind, die dazugehörige Stimme jedoch fehlt. Dabei braucht jeder gastronomische Betrieb doch eine Seele, einen Maestro, einen Mâitre, eine Identifikationsfigur, die *Signale* aussendet! Das Signal nämlich, dass man willkommen ist, herzlich willkommen sogar. Ein Chef, der einem zur Begrüßung auf die Schultern haut, dass es kracht, der einem vor überströmender Herzlichkeit die Hand und eventuell den Schädel zerquetscht (Ganzkörperzwinge). Dem man seine kreuzdämliche Fertigteil-Sprache ebenso durchgehen lässt wie die Unart, einem vor lauter falscher Freundschaft hin und wieder in die Wange zu zwacken oder die Ohren langzuziehen. Geschenkt, macht nix, weils vum Herze kümmt! Vielleicht weiß Fantomas das alles auch und macht es extra nicht, um sich vom Billig-Griechen gegenüber abzugrenzen. Man weiß es nicht, er sagt ja nichts.

Ich ging zu meinem Platz zurück. Sicher würden Kaffee und Schorle ewig dauern. Und ich hatte vergessen, mir was zum Lesen mitzunehmen. Langweilig. Mir schoss der Wahlspruch von Lemmy Kilmister (Motörhead) durch den Kopf: «Das Leben gleicht von außen einem leckeren Sandwich. Doch wenn man reinbeißt, stellt man fest, dass es mit Kacke bestrichen ist.» Ich kenne keinen vernünftigen

Menschen, der Lemmy Kilmister nicht mag. «China produziert Waren, Indien Köpfe.» Auch nicht schlecht, musste ich kürzlich irgendwo gelesen haben. Was ich nicht alles weiß. Ich kenne z. B. etliche Schlagertexte auswendig und ganz viel anderes unnützes Zeug, das lebenswichtigen Informationen das Wasser abgräbt und dringend benötigten Speicherplatz besetzt hält. Schrottinfos, tumorartiges Wucherwissen, das freche Raumforderungen stellt. «Eine Imprägnierung schließt immer auch eine Immunisierung ein.» Woher kam das denn nochmal? Peter Sloterdijk! Solche Sätze stammen mit hoher Wahrscheinlichkeit von Peter Sloterdijk. «Beschleunigung führt zu Fahrigkeit und Depersonalisierung, die Psyche kann den Wahrheitsgehalt nicht mehr überprüfen.»

Shit for da headz!

Da kann so nur Peter Sloterdijk drauf kommen. Man müsste trainieren, Smalltalk mit Peter-Sloterdijk-Shouts zu bestreiten. Aber mit wem üben? Mit Esther sicher nicht.

Es war schon Viertel vor zwölf und immer noch kein Getränk in Sicht, ewig hatte ich auch nicht Zeit. Am Nebentisch in Erwachsenengröße saßen eine junge Frau und ein junger Mann, die sich nicht besonders gut zu kennen schienen. Vielleicht ihr erstes Rendezvous. Die Frau sah sehr gut aus, ca. 15 bis 20 % attraktiver als der Mann, der auch gut aussah, aber öde, BWL / Jura / Medizin. Schlechte Aura, löchriges Karma. Keine Ausstrahlung. Bei Pärchen versuche ich immer so exakt wie möglich zu taxieren, wer um wie viel Prozent attraktiver ist und wie der / die Unterlegene das Defizit wohl ausgleicht. Eine Marotte von mir.

Zwischen den beiden lief es nicht. Das Gespräch hangelte sich an einer endlosen Kette von Floskeln und Versatzstücken entlang, stockend, zäh. Worte schwirrten bindungslos durch den Äther und zerfielen in ihre Buchstaben, aus denen sie dann wieder neue Leerformeln bildeten. Die beiden kamen sich einfach nicht näher. Meine Güte, ihr seid doch erwachsene Menschen, sagt doch wenigstens mal einen einzigen vernünftigen Satz!

Frau: «Der Laden hier läuft echt gut.»

Mann (der originellste Einfall seit Jahren): «Seitdem du hier wohnst, was?!»

Die Torte ist so stumpf, dass sie selbst dieses kleine Witzchen und das darin versteckte Kompliment nicht kapiert.

Frau: «Ich wohn seit knapp vier Jahren hier.»

Mann: «Ach so, ja.»

Schweigen. Rühren. Alles ist gesagt. In einem zähen Strudel spamverseuchter Wiederholungen dreht sich das ganze Seelenleben. Bei den meisten Menschen würde man geheime Leidenschaften, eine verborgene Seite zu Unrecht vermuten. Das Geheimnis liegt darin, dass es kein Geheimnis gibt.

Was soll's. Endlich brachte Fantomas meine Getränke und in einem Aufwasch auch noch Esthers Bestellung (großes Frühstück). Seine Bewegungen waren noch langsamer als sonst. Bald würde er mitten im *Move* einfrieren (freeze) und in tausend Stücke zerbersten, wie der Terminator 2 in «Terminator 2», wo der Terminator 2 im Stahlwerk schockgefrostet wird und Arnold Schwarzenegger (Terminator 1) ihn in tausend winzige Metallstücke schießt. Im Stahlwerk herrscht eine ungeheure Hitze. Die winzigen Metallstücke tauen auf, fließen rasend schnell in kleinen Pfützen zusammen, und die vielen kleinen Pfützen vereinen sich zu einer großen. Aus ihr erhebt sich: der Terminator 2!

Esther legte ihre Zeitung beiseite und begutachtete die Leckereien, um sich zu vergewissern, dass auch ja nichts fehlt: Croissant, Baguettebrötchen, Mehrkornbrötchen, gekochtes Ei, drei Sorten Aufschnitt, Konfitüre, Butter, Kaffee. Alles da, kein Grund zur Reklamation, schade eigentlich. Gern hätte sie sich beschwert, das sah man ihr richtig an, sie lässt sich nämlich kein X für ein U vormachen und die Butter vom Brot nehmen erst recht nicht, und ihre Rechte kennt sie auch und scheut zur Not auch nicht den Rechtsweg. Als Erstes waren Croissant und Ei dran. Croissant, Ei, Ei, Croissant, eine quasi ausschließlich aus Cholesterin bestehende Mahlzeit, die den Körper lähmt, statt ihm Energie zuzuführen. Eier sind noch minderwertiger als Fischstäbchen, nicht umsonst gelten sie in allen ernstzunehmenden Religionen als Symbol des Todes. Der Gott des Eis bringt Missernten und Plagen über die Menschen. Noch weiter unten, auf der alleruntersten Stufe der Nahrungskette, stehen übrigens Croissants.

Mit Messer und Plastiklöffel schälte sie bedächtig ein Stück Ei aus dem Eierbecher, legte es auf den Teller und biss in das Croissant. Dann schob sie blitzartig den vorbereiteten Eihappen nach. So was hatte ich auch noch nicht gesehen. Danach passierte erst mal gar nichts. Break. Strike. Regungslos wie ein Reptil, das sich, seiner Beute sicher, erst einmal verschnauft.

Einundzwanzig, zweiundzwanzig, dreiundzwanzig.

Ich konnte den Blick nicht abwenden. Nun mach doch, kauen, Mädchen! Ein Wahnsinn schon wieder alles. Endlich setzte sich ihr Mund in Bewegung. Zerkleinern, zersetzen, vermengen, vermischen, durchwalken, begleitet von leisen Schnalz-, Schluck-, Einspeichel- und Schnoddergeräuschen. Fünfzig Mal, bestimmt fünfzig Mal kaute sie auf dem weichen Quatsch herum! Bitte, bitte, weg mit dem Zeug! Dann schluckte sie endlich runter. Etwas in mir entspannte sich. Oder sackte zusammen. Eine Brise Croissant-Ei-Dunst wehte herüber. Sie hob den Blick und schaute mich an, triumphierend, als wäre sie sich des Belästigungspotenzials ihrer Unarten bewusst. Zäh verteidigte sie ihren schrecklichen Alltag: Wenn hier irgendjemandem irgendwas nicht passt, soll er sich gefälligst woanders hinsetzen!

Für einen Moment schloss ich die Augen. Von einem anderen Tisch wehte ein Gespräch herüber. Ein Mann berichtet seiner Frau umständlich von einem Kinobesuch, die Frau langweilt sich, wird ungeduldig, traut sich jedoch nicht, ihm offen ins Wort zu fallen. Sie legt unter die Rede ihres Mannes einen Paralleltext, sucht Lücken, in die sie leise hineinspricht.

Mann: «Und die Pinguinweibchen schwimmen bzw.
Frau: .... *die Weibchen, nicht die Männchen,*
gehen, oder manchmal robben sie ja auch zwanzig Tages-
.... *ja, koppheister* .... *ohne Pause*
märsche, um sich dort vollzufressen und gleich wieder
was? Ganz ohne Pause ....
zurückzuschwimmen, und die Männchen stehen da
oder eben zu robben .... *während die Weibchen*

zu Tausenden, was sag ich, Abertausenden, ganz dicht
Nahrung organisieren .... Zigtausenden ....
gedrängt und passen auf die Eier auf, wie im Winterschlaf,
.... *umgekehrt eben wie bei den Menschen* ....
und Sturm und Eis halten die
.... *macht denen nix aus*
   So geht das weiter. Der Mann hört nicht auf. Vielleicht
ist das auch seine Rache für entgangene Lebensfreude. Ich
öffnete die Augen.

Esther aß zeitlupenhaft, wie es zeitlupenhafter nicht ging.
Langsame Esser machen aggressiv, da können sich alle
Ernährungswissenschaftler auf der ganzen Welt tausendmal darüber einig sein, dass ordentlich Kauen gesund ist,
die klügere Ernährung, weil: Der Magen hat keine Zähne.
Zähne vielleicht nicht, dafür aber Magensäure. Der Mensch
ist von Natur aus nämlich ein Schlinger, Stichwort Mangel-
situationen. Vor aus evolutionärer Sicht lächerlich kurzer
Zeit hatten die Menschen nichts, aber auch gar nichts zu
beißen außer vielleicht ein paar wilden Beeren oder zer-
manschtem Fallobst oder toten Insekten. Und wenn alle
Jubeljahre und unter hohem Blutzoll (gutes Wort) ein
schönes Stück Wildbret auf dem Grillspieß landete, hieß
es reinhauen, aber zügig, bevor Meister Petz kam und den
Braten einkassierte. Damals wäre man mit «Ratschlägen»
von selbsternannten Ernährungspäpsten nicht weit gekommen: Fünf bis zehn unendlich kleine Mahlzeiten, in
regelmäßigen Abständen *bewusst* genossen und sorgsam
gekaut, um den gottverdammten Blutzuckerspiegel kon-
stant zu halten. Und am Gürtel baumelt ein Fünf-Liter-

Kanister stilles Wasser mit Saugschlauch, an dem man nuckeln soll wie ein Kleinkind. Schon mal was von Wasserödem gehört? Oder Durst? (Ein Signal des Körpers, dass er Flüssigkeit benötigt.) Egal. Esther mit ihrem abartig langsamen Gemampfe hätte unter *natürlichen* Bedingungen keine Chance.

Ich rühre im Kaffee. Rühr, rühr, plinker, plinker, schab, schab. Ich muss mich schon sehr langweilen, um im Kaffee herumzurühren. Ich rühre immer heftiger, wie ein Verrückter, und vor lauter irrem Gerühre fällt der Kaffeekeks von der Untertasse und landet auf dem Boden. Als ich mich nach vorn beuge, um ihn aufzuheben, leistet mein Bauch Widerstand, genauer gesagt die Ringe, aus denen er besteht. Überall liest man, dass Männer dreihundertmal oder noch häufiger am Tag an Sex denken. Das mag sein, aber ich denke bestimmt ebenso oft an meinen Bauch. Richtig dick bin ich nicht, aber auf dem Weg dorthin, achtundachtzig Kilo bei eins einundachtzig, in der offiziellen Sprachreglung heißt das *leicht übergewichtig*, jetzt aber aufpassen! Manchmal frage ich mich, ob es nicht besser wäre, in einem Durchmarsch richtig fett zu werden, dann hat man's hinter sich. Das eigene Haus unbewohnbar machen. Na, sicher kein Problem, derzeit scheue ich noch die Konsequenzen. Wenn ich mich nach vorn beuge, spüre ich drei kleinere Subschwarten, die in die Hauptschwarte (Big Wave) fließen. Fettringe sind Jahresringen von Bäumen vergleichbar. Erfahrene Gerichtsmediziner vermögen nach einem flüchtigen Blick exakt das Lebensalter zu bestimmen. Bei mir hat sich die vierte Subschwarte ungefähr zur Hälfte ausgebildet, also drei plus ...? Das bedeutet, dass ich was mit Mitte dreißig sein muss. Stimmt ja auch ungefähr.

Ich lehne mich zurück. Die Bewegung fühlt sich an, als würde mein Gesäß über die Kante schwellen. Unangenehm, wirklich unangenehm. Es geht mir wirklich nicht besonders gut heute.

Ich habe mir geschworen, konfektionsgrößenmäßig niemals klein beizugeben, niemals. Im Moment passe ich mit Ach und Krach in 52, und so soll es bleiben. Nach unten (48) ist natürlich Luft, aber nach oben (58) kein Raum, wenn man das mal so sagen kann / darf. Seitdem ich etwas *kräftiger* bin, trage ich bevorzugt Cord. Ein freundlicher Stoff, der den Körper umschmeichelt und schützt wie ein Panzer, ein Panzer aus Cord, ein Cordpanzer. Cord verhält sich zum Menschen wie Chitin zu Insekten. Chitin ist der Cord der Insekten, und Cord ist das Chitin des kleinen Mannes. Usw. Dieser «Stoff der Könige» hat noch einen anderen, gewichtigen Vorteil: Er gibt nach. Im Gegensatz zu beispielsweise Baumwollanzugstoff. Als ich mir vor kurzem beim gediegenen Herrenausstatter «Wormland» wieder mal einen Anzug (Baumwolle) gegönnt habe, war das Kauferlebnis begleitet von einem sensationell deprimierenden Zwischenfall: Nachdem ich in den dunkelbraunen Zweireiher geschlüpft war, hatte ich das Gefühl, der Anzug würde ganz ordentlich sitzen, um nicht zu sagen: wie angegossen. Der Verkäufer hingegen schien nicht recht zufrieden zu sein. Er stand hinter mir und machte sich verdächtig lange am Sakko zu schaffen. Er zog und zuzelte und nestelte, und ich hatte keine Ahnung, was genau er da eigentlich trieb, ich ahnte nur, dass es nichts Gutes zu bedeuten hatte. Schließlich hielt ich es nicht mehr aus und drehte mich um:

«Ähem, was machen Sie da eigentlich?»

Er schaute mich traurig an und sagte mit belegter Stimme:

«Tja, Kofferraumdeckel geht nicht zu.»

Kofferraumdeckel. Was für ein deprimierendes Wort. Deprimierende Worte, deprimierende Welt: Jojo-Diät, Kofferraumdeckel, Weight Watchers, Atkins, Fettwaage, Schleifkorbtrage, Fatburner, Alarmstufe Rahmstufe, FDH, Vierfachkinn, Sauklumpen, Dickenturnen, Röllchenalarm, high & mighty undundundoderoderoder.

In Wahrheit ist es nämlich so: Nichts schmeckt so gut, wie Dünnheit sich anfühlt.

Allerdings interessiere ich mich schon von Berufs wegen auch für die komischen Aspekte der Adipositas, und es ist mir eine liebe Gewohnheit geworden, Zeitschriften und Zeitungen nach einschlägigen Meldungen zu durchforsten. Jedem durchschnittlich informierten Mitteleuropäer dürfte ja mittlerweile bekannt sein, dass man in einer Viertelstunde Dauerlauf / 11 kmh / Ebene 188 Kalorien (100 Gr. Romadour, 20 % Fett i. Tr.) verbraucht, dass Radfahren jedoch nur 98 Kalorien bringt (2 Pfirsiche) und 15 Minuten Standardtanz gerade mal mit lächerlichen 50 Kalorien (100 Gramm Zuckermelone) zu Buche schlagen. Standardwissen.

Weniger bekannt sein dürfte, dass *nach Würmern graben* 272 Kalorien verbrennt, *den Hund waschen* 238, *Graffiti überstreichen* 342 und *auf Krücken gehen* 340 Kalorien. Und: Durch das ständig steigende Körpergewicht der US-Auto-fahrer erhöht sich der Benzinverbrauch in den USA seit 1960 um knapp 3,8 Milliarden Liter pro Jahr. Sachinforma-tionen.

Weiter geht's: Fettschwarten am Rücken sehr dicker Menschen nennt man «Tannenbäume», die herunterhän-gende, schlaffe Haut des Bauches «Rollläden», und Fettan-sammlungen am Hals verursachen das sog. Treppenkinn. «Treppenkinn» und «Kartoffelknie» kann man in extremer Großaufnahme übrigens nicht voneinander unterschei-den. Das aus dem Hosenbund quellende Fett heißt ab so-fort nicht mehr «Hüftgold» (das Wort ist verbraucht, aus-gelutscht, öde), sondern «Elchschaufeln». (Anweisung von ganz oben – also von mir.) Dann gibt es noch Salz- und Pfefferstreuer, Winkfleisch und gelblich unter der Haut schimmernden Flimmerspeck. Das schönste Wort, von dem ich leider nicht weiß, was *genau* es bedeutet: «Zi-geuner des Körpers». Magisch. Zigeuner des Körpers, was mag wohl dahinterstecken? Egal. Stand der Dinge: Koffer-raumdeckel geht nicht zu. Mein größter und in Wahrheit einziger Wunsch: mit nacktem Oberkörper Holz hacken, ohne dass es scheiße aussieht. Glück kann so einfach sein.

Ich trank einen Schluck Kaffee und pulte an meinem Hinterkopf herum. Vor kurzem habe ich dort eine kahle Stelle ausgemacht, die sich unaufhaltsam ausdehnt (Stei-gerung: speckig, jetzt noch Haarausfall / stimmt aber leider). Kommt mir jedenfalls so vor. Dieser Tonsur ge-nannte, kreisrunde Haarausfall ist im Vergleich mit einer sich allmählich lichtenden Stirn die eindeutig schlechtere Variante der Kahlköpfigkeit. Der Volksmund nennt es verächtlich *Fleischmütze*. Außerdem haben sich meine Leberflecke vermehrt. Der große an der Wade, treuer Begleiter seit der Kinderzeit, franst an den Rändern aus, angeblich kein gutes Zeichen. Der Leberfleck, Fleck des kleinen Mannes. Um meine buschigen Augenbrauen hingegen muss ich mir keine Sorgen machen, die fallen nie aus, es sieht eher so aus, als würden sie bald in der Mitte zusammenwachsen. Augenbrauenhaare, Brusthaare, Bauchhaare, Pohaare, Haare, Haare, Haare. An *Depritagen* habe ich schon die Anschaffung eines Ladyshavers erwogen, den ich aus Tarnungsgründen im Fach mit den abgelaufenen Medikamenten aufbewahren könnte. Ich bin davon überzeugt, dass viele Männer heimlich einen Ladyshaver besitzen, ein namenloses Heer von Blindrasierern, die vor der metrosexuellen Diktatur in die Knie gegangen sind, und jedes noch so kleine Härchen mit einer Batterie von Rasierapparaten, Bunsenbrennern, Epiliergeräten und Feuerzangen sofort an der Wurzel wegbrennen oder ausgraben. Ob es in anderen Kulturkreisen so etwas wie Nacken-, Rücken- oder Pofriseure gibt?

Ab und an frage ich mich, was die Stammgäste des «Pustekuchen» von mir denken, falls sie sich überhaupt jemals Gedanken über mich machen. Beruf. Hobbys. Vorlieben. Eigenarten. Abgründe. Warum ich z. B. sonntags immer exakt um die gleiche Zeit für genau eine Stunde komme, immer allein, und nie etwas esse. Mich fragt natürlich keiner, und wenn, würde ich die Antwort für mich behalten:

Das «Pustekuchen» ist eine Durchgangsstation auf dem Weg zu meinen Großeltern, bei denen ich fast jeden Sonntag zu Mittag esse. Es würde unendlich viel Zeit und Mühe kosten, zu erklären, weshalb ein vierunddreißigjähriger Mann sich Woche für Woche von seiner fast achtzigjährigen Großmutter bekochen lässt. Deshalb lasse ich es lieber gleich.

Esther war fertig und ging zum Bezahlen nach drinnen. Endlich war ich allein. Ich schaute auf die Uhr, zwanzig nach zwölf, spätestens in zehn Minuten musste ich los. Ich nahm den Salzstreuer in die linke Hand und den Pfefferstreuer in die rechte. Ich starrte auf die Tischplatte und überlegte, aus wie viel Holzstreben sie wohl zusammengesetzt war. Oder sagte man Bohlen? Oder ganz anders? Zonken? Ronken? Honken? Egal. Ich schätzte die Zahl der Wiedieauchheißen auf sechzehn. Da schätzen und glauben aber nicht wissen ist, beschloss ich, es zu *prüfen*. Wenn ich im Bereich plus minus drei blieb, würde ich mir etwas Schönes gönnen, wenn nicht, dann nicht. Ich zählte mit den Augen. Eins, zwei, drei, vier. Bei sieben kam ich raus. Auf meine Augen war auch kein Verlass mehr. Also nochmal von vorn, diesmal nahm ich den Mittelfinger zu Hilfe. Eselsbrücke. Die Eselsbrücke ist die Brücke des kleinen Mannes. Eins, zwei, drei, vier, fünf, sechs. Die Zwischenräume betrugen im Durchschnitt ungefähr zwei Zentimeter, je nachdem, einige Zonken schienen weniger, andere deutlicher auseinanderzustehen. Ich vergewisserte mich, indem ich den Finger in die Ritzen steckte. Tatsächlich. Einige enger, andere weiter. Sieben, acht, ich murmelte leise mit.

Bei neun blieb der Finger stecken. Ich zog ein paarmal, ohne Erfolg. Ruckel, ruckel, zieh, zieh. Ruckeln und ziehen brachte nichts. Also drehen, in Schraubenziehermanier. Brachte auch nichts, der Finger saß fest. Druckwellen liefen durch meinen Körper. Im Magen ein panisches Kitzeln. Ruhig, ruhig, jetzt bloß keine *Attacke*. Durch das Ruckeln und Ziehen und Drehen war der Scheißfinger im Nu angeschwollen. Das gesamte Universum war in einem einzigen Raumpunkt mit dem Volumen null zusammengedrängt, wie etwa in einer Kugel mit dem Radius null, dachte ich, und war irgendwie froh darüber, dass mir in dieser verfriemelten Situation etwas so Kompliziertes einfiel. Diophantische Gleichungen, Lie-Gruppen, Zufallsmatrizen. Wenn der Finger da reingekommen war, musste er auch wieder rauskommen, das war ja quasi ein Naturgesetz. Das Einzige, was ich tun konnte, war, den Finger ruhig zu halten und zu hoffen, dass er von alleine wieder abschwoll. Ich sah mich unauffällig um, aber die Gäste waren mit anderen Dingen beschäftigt. Ob ich der Einzige war, dem dieses Malheur jemals passiert war, oder kam das ständig vor? «Nicht die Finger zwischen die Ronken stecken. Lebensgefahr.»

Ich hing jetzt bestimmt schon fünf Minuten fest und deckte die schlimme Hand mit der Zeitung ab, die Esther liegengelassen hatte. Heilung durch Nichtbeachtung. Hölfe, Hölfe, dachte ich, ich muss zu Oma und Opa zum Mittagessen, wenn ich zu spät komme, gibt's Ausmecker. Genau das dachte ich, wörtlich. Mein Leben war doch schon so schwer genug. Der Finger tat weh, vielleicht war er durch die Ruckelei gebrochen? Oder verstaucht?

Oder geprellt oder ausgerenkt? Oder eine oder mehrere Sehnen waren gerissen oder wenigstens angerissen? Da musste der Nottischler ran. Ob es so etwas wie einen Nottischler gab? Es gab schließlich auch einen Notarzt, einen Schlossnotdienst und eine Notapotheke. Zur allergrößten Not kann man die Feuerwehr rufen, die kommt immer. Schwitzschwitzruckelruckeloinkeroinker. Langsam wurde ich ernstlich panisch, ich ruckelte und drehte und zog und versuchte, mit der freien Hand die Bohlen auseinanderzudrücken. Nichts. Ich starrte auf den Finger und die Leute und die Zuckerdose, in der die Wespe noch immer ihren einsamen Kampf führte. Auf meiner Armbanduhr sah ich, dass es schon spät war, und mich beschlich so ein Gefühl, als ginge es nun nicht mehr um meinen Finger, sondern um etwas Grundsätzliches, es ging in Wahrheit um Leben und Tod. Es ging darum, dass von nun an ALLES diesem Augenblick gleichen würde.

Mit einem Mal war der Finger frei. Ich befühlte ihn. Er tat weh und blutete etwas, aber gebrochen schien er nicht zu sein. Die Hand war krebsrot wie eine Metzgerhand. Wie hatte ich das jetzt gemacht? Ach, egal.

Ich blieb so lange sitzen, bis meine Nerven sich halbwegs wieder beruhigt hatten. Währenddessen sah ich meine arme Großmutter mit geschwollenen Beinen vor dem mehrfach unbeschichteten Kochtopf stehen, sie hatte ihre liebe Not damit, die ausgelaugten Salzkartoffeln im Wasserbad warm zu halten. Die Geschichte mit dem eingeklemmten Finger würde sie mir nie abnehmen, denn sie war (aus guten Gründen) überzeugt davon, dass Lügner ihre Lügen immer mit hanebüchenen Geschichten tarnen.

Wer nichts zu verbergen hat, dem genügen ein, zwei Sätze der Erklärung. Langsam hörte die Hand auf, schmerzhaft zu pochen, ich klemmte einen Zehn-Euro-Schein zwischen Untertasse und Becher und verdrückte mich.

Auf dem Bahnsteig war es noch heißer als im Café. Als Kind hatte es mir nie heiß genug sein können. Jeden Morgen nach dem Aufstehen war ich ans Fenster gestürzt, hatte die Vorhänge aufgerissen und in die Sonne geblinzelt. Ja, du liebe Sonne, strahl du nur, so hell du kannst! Auf dem Weg zur Badeanstalt hatte ich ganz tief eingeatmet, um den Sommer in mich aufzunehmen und jedes Lungenbläschen mit heißem Sommerwind, dem einzigartigen Geruch von Kuh, Chlor, Speiseeis, flimmernder Hitze, Pollen, Sonnencreme, Bauernstube, nackter Haut, Insekten, Filterzigaretten und frisch abgeernteten Feldern vollzusaugen. Die Wärme, die Luft, die Gerüche, die Aussicht auf sechs Wochen Ferien und tausend andere Sachen waren in meinem Kopf explodiert und hatten ein unbeschreibliches Glücksgefühl ausgelöst. Der Sonnenschein hoch oben verdichtete sich und rieselte in Schauern zu mir herab, die Sonne brannte sich in meinem Gesicht fest, ich konnte spüren, wie meine Haare ausblichen, ich leckte mir über die salzigen Lippen und freute mich wie ein Tier, das leben darf. Es waren Momente voller Herrlichkeit, ein kostbares Gefühl, am Leben zu sein und sich von ihm verzehren zu lassen, wie es durch mich hindurchbrauste und mich dabei zerstörte. Ja, wirklich, damals verfügte ich über ein Enzym, das Hitze in Glück aufspaltete.

Und nun stand ich schwitzend auf dem sich langsam füllenden Bahnsteig und machte den Mund auf und zu wie ein halbtoter Karpfen. Die Luft war heiß und unangenehm und erfüllte mich mit einer dumpfen Traurigkeit. Vielleicht führt der Kontakt mit der Sonne ab einem bestimmten Alter automatisch zum Tod. Daran muss man sich gewöhnen, wie man sich wahrscheinlich noch an ganz andere Dinge gewöhnen muss. Ich schaute auf die Anzeigetafel und ärgerte mich über die Drecksbahn. Sechs Minuten noch, sechs verschissene Minuten, wozu zahl ich eigentlich Abgaben? Ich erwog ernsthaft, dem Bund der Steuerzahler beizutreten. Mein Gesicht war vor Wut und Hitze rot wie eine Rübe, die Arme hingen wie Topflappen an mir herunter, und aus irgendwelchen Gründen musste ich an Kaffeesahne denken, die dick und gelblich in eine Tasse rinnt.

Das hatte mit früher wirklich nichts mehr zu tun.

Die Anlage, in der meine Großeltern seit bald fünfzig Jahren leben, wird von ihren Bewohnern liebevoll «Käfersiedlung» genannt, da sämtliche Straßen, Wege und Stiege nach netten und nützlichen Käfern benannt sind: Sandkäferstieg, Marienkäferweg, Maikäferring, Dingskäferstraße, Dingskäferkehre. Der Borkenkäfer ist kein nützlicher Käfer, sondern ein Schädling, deshalb ist auch keine Straße nach ihm benannt. (Den Maikäfer gibt's eigentlich nur noch aus Schokolade.) Die Großeltern sind jung eingezogen und hier alt geworden. *Alle* sind jung eingezogen und hier alt geworden, alle, alle, alle. Die Siedlung mit dem putzigen Namen ist hoffnungslos vergreist, ein Spiegel der demographischen Entwicklung. Manchmal kommt sie mir vor wie eine von irren Kindern mit starrem Blick (in diesem Fall irren Alten mit starrem Blick) bevölkerte Kleinstadt, die wie in amerikanischen Horror-B-Movies von finsteren Mächten aus den Tiefen des Weltalls entsandt wurden, um als Vorposten die Invasion des Planeten Erde vorzubereiten.

Sobald man die Hauptstraße verlässt und in den Marienkäferweg biegt, erlischt schlagartig alles Leben. Mucksmäuschenstill reiht sich Einfamilienhaus an Einfamilienhaus an Einfamilienhaus. Kein Kindergeschrei, keine Rasenmähergeräusche, noch nicht einmal Vogelgezwitscher. Vielleicht fallen Vögel tot vom Himmel, wenn sie die Greisenenklave überfliegen wollen. Vielleicht bilde ich mir das alles aber auch nur ein. Sicher ist jedenfalls: In der gesamten Siedlung gibt es keinen Menschen unter siebzig. Und Fantomas habe ich in Verdacht, dass er sich bereits die Option auf eine Doppelhaushälfte gesichert hat.

An der Ecke Marienkäferweg / Sandkäferstieg kamen mir zwei junge Mädchen entgegen. Ururenkelinnen auf Stippvisite oder so etwas. Partnerlook: Sandalen, Jeansminirock, bauchfreie, eng anliegende Unterhemden. Braungebrannt, dezent geschminkt. Die Kleinere hatte ein sehr zartes, von einer Art Retropagenschnitt umschlossenes Gesicht und schmale grüne Augen. Sie sah ein wenig indisch aus. Ihre Freundin war mit dem etwas herben Gesicht, den hohen Wangenknochen und den blonden Haaren, die sie zu zwei Zöpfen geflochten hatte, der nordische Typ.

Wunderschöne, anmutige Wesen, die niemals schwitzen, Schmetterlinge, leicht und flüchtig. In ihren unergründlich hellen Augen liegt ein phosphoreszierendes Glimmen, ihre trugbildschönen Körper sind von winzigen, daunenartigen Härchen bedeckt, die blassroten Münder gleichen aufgeplatzten Kirschen. Erhöhte Geschöpfe, von denen ein irisierendes Leuchten ausgeht, das der Welt neue Farbe verleiht. Schwermut, Krankheit, Alter und Armut können ihnen nichts anhaben, denn sie haben recht: Das Leben geht immer weiter, aber sie werden niemals sterben!

Was dachte ich mir da eigentlich zusammen? So ein Quatsch. Als sie an mir vorübergingen, holte ich tief Luft. Wenn ich mir nur die Lungen mit ihrem Duft vollpumpen könnte, auf Vorrat! Wenn sie doch anhielten und mich küssten. Ich musste mich zusammenreißen, um sie nicht anzuglotzen, doch das wäre gar nicht nötig gewesen, sie plapperten fröhlich und registrierten mich überhaupt nicht. Wahrscheinlich ist es so, wie oft gesagt wird: dass die Jugend die Zeit des Glücks ist, die einzige im Leben.

> Verlassen ist der Holderstrauch,
> An dem ich einst geküsst.
> Es blieb ein Duft, der wie ein Hauch
> Aus fernen Tagen ist.
> Noch immer hör ich jenes Lied,
> Das einst die Nachtigall uns sang.
> Wenn auch mein Herz wie einst noch blüht,
> Mir wird so abschiedsbang.
> Wenn ich mich auch zu trösten weiß

Mit Lachen und Humor,
Aus meinem Aug stiehlt sich ganz leis
Ein kleines Tränchen vor.

Auf der Heide blühn die letzten Rosen,
Braune Blätter fallen müd vom Baum
Und der Herbstwind küsst die Herbstzeitlosen,
Mit dem Sommer flieht manch Jugendtraum.
Möchte einmal noch ein Mädel kosen,
Möcht' vom Frühling träumen und vom Glück.
Auf der Heide blühn die letzten Rosen,
Ach, die Jugendzeit kehrt nie zurück.
Holde Jugend, holde Jugend,
Kämst du einmal noch zu mir zurück!

Heino: Auf der Heide blühn die letzten Rosen. So kann man's auch sagen. Heino ist übrigens der Größte, da können die Spießer stänkern, wie sie wollen. Alte deutsche Fahrtenlieder mit Gitarrenrhythmus und im modernen Arrangement. Derartiges gab es vorher nicht und wird's so schnell auch nicht wieder geben.

Ich musste leider wieder ausatmen. Die Begegnung hatte maximal fünfzehn Sekunden gedauert. Nun komm mal wieder runter. Werd mal wieder normal. Lächerlich. Verwirrte Gedanken, lächerliche Klagen. Ich war aber auch empfindlich heute. Wahrscheinlich lag's an der Fingergeschichte. Ich dachte ein paarmal «geiler Arsch, geile Titten, elende Fickmäuse» vor mich hin, dann ging es mir ein bisschen besser. Aus welchen Löchern kommen im Sommer eigentlich die geilen Weiber gekrochen, die sich während der dunklen Jahreszeit nie blicken lassen? Die könnten sich mit vormariniertem Discounter-Grill-fleisch einschmieren und würden immer noch top aus-sehen. Und geile Ärsche haben die. Sagenhaft, was die Weiber heutzutage für geile Ärsche haben. Früher hatten nur Sabine Freudenthal und Petra Barsties welche. Wenn überhaupt. Vielleicht liegt das an der Ernährung oder dass sie statt ewig Rückenschwimmen und Weitsprung schon mit zwölf Problemzonensport betreiben. Egal. Ich drehte mich um und sah sie um die nächste Ecke ver-schwinden.

Ich finde nicht statt. Eine Schimäre, ein Schattenriss, ein Dunkelmensch, ein mit dünnem Strich Skizzierter. Die Mädchen hätten auch fünf oder zehn oder fünfzehn oder zwanzig Jahre älter sein können, es spielte keine Rolle. Genauso wenig, wie es eine Rolle spielt, ob ich nun sie-ben Kilo mehr oder neun Kilo weniger wiege, eine Fleisch-mütze habe oder keine, behaart bin oder blank, käseweiß oder tiefbraun, Jeans oder Smoking, Abba oder Zappa, Dings oder Dings: Es ist *vollkommen egal*. Würstchen im Schlafrock, Pflaume im Speckmantel, die Lage ist hoff-nungslos, ich löse bei anderen Menschen einfach keine sexuellen Wünsche aus. Sinnlichkeit und Leidenschaft be-deuten für Männer wie mich eine Bedrohung. Wir können nicht mithalten, wir sind nicht dafür gemacht und haben davon nichts außer Leid, Sehnsucht und einem sinnlosen Losstürmen des Blutes. So einfach ist das. Nichts Spekta-kuläres, nichts Besonderes, Millionen Männern geht es so. Die meisten kapieren nur nicht, sie wollen ums Verrecken nicht kapieren, dass sie es abschalten müssen, und zwar grundsätzlich abschalten: Früher hätte man dazu Askese gesagt oder Kasteiung oder Selbstzucht. Egal, ich nenne es «Desexualisierung». Vielleicht gibt es den Begriff schon in irgendeinem Zusammenhang, sozusagen offiziell/wissenschaftlich, interessiert mich nicht, ab jetzt ist es mein Wort. Copyright: M. Erdmann. Im Grunde genommen gibt es nur eine Regel: Enthaltsamkeit. Enthaltsamkeit in den Blicken, Enthaltsamkeit in den Gedanken, Enthaltsamkeit in allem. Im Idealfall unterstützt durch Sport, gesunde Ernährung, wenig Alkohol und kalt Duschen, aber das ist vielleicht doch etwas zu viel verlangt. Auf jeden Fall: Ich hab's ganz gut in den Griff bekommen, bin quasi bummelig pi mal Daumen auf halber Strecke angekommen. Nur das mit der Sehnsucht, das ist nicht so leicht, denn die Sehnsucht ist viel hartnäckiger als das Verlangen. Aber das würde ich auch noch hinbekommen.

Krrrrk ... Krrk ... krkk. Die Klingel der Großeltern, nach vierzig Jahren Dauerbetrieb müde geworden, bekommt immer öfter Aussetzer. Manchmal kann man zehn Sekunden drücken, und nichts passiert, dann plötzlich reißt einen das rohe Industrialsample aus den Tagträumereien. Krrrk ... Krrrrrrrrk.

Meine Güte, wie lange dauert das denn! Ich starrte auf das stumpfe, mit Grünspan oder irgendetwas anderem (bei mir ist immer alles Grünspan) angelaufene Schild. Wenn ich es nur intensiv genug fixierte, würde es abfallen. War nur so ein Gefühl. Vielleicht hatte ich telepathische Fähigkeiten und wusste es nicht. Riesentalent als Wünschel-rutengänger, hätte Erdstrahl- oder Wunderheiler werden sollen. Astrotyp. Hätte, sollte, würde, könnte, jetzt war es zu spät. Die Buchstaben verschwammen vor meinen Augen. E.R.D.M.A.N.N. Da komm ich her, da geh ich hin. E.R.D.M.A.N.N., der, der in der Erde lebt, was für ein mittel-mäßiger Name, da ist die Begrenzung und Perspektivlosig-keit schon mit eingebaut. Man hört einfach nichts, keinen Sound, kein Echo. E.R.D.M.A.N.N. Gehe nicht über Los. Ziehe keine 4000 Mark ein. Gehe ins Gefängnis. Begib dich direkt dorthin. Besser: Abschminken und in den Holz-pyjama schlüpfen (österreichisch für Sarg). Tolles Wort, Holzpyjama.

Oma öffnete mit dem nur für mich reservierten Ge-sichtsausdruck: Enttäuschung und Trauer. Ich sollte mich schuldig fühlen. Als Grundgefühl. Entweder fürs Zuspätkommen oder für die anderen Sachen, die ich schon verbrochen hatte und noch verbrechen würde, und wenn das alles nicht langte, gab's ja noch die Erbsünde. Ob jung, ob alt, Frauen beherrschen das in der Regel aus dem Effeff.

«Ach, Markus, wir dachten schon, du kommst gar nicht mehr. Du hättest doch wenigstens mal anrufen können.»

«Erst mal schönen Sonntag. Wenn ich dir sage, was mir gerade passiert ist, das glaubst du nicht.»

«Nun setz dich mal gleich hin. Für die Kartoffeln kann ich nicht mehr garantieren. Wir haben uns schon Sorgen gemacht.»

Wir war gut, denn Opa zog sich langsam, aber sicher ins dunkelsamtene Bett der Demenz zurück und konnte sich schon seit geraumer Zeit keine Sorgen mehr machen. Keine richtigen jedenfalls. Demenz? Alzheimer? Verkalkung? Die Ärzte wussten es auch nicht. Vor zwanzig Jahren wäre es automatisch Verkalkung gewesen, heute ist es immer automatisch Alzheimer. Im Grunde genommen auch völlig egal, denn die Diagnose ändert nichts (wie bei Rückenschmerzen. Kurzhörspiel: Doktor: «Ganz schief und krumm, Ihr Rücken.» Ich: «Und nun?» Doktor: «Tja.»). Großvaters Verfall war unaufhaltsam, und der Tag rückte näher, an dem er Windeln würde tragen müssen, spätestens dann käme Oma um einen ambulanten Pflegedienst nicht mehr herum, und sobald selbst das nicht mehr reichen würde, gäbe es nur noch das Heim. Oma wusste es, Opa spürte es.

Ich erinnere mich noch genau an den Tag, an dem es losging: Opa war zeit seines Lebens ein formidabler Schachspieler gewesen, nie hatte ich eine Chance gegen ihn gehabt. Noch nicht mal aus Mitleid oder weil ich sein Enkel war, ließ er mich mal eine Partie gewinnen. Wie immer saßen wir uns also schweigend gegenüber, und plötzlich machte er einen unbegreiflichen Anfängerfehler. Dann noch einen und noch einen, und noch einen, und dann setzte ich ihn matt. Die Revanche verlor er kläglich. Verzweifelt hatte er mich danach angeschaut: «Markus, was ist bloß los mit mir? Ich kann gar nicht mehr richtig denken!» Ich wurde verlegen und habe irgendwas wie «Wird schon wieder» gesagt, «Tagesform» oder «Vielleicht hast du was Schlechtes gegessen». Dabei wusste ich, dass es was Ernstes war. Im ersten Jahr hatte er seinen Verfall noch bewusst und schmerzhaft miterlebt, er war ganz verzweifelt und versuchte sich zu wehren, wusste aber nicht, wie. In der nächsten Phase wurde er rührselig, danach schrumpfte er schließlich zu dem Häuflein Elend, das er heute ist.

Wenn er so ganz normal in seinem Sessel sitzt, merkt man nichts. Selbst mit über achtzig zieht er sich jeden Morgen einen Anzug an, eines der Dinge, die er noch selbständig tun kann. So etwas wie *Freizeitkleidung* hat es bei ihm nie gegeben, Opa im Jogginganzug, undenkbar! Im Bett trägt man einen Schlafanzug, am Strand eine Badehose, sonst Anzug. Opa verbringt fast den ganzen Tag im Sessel. Manchmal setzt sich Oma zu ihm, und sie unterhalten sich, das heißt, Oma erzählt, was sie Leckeres eingekauft hat oder dass es Herrn Sowieso schon wieder schlechter geht. Opas großes Thema ist der Krieg, wie viele alte Männer wird er von seiner militärischen Vergangenheit eingeholt. Sonst guckt er gern Tiersendungen.*

* INFOKASTEN:
Mit Tiersendungen ist es so eine Sache: Man hat das beruhigende Gefühl, etwas Sinnvolles und Lehrreiches zu schauen, aber wenn die Sendung aufhört, ist schlagartig alles vergessen, übrig bleibt nur langweiliges Basiswissen: Geparden erreichen eine Spitzengeschwindigkeit von 110 km/h, Elefanten haben ein gutes Gedächtnis, der Blauwal ist das größte Tier der Welt und außerdem kein Fisch, sondern ein Säugetier.

Das Wichtigste für Opa ist aber Essen, noch vor Tieren und sogar noch vor Krieg. Sein Sättigungsgefühl scheint sich zeitgleich mit dem Kurzzeitgedächtnis verabschiedet zu haben, er kann wirklich schaufeln wie ein Scheunendrescher. Gutes Wort, Scheunendrescher. Erstaunlich, was in den kleinen, schrumpeligen Körper alles reingeht. Mit entrücktem Gesichtsausdruck schiebt er sich die *Sachen* rein, bis nichts mehr da ist oder Oma abräumt. Wenn Oma oder ich beim Essen trödeln, dauert es nicht lange, und seine Gabel beginnt zu wandern. In meinen Träumen sehe ich ihn auf dem Kamm einer pyroklastischen Welle, einer Welle aus kochendem Speisebrei, dem Paradies entgegenirrlichtern, ein Surfer mystique.

Einerseits gönnte ich ihm das Vergnügen, andererseits sah ich mich gezwungen, die gleichen Maßstäbe anzulegen, die zeit seines / meines Lebens auch für ihn / mich gegolten hatten: «Eine Mahlzeit muss man sich verdienen.» Solange ich denken konnte, war Opa ein lebendes Verbotsschild gewesen. Im Grunde genommen war alles verboten, außer vielleicht Luftholen: Rauchen, Luftgewehr schießen, mit Freunden zelten, im Garten Fußball spielen, erst nach neunzehn Uhr heimkommen, Mofa fahren, Taschenbillard, lange Haare, kurze Hosen, verboten, verboten, verboten. Alle anderen ja, ich nein. Im ersten Stock, direkt neben dem Gäste-WC, befindet sich ein allein ihm, dem Haushaltungsvorstand, vorbehaltenes Privatrefugium, das sog. Herrenzimmer, welches ich, wenn überhaupt, nur unter seiner Aufsicht hatte betreten dürfen. Zentrum des Herrenzimmers ist ein riesiges schwarzes Ledersofa (nicht wie Sofas heutiger Schummelbauweise aus zehn Prozent Leder und neunzig Prozent Luft-Schaumstoff-Gemisch, sondern sechzig oder siebzig Prozent reines Leder. Massivleder) mit einer Tragfähigkeit von schätzungsweise zwei Tonnen. Und jetzt kommt's: Ich (12 Jahre, irgendwas mit 50 Kilo) durfte mich nicht daraufsetzen. Begründung: Abnutzung.

Aber da sich im Leben bekanntlich alles rächt (Payback Time), war ich auf der Suche nach einer angemessenen Bestrafung auf eine perfide Idee gekommen: ihm die Freude am Essen zu verleiden. Essen, essen, essen. Das war der richtige Ansatz, den Spaß an der elenden Völlerei würde ich ihm gründlich verderben! Da ich jedoch kein ausschließlich von primitiven Rachegelüsten getriebener Primat war, galt es, erst einmal eine Art theoretischen Überbau zu konstruieren: Omas ausschließlich aus gesättigten Fettsäuren bestehende Hausmannskost leistet einem noch rascheren Abbau Vorschub. Für Opas ohnehin geschwächten Organismus ist solches Essen *pures Gift*. Meine Mission war also, dafür zu sorgen, dass Opa wenigstens sonntags nicht noch tüddeliger wird. Ich war auf eine simple, aber sehr effiziente Methode gekommen: Auf dem Höhepunkt meines Rachefeldzuges trat ich ihm während der Mahlzeiten unter dem Tisch gegen das Schienbein. Immer wenn er vor lauter insektenhaftem Geschmecke und oralem Genuss das Bewusstsein zu verlieren drohte, holte ich ihn mit einem gezielten Schienbeintritt in die Wirklichkeit zurück.

Zack.

«AUA.»

Ratlos blickte er vom Teller auf. Er konnte den Schmerz nicht lokalisieren. Oma schaute ihn an und dann mich und dann wieder ihn und konnte sich keinen Reim darauf machen. Was unter dem Tisch vor sich ging, lag außerhalb ihres Vorstellungsvermögens. Sie glaubte wahrscheinlich, dass Opa sich andauernd auf die Zunge biss oder im Backentaschenfleisch verhakte.

«Ach, Walter, was ist denn jetzt schon wieder los mit dir?»

«Aua!»

«Wenn dir was wehtut, müssen wir zum Arzt gehen. Wo tut es denn weh?»

«Ach, Friedel, ich weiß es doch auch nicht.»

«Na, dann hat das keinen Zweck, dann räum ich mal ab.»

Mein Plan war aufgegangen. Hilflos musste Opa mit anschauen, wie Oma die Schüsseln forttrug. Dabei hatte er doch noch so einen großen Appetit. Ich folgte ihr in die Küche.

«Opa soll nicht immer so viel essen, da wird er ja noch verkalkter.»

«Ach, Markus, ich weiß es ja, aber es ist doch die einzige Freude, die er noch hat.»

«Aber es ist nicht gut für ihn. Man muss aktiv gegen die Verkalkung anarbeiten. Das Gehirn kann man trainieren wie einen Muskel.»

«Ach, Markus, ob das noch was bringt?»

«Natürlich bringt das was. Du kannst Opa doch nicht so einfach aufgeben!»

«Tu ich ja auch nicht.»

Ich lief zurück ins Wohnzimmer.

«Opa, hörst du zu?»

Opa wusste nicht, um was es ging, und guckte nur hilflos.

«Wie heißt die Hauptstadt von Bayern?»

«Was hast du gefragt, Markus?»

«Bayern, wie die Hauptstadt von Bayern heißt!»

Gehirnjogging.

«Ich weiß es im Moment gar nicht.»

«Opa, konzentrier dich mal. Da warst du als junger Mann auch schon mal!»

«Wo?»

«In Bayern. In der Hauptstadt des Bundeslandes Bayern.»

Oma mischte sich ein.

«Meinst du denn, dass das noch was bringt?»

«Natürlich bringt das was. Du siehst doch, wie er nachdenkt!»

Opa schaute schweigend auf die Tischdecke. Ich tat beleidigt.

«Na, wenn ihr beide nicht wollt, dann komm ich auch nicht dagegen an. Dann lassen wir's eben. Das ist dann aber nicht meine Schuld.»

Meine Güte! Emotional verroht. Seelisch verwahrlost. Wer hier wohl der Nazi war, das Fleisch gewordene Herrenzimmer? Rückblickend unvorstellbar, dass ich mich wirklich so verhalten hatte, ich schäme mich heute noch dafür. Vielleicht war es aber auch notwendig gewesen, um meinen Frieden mit dem Alten schließen zu können. Man weiß es alles nicht so genau.

Oma war bereits in der Küche mit dem Abwasch beschäftigt. Ich schaute ihn an. Einatmend. Wieder ausatmend. Ein staubiger Staubfänger, Nistplatz für Kartoffelkäfer. Es wirkte schon lange nichts Böses mehr aus ihm. Die Seele in ihrem Versteck, irgendwo im Schlick des harten Leibes. Er putzte sich mit seinem schmuddeligen Taschentuch die Nase und wirkte unglaublich eingeschüchtert und traurig über die unumkehrbare Vergeblichkeit. Es war, als ob jetzt, kurz vor der endgültigen Dämmerung, sein Wesen noch einmal aufriss und den eigentlichen Charakter freigab. Verpuppt und nie ausgeschlüpft. Vielleicht war es das: Er war in Wahrheit ein ganz anderer. Alle Menschen sind am Anfang gut, und am Ende wieder und die Zeit dazwischen damit beschäftigt, ein Leben zu führen, das nichts mit ihnen zu tun hat.

Ich ging in die Küche, um Großmutter beim Abwasch zu helfen. Wegen ihrer schlechten Augen kann sie den Schmutz und die Verkrustungen und Ränder und den ganzen Irrsinn nicht mehr richtig erkennen, und ich muss fast jeden Teller nacharbeiten. Der Haushalt alter Leute ist ein Fass ohne Boden, ein nasses Grab, eine Reise ohne Wiederkehr. Regelmäßig durchforste ich den Kühlschrank nach abgelaufenen Lebensmitteln. Faustregel: Die Hälfte kann man unbesehen wegschmeißen. Das Allerekligste ist Omas dunkelgrüne, noch aus der Nachkriegszeit stammende Kunstledereinkaufstasche. Mit den Lebensmitteln, die Oma darin im Laufe ihres Lebens vom Markt nach Hause und vom Krämer nach Hause und vom Fleischer, Bäcker, Metzger, Gemüsehändler, Obstwart, Erdbeerfeld nach Hause geschleppt hat, hätte man die Fettlücke des Hungerwinters 46 / 47 schließen können. Im Bauch des spakigen Ungetüms sind bestimmt fünfhundert Becher Sahne ausgelaufen. Und in dieser Tasche transportierte sie nach wie vor frische Salatköpfe, Frischfleisch, Frischobst und frischen Fisch. Und wenn sie's rausholte, war es nicht mehr frisch. Unvorstellbar. Aber an die Tasche kam ich nicht ran, denn Oma hing an dem säuerlichen Klumpen wie der Teufel an der armen Seele.

Sie ahnte, was ich vorhatte, und ließ mich mit der Tasche keine Minute allein.

«Und, was hast du die Woche gemacht? Hast du gut zu tun?»

«Nee, im Moment ist die Auftragslage schlecht, es ist ja auch noch Urlaubszeit, und bei der Hitze ...»

«Aber du lieferst doch gute Arbeit!»

«Das liegt nicht an mir, sondern daran, dass es der Branche insgesamt schlechtgeht. Hab ich dir doch alles schon erklärt.»

«Das kann doch kein Mensch behalten, Markus. Guck mal, wir haben damit nie etwas zu tun gehabt, da vergisst man vieles wieder. Wir sind doch schon alte Leute. Und wenn dein Beruf keine Zukunft hat, musst du dir eben etwas anderes suchen.»

«Ich weiß auch nicht, wie es weitergehen soll. Aber vielleicht geschehen ja noch Zeichen und Wunder.»

Sie schaute mich an wie immer. Meine Güte, anderen Enkeln werden zum Abschied diskret Geldbündel in Hose und Jacke gestopft! Oma war der Überzeugung, dass ich nur deswegen kein Bein auf die Erde bekam, weil ich weder eine Ausbildung noch ein Studium abgeschlossen hatte. Ich hatte tatsächlich noch nicht einmal in eine Universität hineingeschnuppert. Alles Quatsch. Als Wünschelrutengänger benötigt man schließlich auch keinen akademischen Abschluss. Vielleicht hoffte Oma ja immer noch, dass ich sie zu ihrem neunzigsten Geburtstag mit einem frisch unterzeichneten Ausbildungsvertrag überraschen würde. Bis dahin konnte ich Pfandflaschen oder Ähnliches sammeln.

«So, ich muss dann mal wieder.»

«Ach, Markus, jetzt schon? Es ist noch nicht mal drei!»

«Oma, ich hab dir doch gerade erklärt, wie schlecht es läuft. Und das heißt Überstunden. Mich fragt keiner, ob gerade Wochenende ist oder nicht. In meiner Branche muss man ständig in Vorleistung treten.»

«Kommst du nächsten Sonntag denn wieder?»

«So wie es aussieht, ja.»

«Was heißt das? Ich muss mich doch darauf einstellen!»

«Mensch, Oma, wie oft bin ich mal nicht gekommen? Und zu 95 Prozent komm ich auch nächsten Sonntag. Ich kann es nur nicht *garantieren*.»

«Na gut. Aber ruf rechtzeitig an. Und melde dich mal zwischendurch.»

«Jaja.»

«Wie geht es eigentlich Sonja?»

«Soweit ich weiß, ganz gut.»

«Markus, was ist das denn für eine Antwort! Man muss doch wissen, wie es seiner Freundin geht.»

«Es wird ihr schon gutgehen. Wir unterhalten uns nicht ständig darüber. Also geh ich davon aus, dass alles in Ordnung ist. Symmetrie ist die Schönheit der Dummen.»

«Was hast du gesagt?»

Ich setzte noch einen drauf.

«Modular zu denken heißt, in Lines zu denken. Steps. Deepthroat.»

Ab und an muss man sich auch was gönnen. Oma guckte ratlos, und ich ließ Gnade vor Recht ergehen.

«Also, ich hau mal ab.»

«Und sie kommt Mittwoch doch auch mit?»

Mittwoch, Mittwoch. Was war Mittwoch denn schon wieder?

«Sag jetzt nicht, dass du das vergessen hast! Opa wird zweiundachtzig!»

«Ach so, hab ich gerade nur nicht dran gedacht. Da kommen wir, so gegen vier.»

Ich ging nochmal zum Großvater, verschwunden im Verdauen und Vergessen.

«Tschüs, Opa.»

Er hob die Hand, winkte und schaute ganz lieb, wie ein Bub, der gerade eine Kugelbahn gebaut hat. Ich bekam ein noch schlechteres Gewissen und gab ihm ein Küsschen auf die Wange.

«Also dann.»

«Tschüs, Markus. Und ruf mal an.»

Ein kleines Stück vor der U-Bahn-Station hatte vor ein paar Wochen eine Dönerbude eröffnet und sich umgehend als zentraler Arbeitslosen- und Pennertreffpunkt etabliert. Den türkischen Besitzern schien das egal zu sein, sie hatten sogar ein paar abgegnabbelte weiße Plastiktische und -stühle aufgestellt; solange die Penner sich halbwegs anständig benahmen und ab und an Bier und Döner kauften, wurden sie geduldet.

Vor drei Wochen dann das Unfassbare. Es bestand kein Zweifel, sie war es: Birgit Brunau. Fast zwanzig Jahre hatte ich sie nicht gesehen. Gemeinsam mit Petra Döberlin und Marina Zietz hatten wir uns damals zu einer Clique zusammengetan, drei Mädchen und ein Junge. Es war, zumindest habe ich es so empfunden, die armseligste Clique der ganzen Gegend, ach was, der ganzen Welt. Petra und Marina befanden sich ungefähr auf einer Höhe (Aussehen, alles Mögliche), dann kam, wenn auch schon mit Abstand, Birgit Brunau, und die rote Laterne trug ich. Nach ein paar Monaten hatten sich Petra und Marina denn auch eine geilere Clique mit halbwegs geilen Typen gesucht. Um überhaupt jemanden zu haben, sah ich mich gezwungen, den eingeschlafenen Kontakt mit dem langweiligen Manfred Küsel wieder aufzunehmen. Und Birgit? Weg, von einem Tag zum anderen, wie vom Erdboden verschluckt! Sehr viel später kam heraus, dass sie in irgendeiner betreuten Wohngruppe für sozial auffällige Jugendliche oder so was in der Art untergebracht worden war, in Reinbek, Norderstedt oder einem anderen unvorstellbar weit entfernten Stadtteil.

Und jetzt war sie wieder aufgetaucht. Aus dem Nichts. Als ich sie zum ersten Mal an der Dönerbude sitzen sah, glotzte sie mich an, erkannte mich zum Glück aber nicht. Sie sah aus, als wäre bei ihr alles schiefgelaufen, was hatte schieflaufen können, und jetzt waren die Dönerbude und der Pissnelkenbahnhof Endstation.

Sie schien noch besoffener zu sein als vergangenen Sonntag. Ein von Müllfraß und Sangria aufgeschwemmter Schrank von einer Frau, eine geschlechtslose Masse, der Trunksucht und Verwahrlosung ein unermessliches Alter ins Gesicht gedrückt hatten. Halb sitzend, halb abrutschend pult sie sich irgendwas aus den Zähnen. Ihr direkt aus der Brust wachsendes Säufergesicht ist glühend rot, das Haar liegt bretthart auf dem Rücken. Und früher, als sie noch gerade Glieder und klare Augen hatte, war sie einmal höchste sexuelle Verheißung gewesen.

«Tiger, kommst du mit ins Kornfeld?»

Mein damaliger Spitzname: Tiger, wg. guter Torwart. Es war damals in etwa so heiß wie heute gewesen, und ich wäre vor Erregung fast in Ohnmacht gefallen. Ins Kornfeld! Mit Birgit! Natürlich wollte ich! Was es mit dem Kornfeld wohl auf sich hatte? Doch hoffentlich das, was alle dachten! Das Problem war, dass Birgit mich das hätte *diskret* fragen müssen und nicht im Beisein von Petra und Marina. Die Ischen glotzten und lauerten und wussten ganz genau, dass ich nichts lieber getan hätte, als mit Birgit zwischen den wogenden Halmen zu verschwinden.

«Ja, Tiger, jetzt wollen wir doch mal sehen, ob du tatsächlich mit Birgit ins Kornfeld gehst, Sauereien machen.»

Mein Gott, Birgit, so blöd kann man doch gar nicht sein! Sie hat es einfach nicht begriffen und mich mit ihrem geilen Schweinchengesicht erwartungsfroh angestarrt. Mehr als ein halblautes «Nö» hatte ich dann natürlich nicht herausbekommen. Irgendwann begriff selbst Birgit es und machte sich vom Acker, auf der Suche nach dem nächsten Wackelkandidaten, und für mich hieß es wie gehabt mit Petra und Marina Bach stauen, Völkerball spielen und als säuischste aller Sauereien eine halbe Packung Ernte 23 wegrauchen, die Petra ihrem Vater geklaut hatte. Zum ersten Mal in meinem Leben empfand ich unendliche Verzweiflung darüber, dass etwas sagenhaft Geiles nur aufgrund lächerlich widriger Umstände nicht zustande gekommen war. Es musste das Paradies sein, mit Birgit im Kornfeld. Monatelang konnte ich an nichts anderes denken. Nur ein einziges Mal mit der frühreifen Verheißung im Weizen verschwinden!

Und jetzt saß sie da mit vollgepissten Hosen auf einer Plastikbank und würde bald sterben. Alles hat seine Zeit, und jetzt ist es zu spät für Birgit und das Kornfeld. Traurig, traurig.

Immer wenn ich meine Wohnung betrete, denke ich wie unter Zwang einen ganz bestimmten Satz: «Die Wohnung bedürfte kräftiger floraler Akzente.» Idiotisch, wo habe ich das nur aufgeschnappt. Ich hab's nämlich überhaupt nicht mit Blumen, überhauptüberhauptüberhaupt nicht. Vor vielen Jahren hatte ich mal eine Yuccapalme besessen, aber nie gegossen (Gießen ist spießig). Irgendwann war «Schluss mit lustig» (Peter Hahne). Eine unglaubliche Plackerei, das vertrocknete Riesenteil zu zersägen. Ansonsten kann ich gerade mal eben eine Tanne von einer Birke unterscheiden. Egal. Ich ging ins Wohnzimmer, ließ mich aufs Sofa fallen und stellte den Fernseher an.

Das Sofa ist der Dreh- und Angelpunkt von ALLEM. Ich war unfassbar erschöpft. Vollkommen unverhältnismäßig. Woher rührte nur dieser Mangel an Energie? Als ob meine Brennstäbe schadhaft oder feucht wären und ich jetzt meine Restlaufzeit im Abklingbecken verbringen müsste. Niedrigenergiehaus. Keine Schubkraft. Eine Zeitlang hatte ich die Schilddrüse in Verdacht, die ist es ja immer. War natürlich Unfug, schade, ein eindeutiger Befund hätte vieles erleichtert.

Meine Fernsehgewohnheiten sind vollkommen verwahrlost. Wenn ich nichts weiter vorhabe, glotze ich bestimmt fünf, sechs Stunden am Tag, und nur in den allergrößten Ausnahmefällen («Expeditionen ins Tierreich» / Wiederholungen vom «Alten» auf 3SAT, natürlich nur die Folgen mit dem wunderbaren, hochverehrten, unvergessenen Siegfried Lowitz und nicht mit dem Sauspatz Rolf Schimpf) mal eine Sendung ganz. Es wird häufig behauptet, Fernsehen mache stumpf und dumm und sei eine gigantische Zeitvernichtung. Das ist natürlich völliger Quatsch. Es fällt auf, dass diejenigen, die so einen Unfug behaupten, in ihrer erdrückenden Mehrheit humorlos sind und dämlich bis ins Mark. Erdrückende Mehrheit, erdrückende Durchschnittlichkeit. Wofür nutzen die eigentlich ihre vom Munde abgesparte, fernsehfreie Zeit? Sie könnten lesen, die Abendschule besuchen, Museen besuchen, Ausstellungen besuchen, Vorlesungen besuchen, sonst irgendwas besuchen und sich Typen wie mir gegenüber einen uneinholbaren Vorteil erarbeiten. Vielleicht sind sie sogar in den gerade beschriebenen Richtungen aktiv, nützen aber tut es ihnen merkwürdigerweise nichts, sie bleiben immer gleich. Das Geld, das sie mit ihrer disziplinierten Lebensweise sparen, investieren sie vornehmlich in Reisen. Aber natürlich nicht irgendwelche Reisen. Erholungsurlaub macht die Unterschicht, sie unternehmen Trips, Expeditionen, *journeys*. Tiefseetauchen, Weltumseglungen, sorgsam ausgetüftelte Individualurlaube. Wie habe ich meinen Schulfreund Frank Riestorf für seinen Mut bewundert, direkt nach dem Abitur und noch dazu ganz allein nach Australien zu reisen. Australien!

Das muss man sich mal vorstellen. 1 ganzes Jahr (in Worten: ein ganzes Jahr). Mit dem Rucksack! Den Kontinent hatte er durchquert, quasi zu Fuß. Nie im Leben hätte ich mich das getraut. Ich war gespannt wie ein Flitzebogen, als wir uns nach seiner Rückkehr zum ersten Mal wieder trafen, und felsenfest überzeugt, dass Frank Sachen erlebt hatte, von denen ein Normalsterblicher gar nicht weiß, dass es sie überhaupt gibt. Einer, der gar nicht weiß, wohin mit seinen Erfahrungen, bewusstseinserweitert, geläutert, erhellt. Dann die Ernüchterung: Er war noch langweiliger als vorher. Vielleicht fiel es mir auch nur deshalb auf, weil wir uns so lange nicht gesehen hatten, man weiß es nicht.

Da lob ich mir einen rammdösigen Sonntagnachmittag mit «auto motor und sport TV». Für mich sind Autos das Letzte. Und alles, was mit ihnen zusammenhängt: ADAC, Dekra, TÜV, Autobahnraststätten, Autohöfe, Formel 1, Formel 2, Formel 3000, Cartrennen (Hitlerjugend), Reisewellen, Pfingststaus, Tuning, Brummis und die ödeste Frage der Welt, nämlich ob die aktuelle Benzinpreiserhöhung ungerechtfertigte Abzocke oder nicht ungerechtfertigte Abzocke ist. Einerseits.

Andererseits interessiere ich mich für Autos. Das war schon immer so. Woher dieser vermeintliche Widerspruch rührt, weiß ich nicht und will ich auch nicht wissen, man kann schließlich alles tottherapieren. Ich hab Benzin im Blut, bums, Ende, aus. Erklärung: Mein Urgroßvater, den ich leider nie persönlich kennengelernt habe, ist begeisterter Automobilist gewesen. Und die Leidenschaft hat eben zwei Generationen übersprungen, Mendel'sche Gesetze, kennt man doch. Egal. Schwerpunktthema der aktuellen Ausgabe von «auto motor und sport TV» waren Pendler bzw. Pendeln: Pendlerpauschale, Pendelzuschlag, Pendelabschlag, was weiß ich. Meine Meinung: Wer jährlich Tausende von Euros spart, weil er ins billige Umland (Speckgürtel) flieht, sich die Fahrtkosten aber von Vater Staat erstatten lassen will, der hat sie doch wohl nicht mehr alle! Nachts pennen und tagsüber pendeln, und Vater Staat soll dieses kreuzegoistische Lebensmodell auch noch subventionieren! Wenn ich mich über etwas *richtig* aufrege, kommt meistens Vater Staat ins Spiel. Ich sage Vater Staat gern auch mehrmals hintereinander: Vater Staat, Vater Staat, Vater Staat. Hier ist er zur Abwechslung mal gefragt, hier müsste er durchgreifen: Für Pendler heißt es ab sofort den Speckgürtel enger schnallen, damit daraus ein Abspeckgürtel wird, die Deutschen sind sowieso viel zu dick.

«auto motor und sport TV», was für eine Sendung:

«Dem Reihensechszylinder quillt der Charakter nur so aus den Brennräumen. Aufgeweckt wie ein Rennterrier, stürmisch wie ein Kampfstier, drehfreudig wie ein Formel-1-Fahrer im Training, aber so sanft im Abgang wie bitterzarte Schokolade. Der Achtzylinder lässt sich keine Maulsperre verpassen. Er knackt angriffsfreudig mit den Gelenken und hängt hungrig am Gas. Im Schubbetrieb saugt er beruhigend, unter Last faucht er animierend, bevor er im oberen Drittel die hauchige Jazztrompete anbläst.»

Werbepause. Schade. Fliegender Wechsel (mit fliegenden Fahnen – haha, klingt gut, oft geht es nur um Sound) zu RTL 2: DOG – Der Kopfgeldjäger*. Eine Dokusoap über die harte Arbeit amerikanischer Kopfgeldjäger.

DOG ist der Chef. Mit von der Partie sind auch noch seine Frau (Beth, DOG'S Wife, die immer ganz rollig wird, wenn DOG einen Sträfling in Handschellen abführt) und DOG'S Son, der einmal das Geschäft übernehmen wird. Schätze ich. Die ganze Sippe lebt von den üppigen Provisionen. Der Beruf ist hart, sehr hart sogar, aber in

* INFOKASTEN: In Amerika dürfen Kopfgeldjäger ohne Gerichtsbeschluss Wohnungen durchsuchen. «Normale» Polizisten benötigen dafür einen Beschluss.

der amerikanischen Erfolgsserie kommt auch die menschliche Seite der Kopfgeldjagd nicht zu kurz. DOG beim Anblick seiner durchgesessenen Büromöbel: «Auch die Kopfgeldjägerei wird bisweilen eintönig, und da braucht man dann eine schöne Umgebung.» O-Ton. Das Fingertrauma büßte langsam an Schrecken ein, meine Stimmung hatte sich deutlich gebessert. Zurück zu «auto motor und sport TV», da lief jedoch schon der Abspann. Ich zappte mich durch die Spiel- und Einkaufskanäle. Mein Vorschlag: Sämtliche Gewinnspielmoderatoren werden gezwungen (Vater Staat), vor jeder Sendung eine 0,7-Liter-Flasche Korn oder Weinbrand zu leeren. Eine sehr gute und vor allen Dingen lustige Idee, aber man weiß ja, welche Chancen lustige Ideen in Deutschland haben.

Ich hatte überhaupt noch nichts geschafft, dabei habe ich mir zum Ziel gesetzt, am Tag wenigstens eine Idee zu Papier oder sonst wohin zu bringen, wobei es mir mittlerweile reichlich egal ist, ob sie sich zu Geld machen lässt oder nicht. Meinen Einfällen ist gemein, dass sie sich der

Wertschöpfungskette (Jörg Grabosch) verweigern und meist Richtung wirdnixdraus gehen. Das heißt selbstverständlich nicht, dass sie irgendwie schlecht oder mittelmäßig wären, im Gegenteil, ich bin von der Qualität meiner Arbeit überzeugt. Überlegenes Material. Das Konzept mit den besoffenen Moderatoren zum Beispiel. Spitzenidee, aber man ahnt schon, dass sie scheitern wird. Und nun? Ich dachte an Esther mit ihrem unendlich langen Gefrühstücke und an Fantomas mit seinem retardierten Stoffwechsel. Und an Opa. Alle langsam, langsam, langsam. Essen muss man reinschaufeln, wie Männer Kies schaufeln! Es konnte doch unmöglich sein, dass ich allein war mit meiner Meinung. Essen und langsam, langsam und Essen. Langsame Esser. Da war was, das spürte ich genau! Aber was?

Wie sie die Nahrung einspeicheln, brutal verflüssigen und unerträglich langsam zu einer feuchten Masse verklumpen, selbst Suppe und Kartoffelbrei zu Tode kauen, insektengleich Speichel aufs Essen rieseln lassen, bis die edlen Speisen zermürbt sind.

Ihr Vorratsmund scheint ausschließlich aus Falten zu bestehen, in dem sie ihr Hamsteressen bunkern.

Langsamen Essern vergammeln die Speisen bereits während der Nahrungsaufnahme.

Langsames Essen ist schlimmer als Gewalt gegen Sachen.

Der schnelle Esser ist wie eine stolze Kerze, die an beiden Enden brennt, während der langsame Esser einem miesen Teelicht gleicht, das sinnlos vor sich hin glimmt.

Selbst der schwächste schnelle Esser kann den stärksten langsamen Esser sofort besiegen.

Langsame Esser sind Biester ohne Ziel, Schaschlik ohne Spieße, Olme ohne Zukunft, verdreckselte Eimermenschen, Schranzen ohne Wiederkehr.

Schnelle Esser sind lachende Sieger, schöne Tauben in Montur, Blüten der Sonne, Geschöpfe des Lichts, Tau der Hoffnung, Diener der Liebe!

Am besten gefiel mir «verdreckselte Eimermenschen». Extrem unwahrscheinlich, dass der Text es bis zur Vertonung schaffen würde. Vielleicht erbarmt sich ja Xavier Naidoo, das wäre doch eine coole Geste. Xavier! Deine Chance, etwas Gutes zu tun. Etwas wirklich Gutes.

Krrrrk. Meine Klingel hört sich ungefähr so an wie die der Großeltern, nur in heile. Es war fünf vor sieben. Sonja kommt immer etwas zu früh, niemals verspätet sie sich auch nur um eine Minute. Meine Wohnung liegt im ersten Stock. Wenn es schellt (mal ein anderes Wort als das ewige klingeln), ich aber keinen Besuch erwarte, trete ich immer einen Schritt ins Treppenhaus, um zu sehen, wer die bodenlose Unverfrorenheit besitzt, mich zu stören. Meist sind es irgendwelche Honks, die Pizzaflyer o. Ä. verteilen. Eine Frechheit, wo die Hausverwaltung doch extra ein Schild an der Eingangstür hat anbringen lassen: «Keine Werbung. Nur Wochenblatt». Wenn ich Sonja erwarte, trete ich ebenfalls einen Schritt aus der Tür hinaus, um mir einen ersten Eindruck von ihrer Stimmung zu verschaffen.

Das sah heute wieder gar nicht gut aus: Flüche und Verwünschungen ausstoßend, schob sie sich, eine Hand am Geländer, schnaufend, japsend, keuchend, schnaubend, murmelnd, brütend und ächzend nach oben. Irgendetwas war seit geraumer Zeit im Gange mit ihr, eine Eintrübung, eine Verfinsterung ihres Gemüts, keine Depression, eher im Sinn einer unheilvollen Gemengelage aus Enttäuschung, Ärger und greller Wut, ein hochentzündlicher Schlechte-Laune-Cocktail, der mit gewöhnlicher schlechter Laune nur wenig zu tun hatte, viel schlimmer, viel, viel schlimmer. Dabei hatte sich *objektiv* nichts verändert. Alles wie immer, bei ihr, bei mir, und zwischen uns sowieso. Vielleicht Burnout, von dem Lehrer ja bekanntlich besonders häufig heimgesucht werden. Allerdings beklagte sie sich nie über ihre Arbeit, im Gegenteil, sie hing an den Kleinen, ich glaubte fast, dass der Job das Einzige war, was ihr noch halbwegs Freude bereitete.

Es musste etwas anderes sein.

Was um Himmels willen hatte sie schon wieder für Klamotten an? Die Hose kannte ich nicht, musste neu sein, formlos wie ein Büßergewand. Oben angekommen, legte sie sofort los:

«Eine Scheiße ist das, die haben mich schon wieder abgeschleppt!»

«Wieso das denn?»

«Am Sonntag, das haben die noch nie gemacht. Dabei wissen die doch ganz genau, wie die Parkplatzsituation ist. Dreckschweine.»

«Aber sonntags schleppen die doch nie ab, außer man stellt sich auf die Behindertenparkplätze.»

«Behindertenparkplätze? Bist du verrückt!»

Sie schrie jetzt fast, ihre Augäpfel traten aus den Höhlen. Es war grotesk und lächerlich. Aus ihrem entsicherten, schussbereiten Mund löste sich der nächste Quer-schläger:

«Glaubst du, ich erzähl hier irgendeinen Müll? Ich hab das mal ausgerechnet, ich hab letztes Jahr mehr Geld für Falschparken und Abschleppen bezahlt als für Steuern und Versicherung zusammen. Und wenn man Pech hat, bringen sie die Autos auch noch in den Autoknast, das sind statt 180 Euro gleich 350 oder mehr.»

Sie hatte die höchstmögliche Erregungsstufe erreicht, einen Augenblick war ich davon überzeugt, dass sie mir eine reinhauen würde. Dann sackte sie plötzlich in sich zu-sammen, als hätte der Ausbruch sämtliche Kraftreserven verbraucht.

Nachsatz, sehr leise: «Und dann noch diese Hitze, ich dreh durch.»

Der Anfall war jäh auf seinem Überroll zusammengebro-chen. Was ging hier vor? Möglicherweise war sie schwer krank und benötigte Medikamente, oder sie musste ins Krankenhaus oder wenigstens zur Kur oder Analyse. Noch immer stand sie im Treppenhaus und schaute mich an. Ihr Blick war nicht zu deuten, aber ich konnte es hören: ein tiefes Bohren und Reiben, Scharren und Wummern. Diese schreckliche Wut, was für Geräusche sie macht! Ein undrai-nierbarer Brocken Wut, ein Wutgerinnsel, das sich bald löst und zum Herzen wandert. Irgendwo musste doch eine Klappe sein, durch die man die Wut ablassen konnte, ein Wutwechsel musste her, dringend!

Mainz bleibt Mainz. Klingelingeling.

«Liebe Närrinnen und Narralesen! Wolle ma sie raus-lasse, die alte, verbrauchte Wut?!»

«Jawoll!»

Und Tusch.

Die Wut ist alt und gesättigt, da muss der Profi ran.

«Einmal Wutwechsel, und machen Sie die Filter gleich mit, die sind auch schon ganz verstopft.»

Sie merkte, dass sie den Bogen überspannt hatte, und zuckte mit den Schultern. Eine unverhältnismäßig schwache Entschuldigung, aber ich war zu erschöpft, um ihr Friedensangebot auszuschlagen:

«Was willst du denn trinken?»

«Erst mal Bier, wegen Durst. Danach Wein.»

«Wollen wir nicht nochmal rausgehen?»

«Nee, wirklich nicht. Mir reicht's für heute!»

Sie holte zwei Flaschen Bier aus dem Kühlschrank und ging ins Wohnzimmer. Ich ließ sie ein paar Minuten allein, damit sie sich fangen konnte. Als ich mit Wein und zwei Gläsern nachkam, hatte sie den Fernseher angemacht. Es schien ihr etwas besserzugehen.

«Du musst mir glauben, ich weiß nicht, was mit mir los ist. Ich muss wohl tatsächlich mal zum Schrauber.»

«Ich sag dazu nichts. Mach es einfach und erzähl mir hinterher, wie's war.»

Schweigend tranken wir das erste Glas. Und das zweite. Ab einem gewissen Zeitpunkt ist zweifellos alles gesagt, dann herrscht stillschweigende Übereinkunft über die wesentlichen Punkte. Es gibt nichts Neues zu erleben, und es wartet auch kein Abenteuer mehr an der nächsten Ecke. Im Nachtleben haben wir schon lange nichts mehr verloren. Nachtleben, lächerlich. Sollte einer von uns zufällig in einen Club geraten, würde man ihn für einen Taxifahrer halten. Aber wir gehen in keine Clubs. Da wir schon seit Ewigkeiten ohne jeden Ausdruck von Spannung und Geschlechtlichkeit existieren, wären wir ja bescheuert oder masochistisch oder beides, uns freiwillig da hinzubegeben, wo es um nichts anderes geht als um Spannung und Sex. Und Fun. Niemand käme auf die Idee, uns für ein Liebespaar zu halten. Ein Paar, vielleicht, ja, Bruder und Schwester, alte Schulfreunde oder politisch aktive, mitteljunge Leute auf dem Weg zur Bundesgala junger Vertriebener, treue Seelen, die Schlesien noch nicht vergessen haben. Sonja Maier und Markus Erdmann, zwei Namen, ein Programm, eine Schicksalsgemeinschaft, die im Deprimiertenstadel einen Logenplatz auf Lebenszeit besetzt hält.

Wildlederstiefel mit Schneerändern, daran muss ich immer denken. Der trostloseste Anblick der Welt, das waren wir: Wildlederstiefel mit Schneerändern.

Ich öffnete die nächste Flasche und hoffte auf Frieden für den Rest des Abends. Zum Glück hatte sie Hunger:

«Wollen wir eigentlich noch was kochen?»

«Ja. Was hältst du von Hähnchencurry? Und vorweg Rauke mit dem Dressing von getrockneten Tomaten.»

«Ja. Sehr schön. Das hast du schon lange nicht mehr gemacht!»

Ich hatte in der Küche schleichend das Regiment übernommen, da ich der begabtere Koch bin. Obwohl ich überhaupt kein Hobbytyp bin, ist Kochen mein einziges Hobby. Hobbykoch, talentierter Hobbykoch, genauer: *nicht untalentierter* Hobbykoch. Wenn die nagende Libido erst mal durch

Gaumenfreuden substituiert ist, geht man nicht mehr gemeinsam durch dick und dünn, sondern nur noch durch dick. Essen ist ein wirksames Sedativum und die schönste Belohnung dafür, dass man den Tag (bzw. das Leben, bis hierher wenigstens) überstanden hat. Essen bedeutet in erster Linie Feierabend. Tagsüber sollte man möglichst wenig oder gar nichts essen, um sich nicht um den Genuss der einen, riesigen Mahlzeit am Abend zu bringen, die noch dazu einen eleganten Übergang in den Schlaf ebnet. Kleine, gesunde und kalorienarme Portionen bleiben Menschen vorbehalten, die noch etwas vorhaben (Nightlife, div.) oder so alt wie möglich werden wollen, steinalt, alt wie ein Baum oder ein steinalter Tomatenstrauch. Gerade die Banalen genießen jeden Tag ihres Lebens, als wäre er der letzte, und freuen sich über den aktiv zurückgedrängten Tod und die ganze, viele, sinnlose Lebenserwartung.

Wenn es mit Sonja und mir so weitergeht, ziehen wir vielleicht doch noch eines Tages zusammen und gründen irgendwo am Stadtrand eine Bedarfsgemeinschaft oder wie das heißt. Jeder hat sein eigenes Zimmer: Eyecatcher sind die beiden XXXL-Betten. In der ganzen Wohnung gibt es keinen Gegenstand, an dem man sich stoßen könnte, nur Polster. Keine Polstersessel oder Sofas, nein, Polster in ihrer reinsten Form: POLSTERMASSE. Wir verschwinden in Polstermasse und umgekehrt, man weiß bald nicht mehr, was was ist, die Wohnung als Thermohose. Alle Wände sind mit Schaumstoff und Eierpappe tapeziert. Irgendwann sind wir dann so dick, dass wir unsere Zimmer nicht mehr verlassen können, wir kommunizieren über Babyphone. So geht das über viele Jahre, aber am Ende müssen wir doch ins Krankenhaus, wegen Zucker oder Pumpe oder so. Da wir zu dick sind fürs Treppenhaus, werden wir mit einer sog. Schleifkorbtrage durchs Fenster herabgelassen und in eine Tierklinik verbracht, Tierklinik, weil die herkömmlichen Kernspintomographen zu klein sind, um uns zu durchleuchten, weshalb es einen für Pferde oder Kühe ausgelegten Spezialkernspintomographen braucht (gibt es wirklich, ich denk mir hier schließlich nicht irgendeinen Quatsch aus). Die Herzuntersuchung gestaltet sich schwierig, denn die Strahlen werden durch die Fettschichten so abgeschwächt, dass eine Deutung der Bilder kaum mehr möglich ist. Da die Hansestadt Hamburg nur über eine Schleifkorbtrage verfügt, muss eine zweite aus einem benachbarten Bundesland herangekarrt werden. Aus Kostengründen werden wir gemeinsam abgeseilt, sie aus ihrem Fenster, ich aus meinem. Nach vielen Jahren Babyphonekontakt *sehen* wir uns zum ersten und wahrscheinlich letzten Mal wieder. Blitzlichtgewitter, Kamerateams. Schlagzeile in der «Bild» (Hamburgseite): «Die schönste Liebesgeschichte des Jahres».

In der Küche bin ich der Chef:

«Ich mach mal das Dressing. Du kannst Tomaten klein schneiden. Aber vergiss nicht, die Strünke rauszuschneiden.»

«Jaja.»

«Ich sag's nur, weil du es manchmal vergisst. Strünke sind Abfall. Als ich im Krankenhaus war, haben die die Strünke auch nicht rausgeschnitten. Tumor raus, Strünke rein, na vielen Dank!»

«Wie geht nochmal das Dressing?»

«Getrocknete Tomaten mit Knoblauch, Oregano, Balsamessig mischen und mit dem Pürierstab verarbeiten. Dann in einem dünnen Strahl Olivenöl dazugießen.»

Gespräche über das Essen entbehren jeglicher Brisanz, ein konfliktarmes Thema. Andere konfliktarme Themen: Tierschutz, Umweltschutz, Klimaschutz, Wahrung der Menschenrechte, alles, was mit Schutz zu tun hat, matte Dauerbrenner, bestens geeignet, ein ereignisloses Wochenende ereignislos ausklingen zu lassen. Auch gut sind Verlaufsgespräche, in deren *Verlauf* nur Fragen gestattet sind, deren Antwort man schon kennt, die direkte Vorstufe zum Selbstgespräch. Das Selbstgespräch, Gespräch des kleinen Mannes.

Das süßliche Tomatendressing verbindet sich wunderbar mit dem herb-aromatischen Geschmack der Rauke.

«Hast du eigentlich auf dem Plan, dass Opa Mittwoch Geburtstag hat?»

«Ja, hab ich mir eingetragen.»

Sie trug immer alles gleich in einen riesigen Timer ein.

«Guten Appetit.»

«Danke gleichfalls.»

Nachdem wir mit dem Essen fertig waren, räumte Sonja unaufgefordert den Tisch ab und kam ebenso unaufgefordert mit zwei Gläschen Mirabellenbrand zurück. Herrlich. Es war kurz nach zweiundzwanzig Uhr, im TV Zeit für Infotainment. Ich war nach dem Wein und dem Essen und dem Schnaps und dem anstrengenden Tag müde und hoffte, dass Sonja bald von alleine vorgehen würde. Dann würde ich noch ein Weilchen rumsitzen können und Löcher an die Wand glotzen / starren oder an die Decke starren / glotzen oder am Text mit den langsamen Essern arbeiten oder Musik hören. Irgendwann würde ich nachkommen, mucksmäuschenstill. Sonja:

«Wollen wir mal ins Bett?»

«Ja, gleich, nur noch einen Augenblick.»

«Ich geh schon mal Zähne putzen. Aber nicht wieder auf dem Sofa einschlafen!»

«Nee, nee.»

«Ich hol dich gleich.»

Wie das klang! Manchmal vergaß sie mich auch. Ich wartete wie das Kaninchen vor der Schlange. Bitte, lass mich sitzen! Zu früh gefreut, sie kam, mich zu holen.

«So. Kommst du?»

«Ja.»

Ich schlafe sehr gern auf dem Sofa ein. Viel schöner als im Bett, im Bett schlafen ist spießig, haha. Sonja half mir beim Aufstehen. Meine Güte. Ist sie zu stark, bist du zu schwach. Mir war schwummerig. Nachdem sie mich ins Schlafzimmer *bugsiert* hatte, zog ich mich mit kraftlosen Bewegungen aus, schlüpfte in meinen Schlafanzug (ich bin Schlafanzugträger, auch bei Hitze), kroch sofort auf meine Seite und verhielt mich mucksmäuschenstill. Ihr Atem ging schon bald in regelmäßiges, leises Schnarchen über. Trotzdem noch zu früh für endgültige Entwarnung. Ein paar Minuten bewegte ich mich nicht vom Fleck, umdrehen kann ich mich auch, wenn ich tot bin. Das mache ich nicht ohne Grund so, denn manchmal, wenngleich sehr selten, gehen Attacken von ihr aus. Ihre Hand verschwindet unter der Decke, und sie versucht *was*, und ich bin gezwungen, mich auf Worte wie «Idiosynkrasie» zu konzentrieren. Nach ein, zwei Minuten ist wieder Ruhe im Karton. Komisch, ich kann mir beim besten Willen nicht vorstellen, dass sie auch nur einen Hauch scharf auf mich ist. Was wohl in ihr vorgeht? An wen mag sie denken? Brad Pitt? George Clooney? Gar Sascha Hehn? Egal, jetzt war Ruhe. Bald Mitternacht. Schlafenszeit.

Meine Güte, dabei war es doch auch bei uns einmal ganz anders gewesen! Die verschlossenen Herzen wie Tannenzapfen, offen und voller nackter Samen, so viel Helles und Gutes hatten wir einander getan. Es kam für mich am Anfang einem unbegreiflichen Wunder gleich, dass sie sich für mich entschieden hatte und nicht für einen der geilen Typen, die sie damals hätte haben können. Sonja (die alten Fotoalben, die ich aus den üblichen sentimentalen Gründen in der Vorweihnachtszeit rauskrame, beweisen es) sah mindestens eineinhalb Stufen geiler aus als ich. Ach was, zwei Stufen, vielleicht sogar zweieinhalb! Immer diese Stufen! Köstlich!

Unsere Beziehung hatte tastend begonnen, es hatte geschlagene drei Monate gedauert, bis wir einen klassischen gemütlichen Abend bei mir zu Hause verbracht hatten. Jetzt nur keinen Fehler machen! Ich hatte mich unglaublich zusammenreißen müssen, damit mir nicht die drei Worte aus dem Mund pullerten, die, zu früh ausgesprochen, möglicherweise alles zerstört hätten. Sie hat meinem sanften Liebesdruck nicht widerstehen können, und wenig später waren wir zusammen gewesen. Vielleicht das Schönste: Sie hatte mir das Gefühl gegeben, mir meinen wahren Wert beizumessen, was auch immer das genau sein mochte, ich habe es damals wirklich so empfunden. Vor Sonja: Die anderen tanzen, und ich stehe in der Ecke, was von ihnen herüberweht, ist schmerzlicher Duft. Als wir dann zusammen waren, begann eine wunderbare Zeit, eine Zeit, für die man große Garderobe erfunden hat.

Wir haben uns genauso wenig wie alle anderen vorstellen können, dass es einmal so werden würde, wie es jetzt ist. Wann immer einem der Blick hinter die Kulissen gestattet wird: nichts als Elend, alltägliches, dürftiges, lächerliches Elend. Es gibt kein großes Leiden mehr, sondern nur noch einen Riesenhaufen kleines, nichtssagendes Unglück. Alexandra und Hajo sind das einzige Paar, von dem ich überzeugt bin, dass sie glücklich sind. Ausgerechnet Alexandra und Hajo, die seit geschlagenen fünfzehn Jahren zusammen sind. Fünfzehn Jahre, muss man sich mal vorstellen! Kann man sich nicht vorstellen. Die beiden leben heute in der Schweiz, Hajo ist mit dreiunddreißig bereits VWL-Professor. Vielleicht sind die beiden ja auch keine gewöhnlichen Leute, sondern Wundermenschen, vom lieben Gott oder sonst wem auf die Erde geschickt, damit der Weltglückspegel nicht ins Bodenlose fällt.

Für alle anderen gelten normale Maßstäbe, von gefühllosen Biologen tausendmal berechnet: Der sexuelle Brennstoff reicht für drei bis maximal sechs Jahre, die Zeit, nach der die Brut aus dem Gröbsten raus ist. Hätte ich jemals Tagebuch geschrieben, die Wahrheit würde wahrscheinlich schnell herauskommen: der Beginn der Verformung, das zähe Ausharren in einer verstopften Lebensnische: nach exakt drei Jahren.

Doch unser damaliges Glück hat einen unstillbaren Nachdurst hinterlassen, die Erinnerung daran, wie es einmal gewesen ist, bleibt, und die Sehnsucht danach. Eine Flut schöner Bilder schoss mir in den Kopf, an einen aus unerklärlichen Gründen *magischen* Besuch in Hagenbecks Tierpark (wir hatten uns vor dem Affenhaus ein bisschen betrunken und kamen aus dem Lachen nicht mehr heraus, warum, weiß ich auch nicht mehr) und an unsere erste gemeinsame Reise auf die Insel Föhr, na ja, drei Übernachtungen, eher ein Ausflug. An jede Minute kann ich mich erinnern, und das bei meinem löchrigen Gedächtnis. Ich habe immer noch den Geruch von geräucherter Makrele in der Nase, die wir jeden Tag am Hafen kauften. Dazu Meerrettich und Speckkartoffelsalat. Und Lumumba hatten wir getrunken, jeden Abend. Den Geschmack habe ich auch noch auf der Zunge. Lumumba haben wir seither nie wieder angerührt. Wieso eigentlich nicht? Schmeckt doch spitzenmäßig.

Jetzt, wo Sonja tief und fest schlief, drehte ich mich auf ihre Seite und umarmte sie. Löffelchenstellung. Früher Teelöffel, heute Esslöffel. Oder Schöpfkelle. Wenn ich sie so umarme, schiebe ich meistens meine Hand unter ihr T-Shirt und lege sie auf ihren Bauch. Obwohl wir beide zu dem Typus zählen, der der Zeit nicht standhält, hat sie einen wirklich schönen, flachen Bauch. Ich dehnte mit meinen Fingern ganz leicht ihre Rippen, das hat sie immer gern gehabt. Früher jedenfalls. Jetzt schlief sie, ich bin sicher, dass sie nichts dagegen hätte. Wir sind rücksichtsvoll

genug, nicht an den Problemzonen des anderen herumzu-
fummeln. Manchmal, wenn ich nachts aufwache, hat sie
sich an mich geschmiegt, und ihre Hand liegt auf meinen
Beinen. Meine Beine finde ich auch ganz okay. Die meisten
Männer hätten, glaube ich, lieber dürre, krumme, kurze
Beine und einen schönen Oberkörper als umgekehrt, Stichwort Holzhacken.

Sie machte wohlige Geräusche. Traurig, traurig, nur
im Dämmer, im Halbschlaf, im Traum können wir uns
nahe sein. Mit großen Gefühlen sind wir gestartet, mit
ganz kleinen Gefühlen liegen wir im Bett und halten still.
Das Geheimnis alter Paare: nicht schreien, stillhalten.
Haferbrei. Stille Kost. Askese. Eigentlich heißt Aske-
sis einfach nur Übung. Alles ist Übung. Vielleicht sollte
man sich generell nur noch mit Menschen einlassen, von
denen man sich notfalls ohne Schmerz wieder trennen
kann.

Alles Mögliche kann einem im Leben passieren, und
vor allem nichts. Manchmal kommt es mir seltsam vor,
dass ich jemals versucht habe, glücklich zu werden. Der
Mensch hat eine Vorliebe für Tragik, eine Voreinstellung,
die sich im Lauf der Evolution bewährt hat. Man scheut das
Risiko stärker, als man das Glück sucht, denn Verluste tun
mehr weh als Gewinne Freude bereiten. Mit jedem Jahr,
das verstreicht, wird die Lage aussichtsloser, und am Ende
kann man gar nicht fassen, dass DAS tatsächlich alles gewesen sein soll. Wahrscheinlich geht es den meisten Menschen so, mehr oder weniger. Das Leben gibt einfach zu
viele Rätsel auf, unmöglich, auch nur ein einziges davon
zu lösen. Oder das Prinzip zu entschlüsseln. Oder es gibt

kein Prinzip. Irgendwann spülte mich ein trister Strom un-
ergiebiger, gegenstandsloser Grübeleien in den Schlaf. Ab-
lagerung. Verwerfung. Schlacke.

Wie soll man so nur das lange, lange Leben herumbe-
kommen?

MONTAG
Die Steinzeit ging auch nicht zu Ende,
weil die Steine ausgingen

Sonjas Wecker klingelt am Montagmorgen immer um
Viertel nach sechs. Ihr morgendlicher Parcours umfasst
neun Stationen, für die sie exakt sechsundzwanzig Minuten benötigt. Das weiß ich so genau, weil ich die Zeit genommen habe. Mehrmals. Hat mich interessiert. Immer
sechsundzwanzig Minuten. Der Gipfel unsympathischer
Verschrobenheit: mit der Stoppuhr heimlich messen, wie
lange die Freundin für ihre Morgentoilette benötigt.

Zum Abschied tätschelte sie mir über den Kopf, na ja,
mehr ein Rubbeln, so, wie man einem Haustier oder einem Kind durchs Haar fährt. Ich tue immer so, als würde
ich noch schlafen, und mache entsprechende Geräusche.
«Mmhh, jojo, Gottoohgott.»

Als sie weg war, lag ich hellwach auf dem Rücken und
fühlte mich unausgeschlafen, verkatert und zerschlagen.
In dieser Verfassung bringt es nichts, sich zur Arbeit zu
zwingen. Ich kann nur in absoluter Topform Topleistung
bringen. Andererseits ist es nicht gut, bereits zum Wochen-
beginn die Dinge schleifenzulassen, wie jeder andere habe
auch ich das Bedürfnis, mich als vollwertiges Mitglied der
arbeitenden Solidargemeinschaft zu fühlen. Prekäre Ar-

beitsverhältnisse vs. durchgehende Erwerbsbiographien. Wer bereits am Montag verschläft, gerät schnell ins Hintertreffen und kann den Rückstand bald nicht mehr aufholen. Es nützt auch nichts, sich mit halbseidenen Taschenspielertricks (es kommt nicht darauf an, wann man *aufsteht*, sondern was man *schafft*) in die Tasche zu lügen. Wer sich selbst bescheißt, der bescheißt das Leben. Und das Leben kann man nicht bescheißen, das haben schon ganz andere versucht.

Ich benötigte trotzdem noch ein, zwei Stunden Schlaf. Manchmal gelingt es mir, mich mit leichten, stumpfen, körperlichen Verrichtungen wieder müde zu arbeiten. Also auf und ab. Noch im Schlafanzug, räumte ich Flaschen, Gläser, Teller und Aschenbecher vom Wohnzimmer in die Küche, wobei ich fortwährend Sachen wie «Was man hat, das hat man», «Nützt ja nix», «Wat mutt, dat mutt» vor mich hin murmelte. Aus irgendwelchen Gründen ist es wichtig, so etwas nicht nur vor sich hin zu denken, sondern vor sich hin zu sprechen. Dann Abwasch. Belege ordnen. Glühbirnen austauschen. Ausgelesene Zeitschriften auf den Altpapierstapel schichten. Seifenspender auffüllen. Alte Telefonnummern löschen. Div. Die überwiegende Zeit seines Lebens verbringt der Mensch mit Routinetätigkeiten. Alleine einen Monat den Fernseher abstauben. Drei Wochen Sicherungen wechseln. Eine Woche Heizkörper entlüften. Drei Tage *nach Würmern graben.*

Ich wurde einfach nicht müde. Gott, war das schon wieder heiß. Und hell. Der Todessommer verrichtete ganze Arbeit: *Aus dem unbarmherzig hohen Firmament schlagen die*

Lichtsäulen wie Peitschenhiebe auf den gequälten Kontinent, verbrennen alles Leben und wringen das letzte bisschen Wasser aus der fiebrigen Erdkrume. Flammenschwerter zerschneiden das staubige Land in glühende Quader. Die südliche Hügelkette ist bereits bis zur Krume durchgewetzt, das Tal liegt da wie eine offene Wunde und leckt sich mit rissiger Zunge das eingetrocknete Salz von den Hitzepusteln ... (Dunkle, schroffe Phantasien)

Ach, wäre es nur schon Herbst. Der bittersüße Herbst, Quartal der Genießer. Der Kaiser Franz der Jahreszeiten verstreicht in aristrokratischer Noblesse und kühlt Mensch und Tier sacht auf normale Betriebstemperatur herunter.

Ich ging ins Badezimmer, um mir die Zähne zu putzen.*

Beim Zähneputzen oder Händewaschen oder Haarekämmen vermeide ich den Blick in den Spiegel. Mein Gesicht macht mir Angst. Es ist beunruhigenden, tagesformabhängigen Wandlungen unterworfen, mal ist es klein, rundlich und gestaucht, dann wieder unnatürlich in die Länge gezogen, an anderen Tagen seltsam groß und viereckig. Vielleicht kommt das von den ungenauen Gedanken: schwammige Gedanken = schwammiges Gesicht, scharfe Gedanken = fein ziselierter Charakterkopf. Waschbecken auswischen, Nase putzen, Zähne putzen, Gesicht waschen,

* INFOKASTEN: **Kieferorthopäden können anhand der Badezimmerspiegelbeschmutzung, des sog. Zahnpastabeschusses, präzise Angaben über Zustand des Gebisses, Zahnstand und Pflegezustand machen. Während des Putzens entsteht im Mund nämlich ein Überdruck, die Zahnpasta spritzt in winzigen Fontänen auf den Spiegel. Sehr eng stehende, nach innen gerichtete Mäusezähne verursachen strenge, symmetrische Muster, große, unregelmäßige Schneidezähne, das sog. Sägezahn- bzw. Fuchsschwanzgebiss, hingegen führen zu zufälligen, beliebigen Bildern, man spricht dann vom sog. Spritzwurf.**

Nägel schneiden, rasieren, ich mache praktisch alles blind. Eigentlich könnte ich den Spiegel auch abmontieren.

Der Tag ist, bei Lichte betrachtet, eine konturlose Masse Zeit, die sich im Ganzen unmöglich bewältigen lässt. Es gilt also, ihm eine Falle zu stellen bzw. ihn dahin zu locken, wo die Falltür ist, damit er hineinplumpst und bewusstlos liegenbleibt. Doch der Tag ist ein zäher Gegner, ein harter Hund, der sich zu wehren weiß: Er verwandelt sich (Terminator 2) in eine aus Klumpen und Fäden und Krisselzeug bestehende Mehlschwitze, man kann rühren und Milch nachschütten, bis man einen steifen Arm kriegt: Es tut sich einfach nichts. Eine andere Strategie ist erfolgversprechender: Keile in den Tag treiben, ihn zerhacken, zerkleinern, zerdrechseln, zermörsern oder ihm wie einem Luftballon die Luft rauslassen. Alles kann zum Keil werden: einkaufen, sauber machen, Keller entrümpeln, Schlüssel suchen, telefonieren, Batterien tauschen, Flaschen wegbringen, Toaster ausschütteln, *auf Krücken gehen, den Hund waschen,* haha. Stichworte Ritual, Taktung, Struktur (hatten wir schon mal, weiß ich selber). Genialer Spezialtrick: morgens Tee statt Kaffee, damit man nachmittags etwas hat, worauf man sich freuen kann. Von Haus aus bin ich Kaffeetrinker, ich habe mich aber auf die morgendliche Kanne grünen Tee umerzogen (Umerziehungslager), wie der Mensch sich ja praktisch alles an- und auch wieder abgewöhnen kann. Der nachmittägliche Koffeinschub trägt mich bis in die Abendstunden und wird vom Alkoholglimmer abgelöst. Zusammenfassung: morgens sachlich, nachmittags euphorisch, abends hysterisch.

Das half heute aber leider alles nichts, dafür habe ich

mittlerweile ein untrügliches Gespür. Heute war einer der toten Tage, die man frühzeitig verloren geben muss, bevor man die Energie der ganzen Woche an ihm verbraucht. Aber: Ein toter Tag muss ordentlich beerdigt werden, sonst wird er zur Karteileiche, die in den unpassendsten Momenten aus irgendwelchen Schubladen herauslugt und einen an die Versäumnisse des ganzen Lebens erinnert. Kurz mit der Hand durch die Luft fahren und symbolisch den Tag bzw. dessen Seele einfangen. Der Tag ist in der geschlossenen Faust gefangen. Zum offenen Fenster gehen, Faust öffnen. Die Seele hängt kurz in der Luft, löst sich aber schnell auf, Indianer machen das auch so. Mit dieser Methode trickst man den Tag quasi mit seinen eigenen Mitteln aus, er ist dann nämlich vorbei, obwohl er noch vor einem liegt. Zeitvakuum, Raumkrümmung, Wurmloch, capito? Kann einer das Gegenteil beweisen? Eben! Die Beweislast liegt beim Tag.

Ich fläzte mich aufs Sofa, machte den Fernseher an und blieb nach ein paar Minuten bei RTL hängen. Der Vormittag auf RTL beginnt in aller Herrgottsfrühe mit dem «RTL Shop», der, obwohl auch schon einige Jährchen on Air, noch immer Verluste in Millionenhöhe einfährt. Wieso eigentlich? An Walter Freiwald, dem unaufhaltsam dicker werdenden Monolithen des Verkaufsfernsehens und seinen geschätzten dreihundert Euro Minitagesgage liegt es sicher nicht. (Eigentlich war das niederländische Schwergewicht Harry Wijnford als Chefmoderator des «RTL Shops» vorgesehen, Harry hat das aber gründlich vermasselt, indem er an drei aufeinanderfolgenden Werktagen im gleichen Anzug zur Arbeit erschien und es außerdem an der nötigen Verve vermissen ließ. RTL fackelte nicht lange und stellte ihn mit sofortiger Wirkung frei. So schlug die Stunde seines ewigen Assistenten WF, der aus dem mächtigen Schlagschatten des kreuzgemütlichen Ex-Topsellers heraustrat und die Sendung bis heute mit seiner charakteristischen Mischung aus Leidenschaft und Augenzwinkern moderiert.) Dann doch eher an der ungeschickten Auswahl der beworbenen Produkte: Messer, die nicht schneiden, überteuerte «Schnäppchen» aus dem Mobilfunkbereich und Kleidung, die noch dicker macht (formschön). Die sollten sich ein Beispiel an QVC nehmen, dem aggressiven Spartenkanal, der vom ersten Tag an schwarze Zahlen schrieb. Quo vadis, «RTL Shop»?

Die Zeit zwischen halb zehn und zwölf gehört den Dokusoaps: «Einsatz in vier Wänden», «Mein Garten», «Unsere erste gemeinsame Wohnung», «Die Kinderärzte von St. Marien», «Meine Hochzeit», «Mein Baby» uswusf. Über jeder der halbstündigen Soaps liegt wie ein glibbriger Schmierfilm die perfekt geölte Stimme der RTL-Stationvoice. Wahrscheinlich verdient der mehr als Walter Freiwald und alle anderen «RTL Shop»-Moderatoren zusammen. Mein Favorit unter den Dokusoaps ist «Meine Hochzeit», das Konzentrat aus allen anderen Dokusoaps, als hätte man die Trostlosigkeit ausgepresst und daraus «Meine Hochzeit» destilliert (deren versteckter pädagogischer Sinn es ist, dem *deutschen Volke* jegliche Lust auf Familie und Fortpflanzung auszutreiben). Die deprimierendste aller deprimierenden Folgen aller Zeiten auf der ganzen Welt wurde mindestens dreimal ausgestrahlt, *ich* habe sie jedenfalls dreimal gesehen:

Ein frisch vermähltes Paar irgendwo aus dem Westfälischen begibt sich auf eintägige Stippvisite in die Hansestadt Hamburg, um sich dort in der Neuen Flora das Erfolgsmusical «Phantom der Oper» anzuschauen. Die Braut, die ungefähr so aussieht wie eine, die sich an Andrew-Lloyd-Webber-Musicals nicht sattsehen kann, hat das Phantom gemeinsam mit ihrer besten Freundin bereits siebenundzwanzigmal besucht, aber wenigstens einmal möchte sie dieses Erlebnis auch mit ihrem frischgebackenen Ehemann teilen. Das hat sie sich von ihm zur Hochzeit gewünscht. Sie wird sich dafür bis ans Lebensende nie wieder etwas wünschen.

Der Mann kann nicht nur mit Musicals nichts anfangen, er kann ganz allgemein mit Musik nichts anfangen, er findet einfach keinen Zugang. Privat hört er gar nichts und im Auto und auf der Arbeit Verkehrsmeldungen. Egal.

Die RTL-Redaktion hat sich natürlich wieder was einfallen lassen: Das Brautpaar *genießt* die Veranstaltung in voller Montur, d. h. sie ganz in Weiß und er tiefschwarz. Schnitt. Die Kamera zoomt ins Foyer, wo die Braut und der unendlich schlechtgelaunte, Kette rauchende Bräutigam neugierigen Besuchern Rede und Antwort stehen. Einhellige Meinung: «Echt witzige Idee das mit dem Outfit.» Man sieht dem Bräutigam an, wie sehr er sich schämt. Für seinen schlechtsitzenden Smoking, dass er sich von RTL zum Affen (seit neuestem: zum Horst) machen lässt und ganz besonders für seine schrecklich pummelige Frau. Sämtliche Frauen sehen besser aus als seine, abgesehen vielleicht von ein paar steinalten Schrumpelhanseatinnen (Reederwitwen). Schnitt. Das Brautpaar hat auf den Ehrenplätzen in der ersten Reihe Platz bezogen. Die Show beginnt. Jetzt kann der Bräutigam noch nicht mal mehr rauchen. Das verkackte Schrottmusical will einfach nicht zu Ende gehen. Ein Wahnsinn, das läuft bereits seit zwölf oder vierzehn oder sechzig Jahren und hat immer noch eine durchschnittliche Auslastung von 93,5 oder 94,7 %. Ernsthaft irre. Was für ein ekelhafter Mensch Andrew Lloyd Webber sein muss. Schnitt. Endlich ist das verfickte Dreckstück vorbei. Noch im Schlussapplaus steht die Braut auf, dreht sich mit dem Rücken zur Bühne und schleudert mit aller Kraft beidarmig den mannsgroßen Brautstrauß nach hinten, der, so hat es die RTL-Redaktion organisiert, vom Phantom persönlich gefangen wird. Es klappt natürlich wie vorgesehen. Das Phantom, immer noch mit Phantommaske, tut so, als wäre alles gar nicht so schlimm. Die übrigen Darsteller applaudieren. Wenn man hauptberuflich Musicaldarsteller ist, muss man einiges mitmachen.

Sommer 2014: Das große Finale von «Meine Hochzeit» wird in doppelter Länge und das erste Mal zur Primetime ausgestrahlt. Die Castings liefen über Monate, mehr als zehntausend Paare haben sich beworben. Mein Telefon klingelt. Ich schaue aufs Display. Hä, was ist denn das für eine Vorwahl, 0221? Ich kenne niemanden aus dieser Region und will schon nicht rangehen, da durchzuckt es mich. Das darf doch nicht wahr sein! 0221, das ist ja Köln, der Sitz von RTL! WIR HABEN TATSÄCHLICH DAS GROSSE LOS GEZOGEN!

Der nicht mehr zu toppende Masterplan der Redaktion: Weil wir riesige Fans der Stones sind, sollen wir uns direkt im Anschluss an ein Steinekonzert im Backstage-

Bereich das Jawort geben. Der originale Lichttechniker ist Trauzeuge, und sogar Charlie «Drums» Watts wird zum Anstoßen erwartet. RTL hat über Monate mit dem Management verhandelt. Erst wollten die Stones nicht, doch bei eins Komma fünf Millionen sind sie eingeknickt. Schnitt. Die Kamera zoomt aufs Stadion. Das Konzert ist ausverkauft. Mick Jagger tobt trotz seiner mittlerweile plus minus achtzig Lenze wie ein Verrückter über die zweihundert mal siebenhundert Meter große Bühne. Der ausgemergelte Uraltschrat ist unbestritten der Größte. Mick Jagger und Keith Richards sind nochmal spindeldürrer geworden, obwohl das eigentlich gar nicht geht. Da können die englischen Gitarrenbands schrammeln und schrappeln und fasten, soviel sie wollen, die künstlich ausgemergelten Zwergenkörper von Jagger / Richards kriegen sie nie hingehungert.

Werbebreak. Schnitt: Da Sonja und ich zu dick zum Stehen sind, werden wir von einem Hubschrauber in einer Schleifkorbtrage (schon wieder) in eine Position knapp über der Bühne herabgelassen, von wo aus wir das Konzert *hautnah pur* miterleben können. Wir sind begeistert und singen mit und alles. Schnitt. Das Konzert geht leider viel zu schnell vorüber. Als letzte Zugabe bringen die Steine wie immer ihren größten Hit «Satisfaction». Mit Sonja und mir gehen langsam, aber sicher die Pferde durch. Wir toben, klatschen und schunkeln. Die Trage wippt bedrohlich hin und her und auf und ab. In der Abwärtsbewegung berührt sie fast die Bühne und zwingt Mick Jagger zu waghalsigen Duck- und Wendemanövern. Der Rockgott kocht vor Wut, lässt sich aber nichts anmerken. Er wird RTL mit Regressforderungen überziehen, von denen sich der Quatschsender nie mehr erholen wird! Nahaufnahme: Die Bolzen, mit denen die Trage am Hubschrauber befestigt ist, quietschen und ächzen. «And I try, I try, I try, and I try». Haarrisse! Materialermüdung! «I can't get no ... satisfaction». Charlie W. setzt zum finalen Wirbel an, da passiert's: Die Bolzen brechen mit einem entsetzlichen Knirschen aus der Verankerung, Sonja und ich plumpsen wie überreife Pflaumen herunter und begraben die papierdünnen Masterminds unter uns. Das war's dann mit den Stones, das traurige Ende einer legendären Formation. Wir dagegen bleiben wie durch ein Wunder unverletzt und werden wg. Rache an einen geheimen Ort geschafft. RTL muss nach weltweiten Fanprotesten und einem Machtwort des US-Präsidenten den Sendebetrieb einstellen.

Punkt zwölf. RTL-«Mittagsjournal». Ich konnte nicht mehr. Ich konnte einfach kein Fernsehen mehr gucken. Es war unerträglich heiß. Ventilatoren waren seit Wochen überall ausverkauft. Was nun? Mir fiel nichts ein. Warum auch, den Tag gab es ja offiziell gar nicht. Egal, irgendwas musste ich tun. Da weitermachen, wo ich vorhin aufgehört hatte: Standards, Routinetätigkeiten, Besorgungen, Sachen erledigen, die sonst immer liegenbleiben. *Nach Würmern graben. Graffiti überstreichen.* Nicht schon wieder! Schluss jetzt! Geordnete Verhältnisse sind Voraussetzung für geordnete Gedanken und eine erfolgreiche Lebensführung.

Wie sah es eigentlich im Schlafzimmer aus? Es ist mit knapp zehn Quadratmetern der kleinste Raum der Wohnung. Oberflächlich betrachtet ganz manierlich. Keine

Kleiderberge, keine herumliegenden Bücher, keine leeren Flaschen oder gar *Taschentücher*. Lediglich eine einzelne Socke hatte sich ans Fußende des Bettes verirrt. Ich hob sie auf. Wo kam die denn jetzt her? Wo eine Socke war, musste auch eine zweite sein. Ich schlug die Decke zurück. Nichts. Unterm Kissen auch nichts. Vielleicht hinter dem Fernseher oder unterm Bett. Ich hatte eine Taschenlampe, legte mich auf den Boden und leuchtete alles ab. Nichts. Dann hob ich die Matratze an, und als ich dort auch nicht fündig wurde, rückte ich das Bett ab. Vielleicht hatte sie sich irgendwo verfangen. Komisch. Das war ja komisch. Ich roch an der Socke, um herauszufinden, ob sie noch sauber war oder in die Schmutzwäsche gehörte. Dazu braucht es eine echte Hundenase. Langes Liegen neutralisiert schlechten Geruch. Ich befühlte den Söckling (haptischer Test), schmutzigen Sachen mangelt es nämlich gemeinhin an Spannkraft. Schwer, was zu sagen, ganz schwer, was zu sagen. Ich ließ sie fallen und ging wieder ins Wohnzimmer. Toter Tag hin, nicht vorhandener Tag her, so ging es nicht weiter. Mit jeder weiteren sinnlos vor dem Fernseher verbrachten Minute würde ich einen Monat früher sterben müssen.

Arbeitsvorbereitung bedeutet für mich in erster Linie *Chinakladde*. So nennt man meines Wissens Schreibhefte mit festem Einband, wenn nicht, egal, für mich heißen sie so. Ich arbeite vom Ding her analog / digital. Erst fülle ich eine Kladde mit Bleier und Ratzefummel, dann übertrage ich die Ergebnisse in einem zweiten Arbeitsschritt in den Computer. Danach folgen die Überarbeitungen: aussieben, streichen, komprimieren, kürzen, runterdampfen, runterdampfen, noch weiter runterdampfen. Nun aber los. Neue Kladde, neues Glück. Es war genau vier Minuten nach zwölf. Ich stellte den Eierwecker auf sechzig Minuten, das macht Dan Brown angeblich auch so, wegen Rücken. Um eine Kladde vollzumachen, brauche ich ca. ein halbes Jahr. Ein Drittel ist Schrott, ein weiteres Drittel Halbschrott, und im Restdrittel tummelt sich die eine oder andere gute Idee. Faustregel: Quantität schafft Qualität. Zäh hält sich bei den Spießern die Meinung, Ideen schwirrten in der Luft herum und fielen den Kreativen quasi an, es genüge, den Kopf aus dem Fenster zu stecken und so lange zu warten, bis der Geistesblitz einschlägt. Das ist natürlich vollkommener Quatsch. Amateure warten auf Inspiration, Profis setzen sich hin und arbeiten (wahnsinnig arrogante Formulierung, stammt zum Glück nicht von mir). Ganz wichtig: erst mal alles aufschreiben. Einzelne Worte, Halbsätze, Unzusammenhängendes, diffuse Bilder, man darf keine Scheu davor haben, das innere Gestammel zuzulassen, vielleicht fügen sich die im Äther herumschwirrenden Kackateilchen irgendwann zu einem Großen, Schönen, Ganzen.

Zielgerichtet denken, zielgerichtet fühlen, zielgerichtet fernsehen, zielgerichtet lesen, Hauptsache zielgerichtet, man kann überall fündig werden. Beispiel Kontaktanzeige: «Wie du sein solltest? Ein Teil Mutter Teresa, ein Teil Sharon Stone und ganz viel du». Seit Ewigkeiten warte ich auf eine Gelegenheit, diesen entsetzlichen Satz zu verwursten. Anderes Beispiel, auch Anzeige (Doppelseite «Treffpunkte» in der «Hamburger Morgenpost»): «Nur heute. Polin mit Hut». Und Telefonnummer. Wortwörtlich: «Polin mit Hut». Was das wohl bedeutet? Das mit dem Hut ist hundertprozentig ein versteckter Hinweis für Kenner.

«Vor der Hacke ist es duster.» Bergarbeiterspruch. Ein Kumpel, der mit pechschwarzem Gesicht einen Stollen in den Berg treibt und wegen der undurchdringlichen Dunkelheit praktisch blind draufloshackt. Für Sprüche, Schnacks und Redensarten habe ich ein besonderes Faible:

«Ladys first – James Last.»

«Die Ehe ist ein Vogelhaus, wer drin ist, der will wieder raus.»

«Ich hab beim Golf nur ein Handicap – mein Gesicht.»

«Lieber ein offenes Ohr als offene Beine.»

«Ich mag Tiere sehr gerne – am liebsten mit einer leckeren Soße.»

Diese Premiumschnacks stammen alle von meinem bald achtzigjährigen Onkel Friedrich. Onkel Friedrich ist ein Spitzentyp und hat außerdem den besten Spitznamen der Welt: *die Zunge Europas*. Sein gesamtes Berufsleben hat er im Kaffeegeschäft verbracht: Kaffeekaufmann, Kaffeehändler, Kaffeeverkoster, Kaffeeexperte, Kaffeemann, Kaffeeguru, Kaffeegenie: Personalunion Onkel Friedrich. Abgesehen davon, dass er ein nachgerade unglaubliches Repertoire an jederzeit abrufbaren Anekdoten, Geschichten und Döntjes angehäuft hat, ist er im Besitz von Kaffeeherrschaftswissen, das nirgendwo nachgelesen werden kann. Wenn er mal nicht mehr ist, geht dieses Wissen verloren. Onkel Friedrich befindet sich schon seit langem im Ruhestand. Im Hamburger Freihafen ist er eine Legende, ein Mythos, eine sagenumwobene Lichtgestalt, eine Fata Morgana (hab ich das Wort auch noch untergebracht! Es geht beim Bücherschreiben ja vor allem darum, so viel verschiedene Wörter wie möglich unterzubringen). Es gibt ja so Weinspezialisten, die Herkunft, Jahrgang und Lage zuverlässig herausschmecken; Onkel Friedrich ist kaffeetechnisch mit vergleichbarem Talent gesegnet. Die Grundsorten (Arabica, Robusta usw.), Herkunftsländer (Nicaragua, Kuba, Ecuador, Costa Rica), wie hoch welcher wovon warum Anteil ist, welche Lage, welche Röstung, ach, ich weiß es doch auch alles nicht. Auf jeden Fall arbeiten seine Geschmacksknospen mit einer unerreichten Präzision: *die Zunge Europas* eben! Ein Name wie ein Ritterschlag. Ich müsste ihn mal besuchen und alles aufschreiben. Zeit hat er schließlich genug, und ich sowieso. So ein Quatsch, wen soll denn das interessieren? *Mich!* Allein darum geht es! Es geht immer nur genau darum! Wenn ich nur nicht immer so mutlos und zerschlagen wäre, ich würde mich mit einem Diktiergerät bewaffnet wochenlang bei ihm einquartieren und ihn erzählen lassen. Und dann das Buch schreiben. Ich bin mir sicher, dass es ein gutes Buch würde. Der Titel ist doch schon mal unschlagbar: «Die Zunge Europas»! Überlegenes Material.

Onkel Friedrichs zweite Leidenschaft sind, wie gesagt, Sprüche. Sprüche, Schnacks, Witze. Überwiegend olles Zeug, trotzdem Spitze:

«Ich koche gern – aber nicht vor Wut.»

«Nachdurst ist schlimmer als Heimweh.»

«Die Steinzeit ging auch nicht zu Ende, weil die Steine ausgingen.»

Oder Witze:

1. «Mutti, Mutti, ich kann keine Pickel mehr kriegen.» – «Warum nicht?» – «Kein Platz mehr!»

2. «Warum gehst du denn immer auf den Balkon, wenn deine Frau singt?» – «Damit alle sehen, dass ich sie nicht schlage.»

Einen nach dem anderen produziert er, wirklich einen nach dem anderen. Manche sind gut, manche weniger, egal, ich bin sicher, dass er, wenn er sich nicht mit Leib und Seele dem Kaffee verschrieben hätte, der größte Witzeerzähler Deutschlands geworden wäre. Nickname auch in diesem Fall: die Zunge Europas.

Na ja, auf der einen Seite Onkel Friedrich, auf der anderen ich: Mein Humor funktionierte anders. Mir kamen einzelne Worte in den Sinn: «Fettschürze», «Weltraumdünger», «Analjazz». Weltraumdünger, keine Ahnung, was das sein sollte. Es gibt Sachen, die klingen lustig, und kein Mensch weiß, warum. «Betriebswirtschaft modern – Höschen runter, Ärmel rauf». Hätte auch von Onkel Friedrich sein können, stammt aber aus der «Neuen Revue». Vielleicht war das meine Bestimmung: antiquierte Sprüche vor dem Aussterben zu bewahren und selbst zu produzieren: «Boxkampf zum Jahreswechsel: Silvesterpunch statt Silvesterpunsch». Anderes Wort für abgestandenes Bier: «Prince schal». «Predigt vergessen, Messkelch verschüttet, Talar verschimmelt, Oblaten ranzig – auch Pfarrer sind Menschen». Weiter: «Der Schwanz ist das Kainsmal des Hundes». Mir fiel nur noch wirres Zeug ein: «Dudelsackhose», «Nutten sind die Neger Bulgariens.»

Wer soll damit bitte etwas anfangen? Derartige «Einfälle» pressen sämtliche Lebensenergie aus einem raus. Vielleicht waren ja kosmische Strahlen, ineinander verschobene Mondphasen oder extraterrestrische Energiefelder dafür verantwortlich, dass meine verstauchten Synapsen einen derartigen Schrott produzierten. Weltraumschrott. Schluss, Ende, aus, hatte einfach keinen Zweck heute.

Ich hatte zu einer Zeit begonnen, mit Humor Geld zu verdienen, als er mit einem Mal Comedy hieß und sich als ganzjährig verlängerter Arm des rheinischen Karnevals flächendeckend über die Republik ausbreitete. Bis dahin war die deutsche Humorlandschaft überschaubar gewesen und hatte im Wesentlichen aus Loriot, Otto Waalkes, Gerhard Polt, Diether Krebs, Dieter Hildebrandt, Jürgen von der Lippe, Insterburg & Co, Hape Kerkeling, Jürgen von Manger und zur Not auch noch Dieter Hallervorden, Torfrock, Harald & Eddie, Heinz Erhardt, Mike Krüger und Fips Asmussen bestanden. (Der mit einem unerschütterlichen Selbstbewusstsein und dem Gedächtnis eines Schachgroßmeisters gesegnete Pointenpapst dürfte genug Witze für einen mehrjährigen Witzemarathon gespeichert haben. In der Zeit, in der Fips Asmussen die Witze erzählt, lernt er schon wieder neue auswendig: ein Perpetuum mobile des Gags.)

Die ersten humoristischen Gehversuche hatte ich in meiner Schülerzeitung gemacht: Alltagsbeobachtungen, zeittypischer Unsinn, *ätzende* Medienkritik (damals hatte Kritik ätzend zu sein), und Politsatire (Ronald Reagan in Bitburg, oh, là, là) durfte natürlich auch nicht fehlen. Kultig. Als der Begriff noch nicht vollkommen entwertet war. Es herrschte die einhellige Meinung, dass aus mir mal was werden würde. Rückblickend eine herrliche Zeit, Narren-freiheit, eine bessere Gelegenheit, mich auszuprobieren, hätte es gar nicht geben können.

Meine Helden waren Polt und Loriot und natürlich die Begründer der neuen Frankfurter Schule: Waechter, Trax-ler, Henscheid, Bernstein, Gernhardt, Poth, Eilert, Knorr! Die hatten damals nebenher Otto groß gemacht. Ich sah meine Zukunft ebenfalls als Mann im Hintergrund, Au-tor, Schreiber, Entwickler (Development – save the Copy-rights!), ganz allgemein Strippenzieher. Über ein Zeit, Geld, Nerven und sicher noch eine Menge anderer Sachen raubendes Studium (Journalistik / Germanistik / Literatur-wissenschaften / Medienirgendwas) hatte ich dabei nie ernsthaft nachgedacht. Durch Protektion (ehemaliger Klassenlehrer) bin ich erst beim Privatradio und über zwei weitere Umwege (egal, zu langatmig) beim Fernsehen ge-landet, als Gagautor für eine Reisesendung mit Comedy-Elementen, ein Mitte der Neunziger populäres Format.

Die Gags, die ich *abliefern* musste, hatten mit dem, was mir eigentlich vorschwebte, zwar nichts, aber auch rein gar nichts zu tun, aber das fand ich nicht schlimm. Erst mal. Ich war davon überzeugt, dass meine Chance irgend-wann kommen würde, dass eine Schnittmenge zwischen dem Zeitgeist und meiner Art von Komik möglich sei. Die Menschen entwickeln sich ja schließlich weiter, irgendwie jedenfalls. Bis dahin hieß es: Gags under pressure, Gags in progress. Ausharren und auf Halde arbeiten. Wenn meine Zeit gekommen war, würde ich eine Karte nach der anderen aus dem Ärmel schütteln können. EINE NACH DER ANDEREN!

Das konnte jedoch noch dauern, denn die Humorlandschaft veränderte sich dramatisch, und zwar in genau eine Richtung: zum Schlechten.

Politisches Kabarett, Parodie, Humor, Komik, Witz, Ironie, Satire, Persiflage, Polemik, Kalauer, Pointe, Schote, Zote und was es sonst noch alles gab, wurde auf den kleinsten Nenner vom kleinsten gemeinsamen Nenner vom kleinsten gemeinsamen Nenner und davon nochmal dem kleinsten gemeinsamen Nenner runtergedampft. Und der hieß Comedy. In industrieller Massenfertigung produzierter Humor, rücksichtslos entkernt von Drama, Tragik, Weltanschauung, Überzeugung, Nuancen, Brüchen, Differenzen, also all dem, was Komik ausmacht. Selbst wenn mal eine gute Idee, *Substanz*, zugrunde lag, wurde die von unzähligen vor-, zwischen- und nachgeschalteten Filtern und Dämpfern verdünnt, gesiebt, gespült, bis nur noch formloser Ramsch übrig blieb. Ramsch ohne Leuchten, ohne Hintergrundstrahlung, groteske Intonationsverfehlung. Die Woche verkam zu einer ununterscheidbaren Abfolge von Fun-Freitagen, und die Sendeplätze von der Primetime bis zur Peripherie wurden mit immer neuen ununterscheidbaren Formaten verstopft, die sich in ihrer Dämlichkeit gegenseitig übertrafen: Sketchcomedy, Standup Comedy, Comedynews, Panelshows, Improcomedy. In einer beispiellosen Gleichschaltung errichtete der Gagmilitarismus noch im entlegensten Winkel der Republik dieselben Muster des Bewusstseins. Und das System duldete keine Ausnahmen.

Frauen mit Schuh- und Kleidungssticks, Ikeagags (Bett «Gutfick», haha), Männer, die auf die Urlaubsreise nur eine Unterhose mitnehmen («Meine Frau merkt das sowieso nicht, haha»), 90 Prozent der jährlichen Tomatensaftproduktion werden in Flugzeugen konsumiert (immer Riesenlacher, keiner weiß genau, warum), das unerschöpfliche Thema «Servicewüste Deutschland». Was bitte schön soll daran komisch sein?

Einher mit der Formatierung des Inhalts ging die Formatierung des Personals. Grundvoraussetzungen für einen Comedian: Ehrgeiz, Dickfelligkeit und sich für nichts, aber auch gar nichts zu schämen. Würde und Selbstachtung sollten möglichst keine Rolle spielen, man muss bereit sein, ALLES mit sich machen zu lassen. (Das Handwerk lässt sich fix in einem dreitägigen Crashkurs an einer *Gag*-Akademie erlernen.) Wichtigste Voraussetzung, hätte ich fast vergessen: Humorlosigkeit. Dann leidet man wenigstens nicht unter der Scheiße.

Comedycast: Unter keinen Umständen fehlen darf der Kleine, der bucklige Troll, das Greislein mit dem öden Frätzchen, eine Mischung aus vorlautem, besserwisserischem kleinem Bruder, Klassenkasper und ätzendem Gnom, der sein Publikum mit geschlechtslosen Verrenkungen, sinnlosen Zappeleien und hysterischem Stimmenverstellen traktiert. Ihm zur Seite gestellt ist ein jäh und krumm in die Höhe geschossener, schlaksig-dürrer Eumel mit unterschiedlich hoch hängenden Klüten und Trichterbrust. Die Macher achten darauf, dass auf zwei Gnome in der Regel ein Eumel kommt. Dicke haben als Comedians besonders gute Chancen, wenn sie mit möglichst vielen Zusatzdefekten ausgestattet sind: Zyklopen mit Eier- oder Wasserköpfen, aufgequollene Knallfrösche, mehrfach geblähte Michelin-Männchen, aufgedunsen durch Hektoliter Kölsch und chronische Ausdruckverstopfung. Wie viele neue Comedians wohl jedes Jahr an den Start gehen? Hundert, zweihundert, fünfhundert? Als in der Goldgräberstimmung der neunziger Jahre New Economy, Popliteratur, deutschsprachiger Hiphop und eben auch Comedy boomten, entdeckten Heerscharen von Studienabbrechern, arbeitslosen Schauspielern, Karrieristen, Amateurspaßvögeln und Schonimmermalmöchtegernegalichmachallesstars diese vielversprechende Geschäftsidee. Denn zu nichts anderem war Humor geworden. Zu einer Geschäftsidee. Nicht einmal in Bankerkreisen wird so beschämend oft übers Geld geredet wie unter Comedians. Typischer Backstagedialog einer Mixveranstaltung (mehrere Comedians treten nacheinander auf):

«Na, wie geht's?»

«Ich verdien mir grad derart den Arsch ab, das kannst du dir nicht vorstellen!»

Unter Comedians herrscht ein Klima von Neid und Missgunst. Wenn beim Soloprogramm eines Standuppers von hundert Leuten im Publikum neunundneunzig lachen und ein Einziger von der ersten bis zur letzten Minute kerzengerade und mit versteinertem Gesicht in der hintersten Reihe hockt, ist das ein Comedian, der seinen Konkurrenten ausspioniert.

Die durchs Fernsehen populär gewordenen Großverdiener absolvieren zweihundert und mehr Auftritte im Jahr. Da kommt einiges zusammen. Aber sie sind die Löwen in der Comedyfauna. Ganz unten in der Hierarchie stehen die Uhus (unter hundert), deren Auftritte von weniger als einhundert *Zahlenden* (ohne Gästeliste) besucht werden. Manchmal sind es auch nur fünfzig. Oder siebzehn, von denen fünf noch während des Auftritts gehen. Wenn diese Rotärsche unter den Comedians nicht ganz schnell die Hundertergrenze reißen, sind sie gleich wieder weg vom Fenster. Solide hundert Zuschauer sind so was wie die Fünf-hundert-Euro-Frage bei «Wer wird Millionär». Uhus (der Begriff stammt übrigens von mir) hassen die Kollegen, die diese Grenze gerissen haben und sich über hundert, hundertzwanzig oder in ihrer Heimatstadt auch mal über zweihundertzehn Zahlende freuen dürfen. Hass, aber auch großes, ehrliches Unverständnis: «Was soll denn daran lustig sein. Wo ist der denn bitte schön besser als ich. Die Leute sind aber auch beknackt!» Die Spirale des Hasses setzt sich nach oben fort: Die Hunderter hassen die Zwei- oder Dreihunderter. Und die hassen die Fünfhunderter und die die Tausender, und die Tausender die Zwei- bis Viertausender, und ganz oben, auf dem Thron der Köln-Arena, sitzt der *Eine* und lacht alle anderen aus.

Für den Typ des ernsthaften, schwerblütigen Humoristen, für den Komik existenzielle Notwendigkeit bedeutet, eine Möglichkeit, dem Schmerz und den Widrigkeiten des Daseins zu begegnen, gibt es keine Verwendung mehr. Er ist untergegangen im bedeutungslosen Gebrabbel, Gebrunze, Gebölke, Gekreische und Gepöbel, dem endgültigen Sieg der Lautheit:

«Da kabarettiche sich, wer kann, denn die Wirkung der Nummern ist nachhaltiger als langfristige Rentenbescheide. Damit beim schrillen Start ins Wochenende auch die Ablachgarantie gilt, nehmen Sie am besten Ihren inneren Schweinehund an die Leine.

Aber: Vorsicht an der Wortschwallkante! Schaffnerin dieser herzerfrischend fiesen Erste-Klasse-Comedy allererster Schlagsahne ist eine Powerkabarettistin und bekennende Kaltduscherin, die neben Festigung des Geistes und des Bindegewebes auch die Behandlung des Störfaktors Mann und seine artgerechte Haltung verspricht und ihm endlich den Giftzahn der Zeit zieht. Hier darf gelacht werden, bis alles in Jackpot und Asche liegt, bis zur widerspenstigen Lähmung; vertrauensstörende Maßnahmen, bis die Arschkarten neu gemischt sind. Das Jagdverhalten afrikanischer Löwinnen wird den Shopping-Ritualen gelangweilter Hausfrauen gegenübergestellt, und die brennende Frage beantwortet, warum frei laufende Hühner immer dekadenter werden beziehungsweise ob es ein Leben über 40 gibt. Auf dem Highway to Hell gibt es keine Zebrastreifen. Das Flammenschwert der Comedy saust gnadenlos frech auf unser Zwerchfell nieder, nimmt den wahntäglichen Normalsinn auf die Schippe, denn die Milch aufschäumen überlassen wir getrost den anderen. Zugführer bei dieser Molkerei auf der Bounty: der wahrscheinlich multikultigste aller Comedians, der unzensiert seine schwierigste Rolle spielt: nämlich sich selbst! Ob er dabei ins Klo oder nach den Sternen greift, seine multiplen Sarkasmen hinterlassen jedes Mal eine Spur der Entzückung. Aber Vorsicht: Wenn seine Frühlingsrolle erst in den Datenstau gerät, würde er für eine gute Pointe sogar seine Großmutter verkaufen. Zusteigen in diese Pointenvollzugsanstalt ohne Abstellgleis wird auch Angela Merkel, unsere Plattitüdenmamsell und Barbie reloaded, die den Staat am liebsten outsourced und dabei unversehens zum eigenen Outlet wird. Ach übrigens: Wird das Jüngste Gericht in Amerika überhaupt anerkannt?

(Alles Originalzitate)

Erbrochenes. Spastiker des Witzes, die mit blutig gebissener Zunge die immer gleiche Fertigteilsprache ausspeien, Zombies, deren kaputtes, krankes, ausgezehrtes Vokabular zusammen mit den ausgeschlagenen Zähnen kraftlos aus dem Maul sappscht. Das ist so ungefähr meine Meinung zum eigenen Berufsstand. Ein Therapeut würde mir mit ziemlicher Sicherheit empfehlen, den Job zu wechseln.

Eine Art von Gerechtigkeit gibt es allerdings, die Strafe für all die Schandtaten sitzt den Verbrechern gegenüber: das Publikum. Ein flüchtiger Blick in den Saal kurz vor Beginn einer durchschnittlichen Show: halslose, zerfurchte, grenzdebile, schenkelklopfende Kretins, so weit das Auge reicht. Ein Albtraum, der den *Künstler* bis in den Schlaf verfolgt. Nein, o nein, o nein, was ist das denn? Was läuft nur so schrecklich schief und krumm und falsch? Alles. O Gott, o Gott! Wie alt sind die denn eigentlich alle? Keiner unter fünfundvierzig. Ach was, fünfzig. Und was für Klamotten haben die an (KIK – nur nackt ist billiger!). Und die Gesichter, was für Gesichter haben die? Gebrochene Augen, schiefe Nasen, Aderngelend, geisteskrankes Gelächter. Da muss ein Fehler passiert sein, die Castingfirma hat versehentlich die Belegschaft einer Tagesklinik angekarrt. Nicht eine einzige geile Alte! Nicht eine auch nur annähernd geile Alte! Und kein einziger cooler Typ. Es ist nicht nur überhaupt nicht cool und sexy. Es ist Samenkäse. Sacksuppe. Schwanzbrand. Ein Wahnsinn! Die furchtbare Wahrheit.

Das Telefon klingelte. Für gewöhnlich rufen mich nur die Großeltern oder Sonja auf dem Festnetz an. Oder Callcenter oder verwählt.

«Musikschule Meinhard Gnom. Aus Noten wachsen Hälse.»

Ich melde mich nie mit meinem Namen. Langweilig: «Markus Erdmann, guten Tag.» – «Erdmann, hallo.» Oder gar: «Markus hier.» Da legen interessante Menschen doch gleich wieder auf. Wie schön es wäre, Meinhard Gnom zu heißen und irgendwo in der norddeutschen Tiefebene eine kleine, aber feine Musikschule zu betreiben, mit dem Firmenlogo als Programm: «Musikschule Meinhard Gnom ... und aus Noten wachsen Hälse».

«Hier ist Sven.»

«Bist du schon wieder zu Hause? Ich dachte, du würdest erst heute zurückkommen?»

«Wollte ich eigentlich auch, aber ich bin gestern Nacht noch gefahren.»

«Wie, gestern Nacht? Und, wie viel hattest du gesoffen?»

«Zu viel natürlich. Ist ja auch egal. Weißt du, wie viele gestern da waren?»

«Nein.»

«Rat mal.»

«Was soll das, ich mag diese Raterei nicht.»

«Bitte, nur einmal. Raten.»

«100.»

«66. Das musst du dir mal vorstellen. 66!»

«Das ist wenig.»

«Wenig? Eine Katastrophe. Freitag 105, Sonnabend 110 und gestern 66. Hörst du, 66! Das ist neuer Minusrekord. Jetzt geht's endgültig den Bach runter.»

Mein Partner Sven hatte sein zweites Bühnenprogramm

«Strafarbeit» (der Titel war zur Abwechslung mal ihm eingefallen. Ich fand ihn total öde, er hatte drauf bestanden,
na ja, irgendwie auch egal) in zwei Jahren knapp vierhundert Mal gespielt. Die Großstädte besuchte er bereits in
der dritten oder vierten Schleife. Es gab praktisch keinen
Ort über hundert Einwohner, in dem er damit noch nicht
gewesen war.

«So geht's einfach nicht weiter. Wir müssen dringend
was machen.»

«*Wir* ist gut. Du meinst, *ich* muss was machen. Mir fällt
aber gerade nix ein. Außerdem findest du ja eh immer alles Scheiße.»

«So. Das weißt du doch gar nicht. Sag doch mal was.»

«Also gut. Meine Notizen der letzten Stunden. Soll ich's
dir wirklich vorlesen? Dein Risiko.»

«Ja, mach mal.»

«Also: Fettschürze, Analjazz, Dudelsackhose, Weltraumdünger. Der Schwanz ist das Kainsmal des Hundes. Und
das Beste zum Schluss: Neger sind die Nutten Bulgariens.
Nee, umgekehrt, Nutten sind die Neger Bulgariens.»

Schweigen.

«Ich hab dich extra gefragt, ob ich's dir vorlesen soll.
Das ist exakt das, was mir eingefallen ist.»

«Jaja. Pass auf, was hältst du davon, wenn ich nachher
mal vorbeikomme? Um sieben?»

«Ja, von mir aus. Bis später.»

Ursprünglich hatte Sven für die Reisesendung als Warm-
upper gearbeitet. Der Job des Anheizers war für ihn aber
nur Durchgangsstation. Er fühlte sich zu Höherem beru-
fen. Warmuppern gelingt ja auch immer mal wieder der

Sprung von der anonymen Stimmungskanone zum eigentlichen Star. Und Sven brachte die entscheidende Voraussetzung mit, die mir fehlte: den Willen zum Erfolg, denn die Regel ist, dass derjenige es schafft, der es wirklich *will*. Nachdem die Sendung abgesetzt worden war, schlug er mir eine Zusammenarbeit vor: Er als gesichtsbekannter Vollidiot (er benutzte irgendeine andere Formulierung), ich als *Autor. Headwriter, Writer, Supervisor und künstlerischer Leiter.* Oder Manager, General Manager, Head Manager, Executive Manager, kanns dir was aussuchen.

Als Erstes musste eine Figur her, austauschbar, beliebig und bis zur Unkenntlichkeit reduziert. Gar nicht so einfach, war ja alles schon besetzt: Frührentner, ewige Studenten, Polizisten, Soldaten, Freaks, Beamte in allen Schattierungen, Hausmeister in sämtlichen Varianten. Wenn's nach mir gegangen wäre, hätten wir uns für einen Päderasten oder Robbenschlächter entschieden. Oder einen Serienmörder, der wie alle Serienmörder, wenn sie nicht gerade in Serie morden, ein liebenswerter Trottel mit spießigen Hobbys und nervigen Angewohnheiten ist. Die andere Seite: Er leidet an einer der Forensik bislang nicht bekannten seelischen Abartigkeit, einer progredienten sadistischen Perversion vor dem Hintergrund einer Borderlinestörung, deren maximale Wunschvorstellung es ist, seinem sterbenden Opfer beim Koitus ans pochende Herz zu fassen. Einen Titel für das Serienmörderprogramm hatte ich auch schon: «Menschlich gesehen». Na ja, nachdem Robbenschlächter, Päderast, Serienmörder und noch ein paar andere «Vorschläge» sich als nicht konsensfähig erwiesen hatten, einigten wir uns auf «Herrn

Wolter», einen aus sämtlichen Klischees und Versatzstücken zusammengeschusterten Lehrer. Herr Wolter ist ein geiziger, linkischer, pedantischer Pauker, der selten die Wäsche wechselt und geil ist wie eine Natter. Normales, langweiliges Flickwerk. In nur drei Wochen hatte ich das erste Bühnenprogramm zusammen, das sich überraschenderweise (zumindest ich war überrascht) zu einem Renner entwickelte. Der Clou der Liveperformance ist, dass Herr Wolter den Saal in ein Klassenzimmer verwandelt, mit dem Publikum als Schüler. Die Leute lassen wirklich erstaunlich viel mit sich machen. Sie *wollen* schließlich lachen. Witzeverkaufsveranstaltungen, ein Witz – ein Euro. Zwei Stunden ohne Story, ohne Höhepunkt und ohne Bedeutung.

Herr Wolter marschierte durch und war auf dem Höhepunkt seiner Karriere regelmäßiger Gast in den Comedyshows der Republik. Lange währte der Ruhm jedoch nicht, denn je eindimensionaler die Figur, desto geringer ihre Halbwertzeit. Irgendwann war Herr Wolter durch, und die Besucherzahlen halbierten sich binnen eines Jahres. Es kam jetzt immer häufiger vor, dass Sven vom Veranstalter im Anschluss noch nicht mal mehr in ein *uriges* Altstadtlokal zum obligatorischen Schoppenwein eingeladen wurde. Ganz schlechtes Zeichen. Ihm drohte das Schicksal vieler Stars, die die Zeichen der Zeit nicht rechtzeitig ekennen und langsam, aber sicher nach unten durchgereicht werden: Moderation von irgendwas, Stargast auf Ü-30-Partys, Appetizer für Bigbrother Jürgen auf Mallorca oder Sidekick bei Tim Mälzers Livekochshow, wo die Karriere dann als lauwarme Fünf-Minuten-Terrine ausklingt.

Und davor hatte er Angst. Panische Angst. Der Figur lediglich ein Facelift zu verpassen reichte nicht. Herr Wolter
musste entsorgt werden. Und nun war guter Rat teuer.

Von dem ewigen Sofageliege hatte ich Nackenschmerzen
bekommen. Scheißnacken, Scheißrücken. Ich musste
mich dringend bewegen. Vielleicht einkaufen, erledigt
sich ja auch nicht von selbst. Schließlich war heute der
«Tag der Routinetätigkeiten». Wenn es nichts Konkre-
tes zu besorgen gibt, kauft man haltbare Produkte wie
H-Milch, Waschmittel, Salz, Zahnpasta, Batterien oder Nu-
deln, davon kann man nie genug im Haus haben: Bunker-
bzw. Hamsterkäufe (Hamburg ist – sturmflutgefährdetes
Dauerkrisengebiet).

Ich musste dringend mal wieder Altglas entsorgen, es
stapelten sich mittlerweile bestimmt sechzig Einwegfla-
schen unter der Spüle. Oder siebzig oder achtzig. Aber
bei der Hitze! Ging einfach nicht. Wenn ich das Altglas
nicht bald entsorge, wird es irgendwann mich entsorgen:
Nachts, wenn ich schlafe, schließt sich das Leergut heimlich und leise zu einem Verband zusammen, kriecht unter
meinen Rücken und schafft mich, einem Trupp Wander-
ameisen gleich, unendlich langsam zum Altglascontai-
ner. Eine Pfandflaschenprozession. Da bleibt einem das
Lachen im Halse stecken. Na ja, wenn mir schon die Kraft
zur überfälligen Altglasentsorgung fehlte, konnte ich wenigstens meine alte Kienzle-Uhr in die Reparatur geben,
die vor Ewigkeiten stehengeblieben war und seither ein
ausgesprochenes Schattendasein fristete.

Gesagt, getan! Auf zum Uhrmacher! Mit frischen Kräften ging's zum Uhrmacher. Erste Station war der nur zehn Minuten entfernte Uhrmacher. Das unauffällige Uhrmachermeistergeschäft war nur einen Steinwurf entfernt. Ich fragte mich gespannt, ob der kleine Uhrmacherladen überhaupt geöffnet hatte. Entnervt schleppte ich mich zum Uhrmacher. Zweimal lang hingeschlagen, schon stand ich vorm Uhrmacher.

«Diercks Uhrma...» Sollte der Länge nach zu urteilen wohl Uhrmachermeister heißen, aber zum ganz Lesen war es zu heiß. Ich hatte das muffige Ladengeschäft viele Jahre schlichtweg übersehen. *Eines schönen Tages* bin ich aus einer Laune heraus vor dem Schaufenster stehengeblieben, um mir die Auslagen anzuschauen: Ringe, Goldketten, Armbänder, Broschen und natürlich Uhren. Uhren, Uhren, Uhren. Na ja, so viele nun auch wieder nicht. Kommissionsware, wie den kleinen Papptäfelchen zu entnehmen war: «Gelegenheit. Aus Privatbesitz». Am besten hatten mir ein Goldring mit braunem Stein für 390 Mark und eine Uhr mit braunem Lederarmband für 460 gefallen. Ich war kein Ringträger, und eine Uhr hatte ich bereits. Als ich mir ungefähr ein Jahr später die Auslage erneut anschaute, lagen Ring und Uhr an ihrem alten Platz: «Gelegenheit. Aus Privatbesitz». Die Staubschicht schien etwas dicker geworden zu sein, die Preise hingegen waren stabil geblieben. Auch die anderen Schmuckstücke lagen, wo sie gelegen hatten. Von da an kontrollierte ich die Auslage einmal im Quartal. Nichts, absolut nichts tat sich, dabei war der Schmuck doch ganz schön! Erst nach der Euro-Umstellung kam Bewegung in die Angelegenheit:

Bereits am Nachmittag des zweiten Januar 2002 waren sämtliche Schmuckstücke in Euro ausgepreist (ausgepriesen?). Der Ring kostete 195 Euro und die Uhr 230. Auch in den kommenden Jahren kam weder ein Schmuckstück dazu, noch wurde etwas verkauft, allerdings war die Kommissionsware wohl mittlerweile in den Privatbesitz von Herrn Diercks übergegangen. Vielleicht war das Schaufenster auch kein gewöhnliches Schaufenster, sondern ein unverkäufliches Kunstwerk.

Die Begehung der Dierck'schen Katakomben kostete mich enorme Überwindung. In der einen langen Minute, in der ich vor Angst, Respekt undwasweißich vor der Tür stand, erschloss sich mir die Bedeutung des Begriffs «Hemmschwelle» in seiner ganzen Breite. Vielleicht hing ja Diercks mumifizierte Leiche über dem Tresen, in der rechten Hand eine Uhr, in der linken ein Handwerksmeisterfeinschraubenzieher. Knääärz. Quiiietsch. Die Tür knarrte wie nichts Gutes. Zögerlich setzte ich einen Schritt hinein. Es herrschte eine nur vom Ticken unzähliger Uhren überlagerte Stille. Das meine ich schon oft gelesen zu haben, dass in Uhrmacherläden eine nur vom Ticken unzähliger Uhren überlagerte Stille herrscht. Innen war praktisch alles wie außen, in den frühen Sechzigern eingerichtet und seither nie was verändert. Warum auch. Braun. Alles braun. Tresen, Fußboden, Vitrinen, braun, braun, braun. Von Herrn Diercks keine Spur. Räuspern. Husten. Leises «Hallo».

Plötzlich stand er hinter dem Tresen. Herr Diercks war blitzschnell aus einem Loch gehuscht, das offenbar zu einer dem Laden angeschlossenen Wohnung führte, und musterte mich stumm. Er war Anfang sechzig, hatte einen mächtigen Spitzbauch, einen grauen Spitzbart und ein spitzes Kinn (auf gar keinen Fall überlesen: Spitzbart, Spitzbauch, spitzes Kinn). Mir schien etwas leicht Feindseliges in seiner Haltung zu liegen.

«Guten Tag, die Uhr hier hat ihren Dienst versagt. Kann man da noch was machen?»

Herr Diercks klemmte sich eine Art Monokel in das rechte Auge und inspizierte den Oldtimer. Knisterknister, tickticktick. Er hielt die Uhr gegen das braunstichige Tageslicht und schien überhaupt nicht zufrieden zu sein. Die tickenden Uhren und das braune Interieur machten mich müde. Was tat er da eigentlich genau? Lieber nicht durch vorlaute Fragerei den Zorn des Meisters heraufbeschwören. Knisterknusper, tickticktack. Erneut hielt Herr Diercks die Uhr gegens Licht, dann machte er sich am Handaufzug zu schaffen.

Plötzlich kam aus dem Loch eine steinalte, sehr dünne und sehr zerzauste Frau gehopst und hüpfte wie ein durchgedrehtes Kasperlpüppchen mit irre flackerndem Blick zur Eingangstür, wobei sie eigentümliche Quakgeräusche ausstieß. Ihre Glieder sahen aus, als wären sie verrenkt, verstaucht oder gebrochen. Herr Diercks tat, als habe er sie nicht bemerkt, und setzte stoisch seine Untersuchung fort. Die Verrückte öffnete die Tür, hielt ihr Köpfchen in die Sonne, schloss die Tür wieder und hüpfte blitzschnell auf mich zu. Ungefähr zehn Zentimeter vor mir kam sie zum Stillstand, tippelte von einem Bein aufs andere und starrte mich mit weit aufgerissenen Augen an. Angst! Ruckartig schnellte ihr verschrumpeltes Köpfchen nach vorn. Jetzt beißt sie mich, dachte ich, aua. Doch sie sog nur in hastigen Schüben Luft in ihr Näschen, so als wolle sie eine Geruchsprobe von mir nehmen. Dann hüpfte sie hinter den Tresen, stellte sich auf die Zehenspitzen und beobachtete den Meister bei der Inspektion. Endlich hob Herr Diercks den Blick und schaute mich traurig an.

«Das lohnt nicht mehr, Reparatur kostet vierzig Euro, ist nur 'ne Kienzle, das lohnt absolut nicht mehr.»

«Aber die Uhr ist ein Erbstück, ich häng an ihr. Außerdem ist sie so schön schlicht, ich hätte sie eigentlich ganz gern wieder heile.»

Die Kasperlfrau quakte leise und wippte hin und her. Jetzt wurde es dem Meister zu bunt. Er zeigte auf das Loch:

«Nun geh mal wieder rein. Nun geh da mal wieder rein!»

Laut quakend hüpfte sie zurück ins Loch. Herr Diercks schaute noch eine Spur trauriger.

«Ja, wenn Sie wollen, mach ich Ihnen das natürlich. Vor nächster Woche Dienstag wird das allerdings nichts.»

Er schien gut zu tun zu haben, Auslage hin, Auslage her.

«Das reicht dicke. Ist nicht eilig.»

Herr Diercks reichte mir wortlos den für einen Reparaturbon eigentlich viel zu großen Reparaturbon.

«Toll, dass das klappt. Bis Montag.»

Herr Diercks guckte schon wieder eine Spur trauriger.

«Ade.»

Ade. Wie schön das klang, viel schöner als Tschüs oder das beschissene Ciao oder grüß, grüß. Vielleicht stammte er aus Süddeutschland und bewahrte den Gruß als Erinnerung an seine alte Heimat auf der Zunge und in seinem

Herzen. Dann verschwand auch er im Loch. Ich war allein im Laden und hätte sämtlichen Schmuck mitgehen lassen können (Gelegenheit. Aus Privatbesitz in Privatbesitz). Meine Güte, was ging hier vor? Wer um Himmels willen war diese Frau? Diercks Mutter? Seine Großmutter? Eine Wildfremde, die er in einem Verschlag hielt und um ihre Rente erleichterte? Schlief er gar zusammen mit ihr in einem Bett? Und warum alarmierte niemand die Polizei? Die Zustände mussten den Nachbarn doch bekannt sein. Alle verrückt geworden, alle verrückt.

Weiter ging's. Ein Einzelhandelsgeschäft reihte sich ans nächste: Reinigung, Buchladen, Schuhmacher, Schlüsseldienst, Bäcker, Fleischerei, Damenmode, Herrenmode, Blumenladen, Optiker, Bäcker, Farben & Lacke, Spielhalle, Fotogeschäft, Bäcker. Hinter jeder Tür ein Schicksal.

Im Supermarkt (Plus) war nicht viel los. Regalmeter, Eyecatcher, Schokofallen, eine verworrene Welt voller Tabu-, Bück-, Quengel- und Kassenzonen. In Supermärkten ist alles Zone, gibt's sonst nur beim Militär. Die riesigen Einkaufswagen wirkten wie Monster aus frühen japanischen Science-Fiction-Filmen. Die schweren, für Groß- und Hamsterkäufe konzipierten und mit gigantischem Fassungsvermögen ausgestatteten Stahlungetüme aktueller Bauart (je billiger der Discounter, desto größer die Einkaufswagen, denk ma logisch) grenzen eine Bevölkerungsgruppe aus, die es eh schon schwer genug hat: alte Menschen. Da die Alten zu schwach sind, die Biester durch endlose Regallabyrinthe zu bugsieren, werden sie gezwungen, ihre Besorgungen in den überteuerten Filialen der Schlemmermärkte oder einer anderen Luxuskette zu tätigen, den einzigen Supermärkten, die noch Handkörbe und Kindereinkaufswagen anbieten. Gourmet-Tempel sind Mausefallen, die alten Menschen ihre Ersparnisse abpressen und sie verarmt wieder ausspucken. Eigentlich müsste man sich viel mehr für alte Menschen einsetzen, gerade als (noch!) jüngerer Mensch. Alte haben praktisch keine Lobby, gibt's die Grauen Panther überhaupt noch? Ich schrieb ein paar Stichworte auf die Rückseite des riesengroßen Dierck'schen Reparaturbons: *Alte Leute befreien.* Vielleicht ließe sich daraus was machen.

In meinem Wagen lagen erst vier Artikel. Spülmittel, H-Milch, Salz und Druckerpapier. Das lohnte nicht. Ich brauchte noch was Großes, Klobiges, etwas, das Masse macht, Verdrängung betreibt. Haushaltstücher, Toilettenpapier, eine Vorrats- oder Familienpackung von irgendwas. Ich entschied mich für einen Achterpack dreilagiger Haushaltstücher (die können gar nicht genug Lagen haben). Mit einer Packung frischer Rosen rundete ich den Einkauf ab und dachte meinen einzigen Satz laut vor mich hin: «Die Wohnung bedarf kräftiger floraler Akzente.» Discounterblumen halten nur einen halben Tag, sind dafür jedoch superbillig. Penny bietet nun sogar mit dem «Penny Blumengruß» dem Marktführer Fleurop Paroli. Bravo! Der hat die Welt lange genug mit überteuerten Schnittblumen überzogen. Lange dauert's nicht mehr, dann kann man bei Lidl Juwelen kaufen.

Zu Hause übertrug ich das Gekritzel vom Dierck'schen Reparaturbon brav in die Chinakladde. Es galt, den unerwarteten Schwung zu nutzen. Eine atemberaubende Aufholjagd, an deren Ende ich dem verlorenen Tag noch ein zweites Mal in den Arsch treten würde, denn mit der einen Stunde von heute Vormittag war ich schon bei insgesamt vier Stunden (Cluster/Return of Investment/Time slot/Leistungsbilanz). Und bei dem anstehenden Treffen mit Sven handelte es sich streng genommen ebenfalls um eine Arbeitseinheit. Summa summarum sechs Stunden. Hinzu kommen die zwei Stunden, die ich täglich einspare, weil ich nicht zur Arbeit pendele = acht Stunden! Plus Uhr wegbringen und einkaufen: ein knallharter Zwölfstundentag. So muss man's mal sehen!

Unsere Mission

Wir sind eine kleine, verschworene Gemeinschaft und haben uns zum Ziel gesetzt, alte Leute zu befreien.

Im Schutz der Dunkelheit dringen wir in Altersheime, Krankenhäuser und Seniorenstifte ein, wickeln die alten Leute in warme Decken und bringen sie in die Freiheit.

Manche tun wir vorsichtig in Teiche und Tümpel.

Sofort schwimmen sie davon oder verstecken sich im dichten Ufergestrüpp.

Andere bringen wir auf Wiesen und Weiden.

Dort stehen sie noch ein paar Minuten dicht gedrängt beisammen, ziehen aber schon wenig später in kleinen Gruppen weiter.

Jede Oma kriegt von uns ein Stück Käse und die Opis Wurst.

Einige, meist die ganz Alten, wollen lieber auf hohe Bäume gebracht werden.

Sie kauern dann ganz glücklich im Geäst und atmen tief die

gute, grüne Waldluft ein, und der ganze alte Teppichboden- und Heizungs- und Klogeruch wird aus ihren zarten Lungen gepustet, die dünnen gelben Haare flattern im Wind, und sie reiben sich an der Rinde.

Manchmal kommt ein großer Vogel, packt ganz vorsichtig eine Oma, fliegt mit ihr in der Gegend herum und setzt sie behutsam wieder ab.

Neulich wollten zwei Opas unbedingt in Erdhöhlen leben, dort haben wir sie dann hingebracht.

Gleich fingen sie an, zu scharren und zu buddeln, und waren schnell verschwunden.

Endlich weg von den alten Matratzen und Keimen und defekten Elektrogeräten.

Die beiden werden zusammenbleiben bis zum Schluss.

Manche befinden sich in einem ganz schlechten Zustand, wenn wir sie befreien.

Wir müssen sie dann erst von alten Belägen reinigen, ihre Augen sind ganz verklebt und alles, und sie sind sehr schwach.

Sie brauchen dann erst einmal ein paar Tage, bis wir sie in unseren Privatwohnungen richtig aufgepäppelt haben.

Einige mag man gar nicht mehr weglassen, drum muss man sehen, dass der Kontakt nicht zu eng wird.

Ich hatte jetzt zwei Wochen einen Opi bei mir und bin schon ganz traurig, denn bald heißt es Abschied nehmen, wahrscheinlich für immer.

Ich wickle ihn wieder vorsichtig in eine schöne warme Decke, dann fahren wir nachts ins Moor, dort wo er hinwill.

Etwas unschlüssig noch geht er jetzt einige Schritte in die Dunkelheit.

Plötzlich ist hinter mir ein Geräusch, ich erschrecke, blicke mich hastig um, ach, nichts weiter, nur ein Kitzlein.

Ich dreh mich wieder zum Opa, doch der ist schon weg.

Ganz geräuschlos ist er im Moorbewuchs verschwunden.

Ich stehe noch ein paar Minuten einfach so da, warte, bis der Geruch verflogen ist, und fahre dann ganz nachdenklich wieder nach Hause.

Das ist unsere Mission (ostentativ)

Knapp zwei Stunden hatte ich für den Text benötigt. Überlegenes Material. Jetzt fehlte nur noch der richtige Interpret. Gunter Gabriel? Der war doch bekannt für seine soziale Ader und dafür, dass er sich für Minderheiten einsetzt (Hey Boss, ich brauch mehr Geld).

Kurz vor sieben klingelte es. Sven. Was für ein Glück es sein muss, so auszusehen wie er: Er hat ein scharf geschnittenes, markantes Gesicht mit stechend blauen Augen und einer leichten Höckernase, Typ Raubvogel. Wegen Glatzengefahr rasiert er sich seit neuestem die Haare rappelkurz. Mir würde ein solcher Panzerknackerschnitt wegen meines Mondgesichts nie im Leben stehen (außerdem sind Haare für mich ein Schutz, eine Mauer, ein Wall), aber Sven gereicht die Türsteherfrisur zum Vorteil: Sie macht ihn sogar noch attraktiver. Dick wird er auch nie, sein Stoffwechsel scheint sich mit zunehmendem Alter sogar noch zu beschleunigen: ausgemergelt. Drahtig. Hager. Sehnig. Ein Begünstigter. Obwohl er vierzig ist, führt er immer noch den lächerlich ruinösen Lebenswandel eines Popstars, der gerade seine erste Nummer eins hat und alles mitnimmt, was geht. Sven sieht immer irgendwie fertig aus, aber auf eine geile Art. Wenn andere Männer fertig aussehen, sehen sie aus wie Heckenpenner, Sven sieht mit den Falten, Kerben, Rissen, Narben, Schmissen männlich aus, markig, er hat die Anmutung legendärer amerikanischer Westernhelden. Mischung aus Raubvogel und Westernheld. Außerdem umgibt ihn eine Aura von Verschlagenheit, Täuschung und Betrug. Frauen mögen das, sie erkennen in ihm den Meister, den Lustmenschen, den reißenden Wolf, der ihnen das verschafft, was sie von ihren herunterdemokratisierten, kastrierten Stoffeln daheim niemals bekommen und auch nicht bekommen wollen: Chaos, Rausch und Schweinerei. Herrlich. Er ist tatsächlich der einzige Mainstream-Comedian mit einem gewissen Anteil von geilen Alten im Publikum.

Außerdem ist er verheiratet (kinderlos). Ewig schon. Und noch nie, wirklich noch nie ist etwas herausgekommen. Ich glaube, dass seine Frau von seinem Doppelleben noch nicht mal ahnt. Eine entsprechende Verabredung haben sie auch nicht. Erstaunlich. Zu Beginn unserer Zusammenarbeit habe ich ihn häufiger zu Auftritten begleitet und hochgerechnet: vier-, eher fünfhundert. Er ist der Mann mit den «häufigsten sexuellen Kontakten infolge von Bühnendarbietungen im deutschsprachigen Raum». Mir ist diese gestelzte Formulierung irgendwann mal eingefallen. Er hasst sie wie die Pest, deshalb benutze ich sie, wenn wir uns streiten. Sven blieb auf halber Treppe stehen.

«Wollen wir noch ein bisschen nach draußen gehen? Bitte!»

«Von mir aus, gehen wir in den Park. Ich nehm ein paar Bier mit.»

Der nur wenige Minuten entfernte, winzige Park ist eigentlich kein Park, sondern ein Platz. Öde, trocken, staubig, von spärlichem Bewuchs umsäumt, Wüste. Deshalb nenne ich ihn Sandpark. Im Zentrum des Sandparks hat früher einmal ein Gebäude der Hamburger Elektrizitätswerke oder etwas in der Art gestanden. Nach dem Abriss konnte sich die Behörde (oder wer dafür zuständig ist; Behörde passt immer) nicht entscheiden, wie der Platz umgestaltet werden sollte. Der Sandpark war, gerade weil er so lebensfeindlich, provisorisch und unwirtlich ist, zu meinem Lieblingsplatz geworden, ein auf schwer zu erklärende Weise *magischer* Ort.

In der westlichen Ecke hatte man pünktlich zum Frühlingsbeginn ein Straßenschachfeld errichtet. Wer hinter *man* steckte, wusste ich nicht. Wahrscheinlich «von privat» gespendet, wie ein paar der mit dem Namen der Mäzene («diese Bank wurde gespendet von Textilhaus Wurz») gekennzeichneten Bänke. Die Rentner, die sich seit eh und je täglich im Sandpark treffen, um ihre viele Tagesfreizeit abzuleben, hatten diese Neuerung begeistert aufgenommen. Bei gutem Wetter treffen sich die eifrigsten bereits gegen acht Uhr, um unermüdlich dem Spiel der Könige zu frönen. Jeden Tag das gleiche Bild: Die Opas wuchten die klobigen Figuren von einem Feld aufs nächste, die Omas sitzen auf den Bänken und tuscheln. Seit der Jugend hatte sich nicht viel geändert. Zur Mittagszeit verziehen sich die Alten zum Essen in ihre Wohnungen, und eineinhalb

Stunden später trudeln sie zur Nachmittagsschicht wieder ein. Es lastet immer ein süßlich stechender Geruch von Salben, Pflastern, Verbänden und Desinfektionsmitteln über ihrem Revier. Hautfarbene Salbe riecht anders als weißes Gel als hellbraunes Puder als beige Paste als schwarze Creme als Tubenpflaster. In dicken Schichten wird Salbe auf Gel auf Creme auf Spray auf Puder aufgetragen, die Haut saugt sich voll wie ein Schwamm, und das Gemisch sickert tiefer und tiefer. Halb Mensch, halb Salbe. Irgendwann erkennen die körpereigenen Abwehrkräfte nicht mehr, was was ist, und greifen an. Schrecklich. Der furchtbare Geruch gemahnt uns Jüngere: niemals alt zu werden!

Die Bänke auf der gegenüberliegenden Seite werden in den Sommermonaten von einer Gruppe pechschwarzer Rastamen und ihrer aus ein paar übergewichtigen Mädchen bestehenden Entourage besetzt gehalten. Sie sitzen meist einfach nur da, kiffen, was das Zeug hält, und lauschen der immer gleichen Reggaesoße, die aus ihrem vorsintflutlich großen Ghettoblaster quillt. Selbst wenn sie mal einen Tag aussetzen, hält sich über ihren Bänken eine zähe Cannabiswolke. Die Weiber glotzen Löcher in die Luft und vermitteln im Übrigen den Eindruck, als hielten sie sich zur Verfügung. Ausländer benehmen sich häufig wie ihrer Vorbilder aus der Kanakcomedy, die Grenzen sind seltsam fließend. Ob mangelhaft assimilierte *Südländer*, integrationsresistente Moslems, reaktionäre Ekelschwarze à la 50 Cent oder ewig zugedröhnte Rastamen, es gibt praktisch keinen Unterschied mehr zwischen Original und Fälschung.

In der allerhintersten Ecke gibt es eine Zufallsgästen vorbehaltene Bank, die meist frei ist, weil nur selten Zufallsgäste kommen. Wir setzten uns und tranken schweigend das erste Bier. Dann legte Sven los:

«Du meinst ja immer, dass ich übertreibe, aber die Zahlen sprechen für sich, das musst du zugeben.»

«Was soll ich dazu sagen? Mit deinem ewigen Gezögere hast du alles nur noch schlimmer gemacht. Wir hätten schon längst was Neues haben können. Ich bin's leid, dir dauernd neue Vorschläge zu machen, die du dann auch immer noch ablehnst.»

«Vorschläge ist gut. Das Zeug verstehen die Leute nicht.»

«Alles hat irgendwann in einer Nische angefangen. Es geht darum, langen Atem zu beweisen und etwas durchzusetzen.»

«Jaja. Wenn etwas auf dem Punkt ist, setzt es sich automatisch durch. Einen Hit kann man nicht verhindern.»

«Das hatten wir doch schon tausend Mal.»

«Nutten sind die Neger Bulgariens, ich weiß noch nicht mal, was das bedeuten soll, geschweige denn, was daran witzig ist.»

«Dann was Einfaches: ‹Die Ohnmacht – Jetlag für Arme!›»

«Probier's doch einfach selber. Mach doch einfach Vorprogramm mit so Sachen und sieh zu, wie die Leute reagieren.»

«Ich werde niemals in meinem ganzen Leben eine Bühne betreten.»

«Tja, das ist dann dein Problem.»

«Mein Körper wehrt sich regelrecht gegen die Scheiße. Was wir machen, ist einfach nicht richtig.»

«Ach. Richtig. Richtig oder falsch, was soll das denn? Und die anderen machen das Richtige, oder was? Das stimmt doch hinten und vorne nicht!»

«Ach, ich kann nicht mehr. Die Scheißhitze und der ewige Streit.»

Ich öffnete noch ein Bier. Anstrengendes Gespräch. Ich hatte schon wieder einen sitzen.

«Entzündete Hände, die bedächtig den Mohn vom Brötchen pulen, mit spitzem Finger eine Öffnung in die rösche Kruste bohren, das Weiße herausholen und es minutenlang kneten. Der Teig wird zur Hand, und die Hand wird zu Teig, alles löst sich auf, wachsweiche Masse, aus der sich eine neue Gebäckgeneration formt.»

«Was soll das denn werden?»

«Bäcker-Standup. Du bist ab jetzt Comedybäcker. Das Programm heißt *Nährschlamm für Gehirnjogger*. Ein übermenschlicher Konditormeister, psychedelischer Tortenheber und Streuselguru, der alle Backmischungen auf der ganzen Welt auswendig kann.»

«Spitze. Hat jetzt schon das Zeug zum Klassiker. Nächster Vorschlag, bitte.»

«Improcomedy von und für Pfeifenraucher: *Piffpaff, die Rübe brennt*, ein Nischenpremiumformat für einen Nischenpremiumsender wie n-tv oder N 24. Du heißt ab sofort Herr von Klettenstein und bist der Spielleiter. Herr von Klettenstein ist Freiberufler und FDP-Wähler, sein Golfhandicap liegt bei dreiundzwanzig, und auf seiner rechten Arschbacke ist *Sylt* tätowiert. Dein Kultopener: Man hört ja so einiges, die Spatzen PFEIFEN es schon von den Dächern ... Was war am Wochenende eigentlich weibermäßig so los?»

«Oha, abrupter Themenwechsel.»

«Ja und. Sag mal?»

«Ich hab jetzt aber keine Lust. Außerdem war da praktisch nichts.»

«Bitte! Ich lebe von den Krümeln, die der Herr vom Tisch fallen lässt.»

«Nächstes Mal.»

«Was sind denn das für Stasimethoden? Bekomm ich die Geschichten jetzt immer nur häppchenweise zugeteilt? Vielen Dank auch.»

«Bitte. Mir ist heute nicht danach.»

«Dann eben nicht. Was findest du besser: Ermüdungsbruch im Wichsarm? Oder Trümmerbruch im Wichsarm?»

«Ermüdungsbruch.»

«Sehr gut! Ich auch.»

«Mmmh.»

Die Rentner waren schon lange weg, und die Rastas schwächelten.

«Gehen wir noch irgendwo hin?»

Er wollte noch nicht nach Hause.

«Nee, geht nicht, ich muss morgen um acht hoch, nach Berlin, weißt du doch.»

«Ach, morgen ist das schon. Hatte ich ganz vergessen.»

Ich brachte ihn zur U-Bahn.

«Dann mach's gut. Und ruf mich mal an und sag, wie's gewesen ist.»

Zum Abschied küsste er mich auf den Mund, eine neue

Angewohnheit von ihm, vielleicht, um das Band zwischen uns enger zu schweißen. Manchmal glaube ich, dass ich der einzige Mensch auf der Welt bin, der ihm was bedeutet, noch vor seiner Frau. Ich hatte ihm vom anstehenden Berlin-Intermezzo nicht viel erzählt. Zum einen, weil ich selber nicht wusste, was genau die da von mir wollten, zum anderen, um ihn nicht zu beunruhigen. Es ging um irgendein neues Projekt, für das eine Produktionsfirma namens C. I. noch Autoren suchte. Da hieß es schwitzen und pitchen und pitchen und schwitzen und plotten und schwitzen und schwitzen und plotten. Zu Steinzeiten hatte man Brainstorming gesagt, aber das ist vorbei. Mir graute jetzt schon davor, in aller Herrgottsfrühe aufzustehen, mit der U-Bahn zum Hauptbahnhof zu fahren, dann mit dem Zug nach Berlin, mit dem Taxi zu irgendwelchen Beknackten, mir unter Beknacktenaufsicht stundenlang das Hirn auszuwringen und abends den ganzen weiten Weg wieder zurück.

Aber was blieb mir übrig?

DIENSTAG
Glück ist positiver Cashflow

Halb sieben. Meine Güte, so früh! Ich hatte den Wecker auf acht gestellt. Immer wenn eine Reise bevorsteht, und sei sie noch so klein und kurz, wache ich schweißgebadet und Stunden zu früh auf. Die Nerven. Bereits eine lächerliche Tagestour nach Berlin ist zu viel. Oder war es der Ärger darüber, dass ich mich auf die Aktion, den Quatsch, die Zeitverschwendung, den Unfug überhaupt eingelassen hatte? C. I. Für was das wohl stand? Corporate Identity? City-Idee? Oder einfach *gar nichts*. Hybridformat, First Mover Advantage, Total Buyout, Production Value, Frontloading, Full Season Pickup, Spinoff. Ich kannte mich aus. Audience Flow heißt seit neuestem Lead in. Die Werbe- und Medienszene kreiert wie unter Zwang ständig neue Begriffe für alte Tätigkeiten. «Wir machen uns in kleiner Runde Gedanken.» Vielleicht kommt das ja eines Tages wieder. Eine Wohltat. Bis dahin bin ich eben eine One Man Pressuregroup, Upgrade der Ich-AG.

Ich habe mir für Kurzreisen eine vierhundertfünfzig Euro teure Reisetasche aus rotbraunem Leder (bedrohte Tierart) zugelegt. So was nennt man in Männermagazinkreisen einen Weekender. Die teure Anschaffung hat ausschließlich reisepsychologische Gründe, denn die Garnitur Unterwäsche (wieso eigentlich?), Minikulturtasche (wieso eigentlich?) und Chinakladde würden auch in einem Jutesack mit Betonung auf Sack Platz finden. Ich möchte jedoch nicht für einen *Honk* – irgendwie echt gutes Wort – gehalten werden, der irgendwo hingurkt, sondern für einen Kunst- und Kulturschaffenden, der eine Reise antritt. Eine Reise antreten oder irgendwo hingurken, das ist nämlich der feine Unterschied. Am Gepäck sparen heißt an der falschen Stelle sparen.

Die Zeit bis zum Reiseantritt verbrachte ich mit einer Kanne grünem Tee vor dem Fernseher, wo sonst. Im «RTL Shop» wurden, wie üblich, hanebüchene Artikel angepriesen, angeblich proseccofarbene Blusen der Größen 46 bis unendlich, mit Schmetterlingen und Bienchenapplikationen für *starke* Frauen. Von wegen prosecco, leberwurstfarben waren die Blusen! Walter Freiwald: «Edel pur.» Wieder mal hatte ein anderer TV-Shop die Nase vorn, in diesem Fall HSE 24 (Slogan: «Ich seh shoppen»). Harald Glöckler, nach Angaben des Senders Modemacher, Visionär und Kosmopolit, hatte jetzt auch eine Schmucklinie im Programm, natürlich im bewährten Pompöös-Look (Pompöös mit Doppel-ö). O-Ton Harald Glöckler: «Es sieht einfach *reich* aus. Der Ring wirkt, als würde er zehn Millionen Dollar (Dollar!) kosten, er kostet aber nur 79,99.» Der Mann weiß, mit welchen Argumenten er seine Produkte unter die Leute bringt. Üben, Walter!

Als ich vor die Haustür trat, wurde ich beinahe von einem Fahrradkurier totgefahren. Die Sau drehte sich kurz um und raste dann ohne ein Wort der Entschuldigung weiter. Fahrradboten benehmen sich wie die Axt im Walde und tun immer, als ob sie was ganz Besonderes wären. Wieso eigentlich? Das sind doch durch die Bank Hänger, die für einen Hungerlohn den lieben langen Tag vom Fotografen zur Agentur und wieder zurück radeln, nichts vor dem Komma und nichts dahinter. Das einzige, objektive Plus: der *Mehrwert* ihres Hiwi-Jobs: sehnig, drahtig, kantig, ausgemergelt. Wahrscheinlich sind Fahrradboten ungerechterweise die glücklicheren Menschen. Das stupide Strampeln an der frischen Luft macht den Kopf frei und trocknet die schlechten Säfte aus. Ich blickte dem Kerl hinterher. Kopfschüttelnd. Hier war mal wieder Vater Staat gefragt. Im nächsten Leben gründe ich einen Fahrradkurierdienst mit extra alten Kurieren. Übergewichtige Pensionisten, die ihre schweren Klappräder (Massivrahmen, Bleileitungen, eingerostete Ketten) mit rasselnden Lungen durch die Innenstädte treten und für die Zustellung fast so viel Zeit benötigen wie die Post. Aber noch befand ich mich im aktuellen Leben, und da führen sich Fahrradkuriere auf wie Graf Koks und der Kaiser von China zusammen. Der Vergleich hinkte zwar, aber das war mir egal. Außerdem ist es schließlich meine Sache, welche Vergleiche ich in welchen Zusammenhängen benutze. Und bei Fahrradboten sollte man sich extra schlecht konstruierte Vergleiche aus den Fingern saugen, die an allen Ecken und Kanten hinken. Hinken wie Fahrradkuriere, denen man die Kniegelenke ausgekugelt hat, haha.

Wieso war der Zug am Dienstagmorgen um zwanzig vor zehn eigentlich zum Bersten voll? Es war ein stinknormaler Werktag, und die Menschen hatten ganz normal auf der Arbeit zu sein, Stichwort Solidargemeinschaft. Da ich niemals reserviere, musste ich mich durch mehrere knüppelvolle Waggons zwängen, bis ich im Großraumwagen mit der Ordnungsnummer sieben noch einen freien Gangplatz entdeckte. Dass da zur Abwechslung mal einer mit einem hochwertigen Weekender unterwegs war, fiel natürlich keinem auf. Neben mir saß ein älterer Mann, der seinen Kopf an die Scheibe gelehnt hatte und schlief, gegenüber zwei in Zeitungen vertiefte Schlipsmänner. Ich schaute aus dem Fenster. USP. Operatives Patt. Expansive Synergiemodule. Früher hatte ich mich auf solche Meetings vorbereitet. Jetzt nicht mehr. Entweder es fiel mir etwas ein oder nicht. Möglicherweise passten Fettschürze oder Weltraumdünger ins Konzept, man kann ja auch mal Glück haben im Leben.

Vielleicht stand im «Spiegel» was Verwertbares. Die Titelgeschichte verhieß allerdings nichts Gutes: «Wie viel Fernsehen und Computer verträgt ein Kind?» Meine Güte, langweiliger geht's ja wohl nicht mehr. In «Politik» war erwartungsgemäß auch nichts. «Ausland» sowieso nichts. «Sport»: Der Abstieg eines Tenniswunderkinds. Sowieso-sowieso, nie gehört. Seitdem Boris und Steffi ihre aktive Laufbahn beendet haben, interessiere ich mich nicht mehr für Tennis. Steffi geht es gut, ich vermute, dass es ihr *deutlich* besser geht als Schwerenöter Boris. Sie hat ihre Mitte gefunden, Boris noch nicht. Das ewige Bobbele. Es reicht eben nicht, sich von den erspielten Millionen Autohäuser und Firmenbeteiligungen zuzulegen: Boris Becker (Unternehmer). Da lachen ja die Hühner! Kernkompetenz, Leimener. Auf dem Platz ein Sitzriese, in der Geschäftswelt ein Zwerg, Advantage Finanzmarkt. Oliver Kahn könnte später mal Kapital aus seiner nussknackerartigen Physiognomie schlagen, indem er als Namensgeber, Pate und Leihvater einer neuen Generation Nussknacker herhält, die die herkömmlichen, gesichtslosen Standardnussknackerfiguren vom Markt fegen. Slogan: «Olli Kahn Nussknacker, nur echt mit dem Kiefer». Steffi Graf hat (aufgepasst, Bobbele!) seit vielen Jahren für nicht EINE EINZIGE NEGATIVSCHLAGZEILE gesorgt. Ich gönne ihr das Glück mit Andre und den Kindern. Manche Menschen sind für Ehe und Familie eben doch wie gemacht, da können Typen wie ich stänkern, was das Zeug hält.

In seiner wilden Zeit vor Stefanie hatte Andre Agassi mal einen Spruch gebracht, der auch von Onkel Friedrich hätte stammen können: «Ich bin so glücklich wie'ne Schwuchtel im U-Boot.» Wahrscheinlich, um der Freude über sein Spitzenleben Ausdruck zu verleihen. Agassi ist ein ausgemachter Glückspilz*, seine Bilanz stimmt, hinten wie vorn.

* INFOKASTEN: **Glück ist positiver Cashflow.**

Dabei hat er es zu Beginn seiner atemberaubenden Karriere nicht immer leicht gehabt: Wegen der langen Haare, dem schlechten Benehmen und den kunterbunten Klamotten war er als «Tennispunk» diskreditiert worden. Noch schlimmer: Dem als Sandplatzspezialisten (schöner: Sandplatzwühler) verhöhnten Agassi, der alle wichtigen Ascheturniere, darunter das French Open, bravourös und mit links gewonnen hatte, wurde Feigheit vor dem Feind vorgeworfen, weil er sich jahrelang vor Wimbledon gedrückt hatte. Die Tenniswelt, ach was, die Welt fieberte gespannt wie ein Flitzebogen seinem ersten Auftritt auf dem heiligen Rasen entgegen. Agassi würde sich eine vernichtende Packung abholen, so viel stand mal fest. Wenn man ihn mit seinen vollgekifften Hippieklamotten überhaupt auf den Platz ließ. Und dann: von wegen Müsli-Outfit! Weißes Hemd, weiße Hose, weiße Schuhe, weiße Socken, weiße Schweißbänder, schneeweiß, weißer geht's nicht. Und er gewann ALS ERSTER SPIELER SEIT BJÖRN BORG das Turnier von der Grundlinie aus. Damit hängte er die Latte mal wieder ganz woandershin. Auch von seiner wirren Langhaarfrisur trennte er sich, wenngleich unfreiwillig, kurze Zeit später. Agassi hatte mit starkem Haarausfall zu kämpfen (er wurde häufig von seinem älteren Bruder zu den Turnieren begleitet, dessen blitzblank polierte Billardkugel die genetische Disposition der männlichen Agassis erahnen ließ). Eine Zeitlang kaschierte Andre seine diversen Tonsuren mit albernen Mützchen und Tüchern und ließ sich die verbliebenen Zotteln bis zum Arsch wachsen, doch irgendwann brach er unter dem Dauerfeuer der Boulevardpresse ein. Den Vogel schoss mal wieder die «Bild»-Zeitung ab, die ihn von «Tennispunk» in «Aglatzi» umtaufte.

Was ich nicht alles über Tennis wusste! Weiter. «Wissenschaft und Technik»: Ingenieure bauen einen Sportwagen mit Elektroantrieb. Interessierte mich nicht. Sportwagen ohne Verbrennungsmotor, da lachen ja schon wieder die Hühner. Dann stieß ich doch noch auf eine halbwegs interessante Meldung: Gleich zwei US-Studien wollten herausgefunden haben, dass regelmäßiger Genuss von Alkohol langfristig zu einem höheren Einkommen führt. Arbeitnehmer, die trinken, verdienen bis zu 14% mehr als Abstinenzler, ein Phänomen, das allerdings nur bei Männern zu beobachten ist. Der Grund: Trinken in Gesellschaft fördert die Bildung von Sozialkapital. Geselligkeitstrinker integrieren sich in Netzwerke und pflegen Beziehungen. Der Effekt tritt allerdings nur auf, wenn der Alkohol in Gesellschaft genossen wird. Alleine saufen bringt also nichts. Das barg ein gewisses Potenzial, ich wusste nur nicht genau, welches. Egal, aufschreiben.

Aus dem Fenster gucken war langweilig. Ich wandte mich unauffällig den Schlipsmännern zu. Der Linke war ganz dick und weich und fleischig. Mit einem verzweifelten Gesichtsausdruck zog er sich alle paar Augenblicke ein riesiges, knallgelbes Taschentuch über den Nacken. Endlich mal jemand, dem die Hitze auch was ausmachte. Komisch. Irgendetwas stimmte nicht mit ihm. Er schien auf eine merkwürdige Art zu verschwimmen, als ob seine an den Rändern bereits durchsichtig schimmernde Masse auseinanderflösse. Vielleicht rührte dieser Eindruck daher, dass er nicht von Knochen, sondern von Gräten zusammengehalten wurde. Eine männliche Meerjungfrau. Man hatte ihm jede Gräte einzeln gebrochen, und jetzt versagte auch noch das Bindegewebe. Blickfang seines Gesichts war der volle, erschlaffte Mund. Sein extrem dehnbarer Kiefer sah aus wie der einer Schlange, als könne er den Mund ganz über den Kopf stülpen, um sich so vor Fressfeinden zu schützen. Entweder war es ganz genau so. Oder anders: Mir gegenüber saß ein im Dienst des Guide Michelin tätiger Restauranttester mit einer durch unablässiges Schmecken, Schlabbern, Schlürfen und Rotwein Einatmen geformten Maske des totalen Genusses. Oder noch was anderes: Der Chefeinkäufer einer Supermarktkette für Tiernahrung, der mit den Jahren selbst einem Fressnapf zu ähneln beginnt. Na ja. Optionen halt.

Sein Sitznachbar wirkte müde und eingefallen. Das fliehende Kinn ging direkt in den schlaffen Hals (Treppenkinn) über und der Hals in den Schlips, auf dem sich Goofy, Donald und Onkel Dagobert ein turbulentes Stelldichein gaben. Ein fließender Übergang. Goofy machte wie immer ein doofes Gesicht, und Onkel Dagobert jagte Donald (Geldangelegenheiten). Werden Mickymausschlipse heutzutage überhaupt noch hergestellt?

Er faltete die Zeitung zusammen, sein Kollege tat es ihm nach. Ihr überraschendes Gesprächsthema: China. Ich hätte eher mit dem beliebten Dauerbrenner «Scheiß-Deutsche-Bahn» gerechnet. Sich während einer Bahnfahrt über die «DEUTSCHE EISENBAHN» (geschrieben mit extragroßen Großdruckbuchstaben) aufzuregen passt immer. Sagt sogar Hartmut Mehdorn, und der muss es schließlich wissen. An der DEUTSCHEN EISENBAHN ist nämlich alles schlecht, sie ist schlecht, sogar noch schlechter als die zweitschlechteste Gurkentruppe, die DEUTSCHE TELEKOM. Die DEUTSCHE EISENBAHN ist ein verrotteter Staatsbetrieb, ein satter Monopolist, dessen Riesengehälter verschlingender Personalwasserkopf ausschließlich damit beschäftigt ist, mit miesesten Gangstermethoden die Konkurrenz klein zu halten («Wenn die Deutsche Eisenbahn mal eine unrentable Strecke an einen privaten Konkurrenten abgibt – zack, kurze Zeit später ist der Service deutlich besser, die Züge fahren pünktlich, und die Fahrpreise haben sie auch noch gesenkt. Wie machen die das nur? Ja, Scheiß-Deutsche-Eisenbahn, wie machen die das nur! Denk mal drüber nach, Scheiß-Deutsche-Eisenbahn»). Die Subventionsmilliarden, die den Riesen künstlich am Leben halten, fließen nicht etwa in die überfällige Sanierung des maroden Streckennetzes oder den Ausbau des Güterfernverkehrs (von wegen, schön wär's, dreimal laut gelacht. Hahaha), sondern zum einen Teil auf die Schweizer Konten der Führungsmafia, zum anderen Teil in Pensionsfonds, damit die elenden Bahnbediensteten zusammen mit ihren Großfamilien im Alter leben können wie die Maden im Speck. Höhepunkt und Abschluss eines solchen Gesprächs *muss* eine Hasstirade über das missglückte Design der Bordgastronomie sein: Designruine DEUTSCHE EISENBAHN. (Da soll mal Harald Glöckler Visionär ran.)

Egal. Also China. China, Angstgegner Nr. 1. Was wohl wäre, wenn jeder der schätzungsweise fünf Fantastillionen Chinesen bis 2018 ein eigenes Auto besäße? Spätestens dann würde die völlig außer Kontrolle geratene gelbe Population die Welt endgültig mit in den Abgrund reißen. Die Aussicht auf die bevorstehende Katastrophe begeisterte den Fischigen, die Rolle des Untergangspropheten war ihm wie auf den Leib geschrieben. Ich überlegte, ob man China nun eigentlich mit K ausspricht (Kina) oder mit extrabutterweichem SCH (Schina). Franz Josef Strauß hat immer Kina gesagt, wahrscheinlich der wahre Grund dafür, dass Mao ihn seinerzeit eingeladen hat. Na ja, man weiß es nicht, Schnee von gestern. Mir fiel ein Satz aus einem Interview mit Deutsche-Bank-Chef Josef Ackermann ein: «Die Wirtschaft hatte bis zum heutigen Tag keine systematische Krise.» Punkt, aus, Ende der Durchsage. Überhaupt: Ackermann, Deutsche Bank, DAX, Finanzmärkte, Dow Jones, Nikkei Index. Vielleicht war das eine Marktlücke, Humor rund um die große, weite Welt des großen, weiten Geldes. Titel der auf unserem neuen Haussender n-tv ausgestrahlten Primetimeshow: «Global Player». Sven in seiner neuen Figur als ätzender Finanzhai mit Maßanzug und Hosenträgern. Wall Street –

Vorläufige Materialsammlung:

«Brrr, wenn ich an eine zu dünne Eigenkapitaldecke denke, fange ich sofort an zu frösteln.»

«Totes Kapital erdrückt, nur lebendiges Kapital ist fröhliches Kapital.»

«Einer Wertschöpfungskette sollten niemals die Perlen ausfallen.»

«Eine Warnung wird es bei mir nie geben, nämlich die Gewinnwarnung.»

Und, jetzt aber echt mal witzig: «Ein Hedgefonds ist kein Streichelzoo.»

Danach geht's in medias res:

«Primärziel ist die deutliche Verkürzung der Produktzyklen, vorrangiges Ziel Synthese von Produktinnovation und Markenidentität, nicht länger unlösbare Widersacher, sondern Blutsbrüder, Quadratmeterrentabilität, Sports- und Lifestylepositionierung mit Schwerpunkt im Luxussegment. Humanressourcen müssen vom Image des Renditehemmers befreit werden, und: Eine Marke ist vor allem eins: ein Geisteszustand.»

Mickymausens Handy ging. Klingelton: «Toxic» von Britney Spears. Hatte ihm wohl seine Tochter draufgespielt. Wer hört denn heutzutage noch Britney Spears? «Krähenberg, guten Tag.» Aha, Herr Krähenberg. Er hatte trotz schmächtiger Statur eine Lagerhallenstimme, so genannt, weil man sich damit in mehrere Quadratkilometer großen Logistikcentern auch auf weite Distanzen problemlos durchsetzt. Zum Krähenberg'schen Geschnatter addierte sich plötzlich hochfrequentiges Gezischel. Ich schaute mich um. Zwei Soldaten hatten ihre MP3-Player aufgesetzt. Krähenbergs schneidende Lagerhallenstimme und das scharfe Gezischel verschmolzen zu einem akustischen Inferno, es war nicht zum Aushalten.

Das schien natürlich wieder mal nur mir so zu gehen. Meine Mitreisenden waren vertieft in Lektüre, schauten gedankenverloren aus dem Fenster, hielten ein Nickerchen oder unterhielten sich leise. Einer der wenigen guten Gründe für Reichtum: sich ein Erster-Klasse-Ticket leisten zu können. Ich saß auf einem «misanthropischen Rand, von dem aus ich die Unlust und das Unbehagen auf andere Menschen kultivierte» (Peter Sloterdijk). «Die zunehmende Gereiztheit in den Metropolen lässt sich zivilisatorisch nicht mehr kompensieren» (schon wieder Peter Sloterdijk). Peter Sloterdijk ist der Truck Stop der Philosophenszene. Das stimmt natürlich überhaupt nicht und ist himmelschreiender Quatsch, aber klingt irgendwie gut. Vom Ding her, Digga, vom Ding her! So, Peter, aufgepasst: Stichwort Desäkularisierung, Fundamentalismus. These: «Amerika haben wir schon verloren. Das ist kein westliches Land mehr.» Richtig oder falsch?

Ich schloss die Augen und versuchte, an etwas Schönes zu denken. Bilder meiner allerersten Bahnfahrt ohne Begleitung Erziehungsberechtigter stiegen in mir auf:

Die Reise hatte mich in das von Hamburg etwa sechzig Kilometer entfernte Örtchen Scheeßel geführt, zu meinem Ferienfreund Thomas. Ein ganzes, langes Wochenende auf dem Land! Schwimmen, Luftgewehr schießen, Starke treiben, Trecker fahren, Süßigkeiten naschen, fernsehgucken! Kein Herrenzimmer oder brauner Salon oder Luke zwei. Vor lauter Aufregung hatte ich die belegten Brote und die Sprite vergessen. Scheiß auf die Brote, aber die süße, kühle Sprite, mein Lieblingsgetränk! Ein Königreich für die prickelnde weiße Brause. Allein der Name: Sprite, da klingt die Erfrischung doch schon im Wort mit! Der Nahverkehrszug war krachend voll und hielt an jedem, aber wirklich jedem Geister- und Sackbahnhof. Mit eingetrocknetem Gaumen saß ich zwei lange Stunden eingekeilt zwischen lauter Erwachsenen in der morschen Bimmelbahn und langweilte mich zu Tode. Wenigstens hatte ich einen Fensterplatz abbekommen. Auf dem anderen Fensterplatz saß ein Mann, der aussah, als würde er häufiger mal vergessen, sich zu waschen. Das Auffälligste an ihm war sein unwahrscheinlich dicker Nacken (noch viel dicker als der des Fischigen). Einen so dicken Nacken hatte ich überhaupt noch nie gesehen. Wenn er seinen Kopf zurücklegte, warf die von Schweiß, Fett, Staub und Glibberkram überzogene Nackenpartie tiefe Falten, ein Faltenpanorama mit Tälern, Gletschern und Lawinen. Ich fragte mich, ob man so einen Nacken wohl auswringen könne. Der Nackenmann war abstoßend und faszinierend zugleich, und weil ich sowieso nicht wusste, wo ich hingucken sollte, beobachtete ich ihn, während er dasaß wie ein Ölgötze und immer wieder seinen Nacken ins Panorama zwang. Kurz hinter Sprötze holte der Mann eine Literflasche Fanta aus seiner Reisetasche. Ausgerechnet Fanta, der Todfeind von Sprite! Er trank einen großen Schluck, setzte die Flasche jedoch nicht wieder ab, sondern behielt sie mittels Unterdruck direkt am Mund. Als ob er die Flasche einspeicheln wollte, wie ein Insekt sein Opfer. Mit Hilfe eines sehr starken Giftes verwandelte er die Brause in Spucke und umgekehrt. Igitt, war das eklig. Meine Hände wurden ganz feucht. Bitte, bitte, setz doch ab! Vielleicht war er als Kind nicht richtig gestillt worden, und sein Analytiker hatte ihm empfohlen, das Trauma wegzunuckeln. Oder er war gar kein Mensch, sondern eine Schlupfwespe, die nur darauf wartete, mir in einem Moment der Unachtsamkeit ihren Rüssel in die Eingeweide zu stoßen und mich genüsslich auszusaugen. Wenn alle erwachsenen Fahrgäste ausgestiegen sind, ist das mitreisende Frischfleisch dran, mjammjammjam, die elende Sauferei diente nur dazu, die Magensäfte zu stimulieren. Ich steigerte mich in diese Vorstellung derart hinein, dass ich vor Angst fast ohnmächtig wurde. Irgendwann bemerkte er, wie ich ihn fortwährend anstarrte, und hielt mir freundlich lächelnd die Brauseflasche hin. Für einen Moment wurde mir schwarz vor Augen. So stellt man sich als Kind die Hölle vor: in kleinen Schlucken die handwarme, nahezu vollständig eingespeichelte Brause eines deutlich älteren Mannes trinken. Mit einer fahrigen Handbewegung winkte ich ab und schaute verzweifelt aus dem Fenster. Der Mann warf seinen Nacken in Falten, setzte die Flasche an den Hals und machte da weiter, wo er aufgehört hatte. Ich weiß auch nicht, wie ich den Rest der Fahrt überstanden habe.

Die Spucke alter Männer sollte zum Leitmotiv meiner Jugend werden, denn das nächste Speicheldrama folgte ein halbes Jahr später: Wie fast alle Jungen meines Alters war ich im Fußballverein, D-Jugend oder so, und unser Trainer, Herr Marquardt, war für einen Jugendtrainer ungewöhnlich alt. Sechzig, oder noch älter. Man munkelte, dass er möglicherweise von der «anderen Fakultät» stamme und die Cheftrainerposition nur übernommen habe, um sich an strammen Jungenpos zu erfreuen. Wir ekelten uns vor ihm, aber da er fachlich unbestritten etwas loshatte und sich nie etwas Einschlägiges zuschulden kommen ließ, bot sich auch keine Möglichkeit, ihn loszuwerden. Der stets etwas traurig dreinblickende Frührentner roch säuerlich, nur an manchen Tagen dünstete sein von Narben übersäter Körper (Kriegsverletzung?) strengen Schnapsgeruch aus. Die fettigen, zerzausten Haare und sein über und über mit Flecken unklarer Herkunft gesprenkelter Trainingsanzug sorgten für eine weitere halbe Umdrehung auf der Ekelschraube. Das Allerunappetitlichste aber: Ihm war die Kontrolle über seine Sekretion entglitten. Fortwährend rannen ihm Speichelfäden aus den Mundwinkeln, und wenn er sprach, stoben mächtige Spuckeschauer aus seinem Mund. Manchmal bildeten sich zwischen Ober- und Unterkiefer Spinnweben, groß wie Meisenknödel. Die Dusche nach dem Spiel hätten wir uns auch sparen können, da er uns während der kompletten Trainingseinheit mit Gewittern erfrischte. Im Winter fand das Training immer Dienstag zwischen vier und sechs Uhr in einer maroden Turnhalle statt. Nach Aufwärm-, Konditions- und Techniktraining wurden Mannschaften gebildet, wegen des kleinen Spielfelds immer nur sechs gegen sechs, zweimal zehn Minuten. Die Jungen, die gerade nicht dran waren, saßen auf der Bank, kauten Kaugummi, langweilten sich und warteten auf ihren Einsatz. Eines nasskalten Dienstags saß ich direkt neben Herren Marquardt, der die Partie gewohnt nass und eklig leitete. Bei jedem Pfiff stoben Spuckeflocken aus dem zerkauten Stück Kautschuk. Vielleicht speichelte er die Pfeife ja auch ein, um sie nach Trainingsende, quasi zur Belohnung, zu essen. Dann passierte das Entsetzliche: *Speichelmann* stieß mich konspirativ an und hielt mir wortlos den abgenagten Klumpen hin. Das war sicher nett von ihm gemeint, eine Geste des Vertrauens, doch genauso wenig, wie die Irren wissen, dass sie irre sind, schien Herr Marquardt auch nur den blassesten Schimmer davon zu haben, wie es für einen zehnjährigen Jungen ist, eine von einem Alkoholiker abgekaute Trillerpfeife in den Mund zu nehmen. Ebenso gut hätte er mir seinen Schwanz hinhalten können. Ich spürte die Kotze in mir aufsteigen. So unauffällig wie möglich rieb ich den Stumpen an meiner Trainingshose trocken und führte ihn vorsichtig an den Mund, wobei ich die Lippen schürzte, um möglichst wenig Berührung mit der kontaminierten Oberfläche zu haben. Das hatte Auswirkung auf die Qualität der Pfiffe. Ganz schwach und zittrig waren sie und kaum zu hören.

«Elfer, ey, das war ganz klar Elfer. Ey, Schiri, was los, hast du Buletten auf den Augen?»

Das Spiel lief aus dem Ruder. Speichelmann starrte mich an.

«Was machst du denn da. Mach ma ordentlich. Ach komm, gib her.»

Er nahm mir die Pfeife wieder ab. Probe nicht bestanden. Ob Herr Marquardt noch lebte? Er musste mittlerweile in den hohen Achtzigern sein. Jugendtrainer ist er hoffentlich nicht mehr.

Fantamann, Speichelmann, trübe Zweite-Klasse-Erinnerungen. Meine Nerven, meine armen Nerven, sie spielten verrückt, als fehlte die Dämpfung, die schützende Hülle, Federung und Stoßdämpfer kaputt, vielleicht war nachts jemand unbemerkt in mein Zimmer geschlichen und hatte sie ausgebaut. Und das Gehirnwasser gleich mit abgelassen. Wenn sich der Trübsinn erst verfestigt, entwickelt er ein Eigenleben, das Gehirn versucht sogar, die negative Stimmung aufrechtzuerhalten, indem es gezielt die Reize auswählt, die zur Niedergeschlagenheit passen.

Ein kompletter Reset musste her. Eichung. Neuro-Enhancement.

In Berlin war es noch ein paar Grad heißer als in Hamburg, das sog. Kontinentalklima. Auf der Taxifahrt versuchte ich, mir Herrn Block vorzustellen. Block, der Name war wahrscheinlich Programm: Nassforscher, juveniler BWL-er, wie sie heutzutage die Chefetagen von Produktionsfirmen und TV-Sendern besetzt halten. Oliver-Geißen-Look

(Oliver Geißen ist die konsequente Weiterentwicklung von Hans Meiser). Einer, der keine Zeit verschwendet, sondern Kompetenzen bündelt und Win-Win-Situationen schafft. Lieblingswort: Affin. Alles ist affin. Zielgruppenaffin, sowiesoaffin, sowiesoaffin. Robuste Konstitution, treibt täglich Sport, wird praktisch nie krank. Der scheißt den Viren auf den Kopf. Fundiert, konzentriert, studiert, versiert, motiviert (Reimlexikon). Apropos motiviert: Ich stellte mir vor, Block wäre der letzte Schüler von Jürgen Höller gewesen. Astrein. Höller-Schüler, wie beknackt das schon wieder klingt. Jürgen Höller, oberster aller Motivationsgurus, hatte in seinen Glanzzeiten mehrmals nacheinander die Dortmunder Westfalenhalle ausverkauft. Gestandene Manager latschten in Todesangst und unter hysterischen «Tschakka, du schaffst es»-Rufen – stimmt nicht ganz, Tschakka war Emil Ratelband, aber egal, kümmt vum Herze – durch Scherben und über brennende Teppiche und empfahlen sich nach bestandener Feuertaufe für einen kräftigen Karriereschub. Groteskes Schmierentheater, Jobtraining inszeniert wie eine spirituelle Erweckung oder ein Naziaufmarsch. Der aus einfachen Verhältnissen stammende, stets in feinstem Managerzwirn gewandete Selfmademann Höller sprang zu den Klängen des Dr.-Alban-Gassenhauers «Sing Halleluja» auf die Bühne und hielt mehrstündige, gehirnwäschenartige Predigten. Kernthesen:

«Für den ersten Eindruck gibt es keine zweite Chance.»

«Bereits der Händedruck entscheidet über Sieg oder Niederlage. Eine schlaffe Hand gehört gebrochen, vielleicht wächst sie ja stark wieder zusammen.»

«Hinter einer schiefen Körperhaltung stehen schiefe Menschen, vom Leben wie Halme geknickt.»

Und so weiter. So was will doch heutzutage kein Mensch mehr hören. Wahrscheinlich arbeitet Jürgen Höller längst wieder als Mietnomade.

Die C. I. residierte in Mitte, wo sonst, im vierten Stock eines kernsanierten Bürohauses mit sündhaft teurem Marmorboden (pompöös). Die Firmengemeinschaft gönnte sich sogar den Luxus eines eigenen Pförtners. Der verwitterte Rentner hockte in einem winzigen Kabuff und blätterte, wie nicht anders zu erwarten, mit schlechten Augen in einer Illustrierten (vielleicht die «Apothekenzeitung». Öder Gag, noch relativ neu: «Die ‹Apothekenzeitung› ist die ‹Bravo› für alte Leute»). Auf seinem Tischchen stand ein Keramikbecher mit dem eingebrannten Aufdruck des Ostseebades Scharbeutz. Ich stellte mich vors Kabuff und wartete ab. Der Pförtner las und las und las. Ich begann Grimassen zu schneiden. Nichts. Er war, wie alle Pförtner auf der ganzen Welt, fehlbesetzt. Was, wenn ich lichtscheues Gesindel wäre? Ich ging zum Fahrstuhl. In letzter Sekunde bemerkte er mich, ruderte hilflos mit seinem dünnen Ärmchen und machte «schschsch» oder so was in der Art. Bereits diese überschaubare Situation überforderte ihn. Er hatte sehr lange auf seinen Traumjob warten müssen, und jetzt wollte er's unter keinen Umständen vermasseln. Wild fuchtelnd schraubte er sich aus seinem Stuhl. Ich winkte zurück. Die Fahrstuhltür öffnete sich, und weg war ich.

«Markus Erdmann, ich bin um elf mit Herrn Block verabredet.»

Die Empfangsdame (anderes Wort fällt mir nicht ein, aber Empfangsdame ist wahrscheinlich genauso veraltet wie Brainstorming) musterte mich unverschämt geringschätzig. Blöde Sau. Die würde auch bald aussehen wie eine Backpflaume, und dann nützt alles Winseln und Flehen nichts.

«Augenblick, Herr Block telefoniert noch. Sie können dort in der Sitzgruppe Platz nehmen.»

Sie sagte tatsächlich «Sitzgruppe». Was für eine dumme Nuss. Wenn ich hier der Chef wäre, würde ich sie sofort rausschmeißen mit ihrem DDR-Vokabular. Das darf doch nicht wahr sein! Wenn nun Josef Ackermann hereinspazieren würde oder wenigstens Wolfgang Reitzle nebst Gattin (Nina Ruge). «Grüß, grüß, in der Sitzgruppe ist noch ein Plätzchen frei.» Eine Katastrophe, die Frau! Nach ein paar Minuten trat sie hinter dem Tresen hervor und verschwand in einem der vielen Büros. Sie war hochschwanger. Gesegnet mit der stumpfen, fröhlichen Disziplin einer Heidi Klum, würde sie spätestens vier Wochen nach der Niederkunft wieder gertenschlank sein. Aber bald: Backpflaume.

Fortwährend taperten bleistiftdünne junge Menschen herum, selbstverständlich, ohne mich eines Blickes zu würdigen. Praktikanten. Betont gelangweilt dreinschauende Skater-Typen mit affigen Britpop-Haarschnitten, tätowierte Wichsvorlagen, die sich aufführten, als würden sie demnächst bei einem wichtigen europäischen Film Regieassistenz machen. In Wahrheit durften sie sich hier gerade mal für umsonst den Rücken bucklig schuften und dabei während der Arbeitszeit noch nicht mal firmeneigenes Leitungswasser trinken, weil der Controller das seit neuestem verboten hatte. Um sich ihr beschissenes Praktikum zu finanzieren, haben sie noch Zweit- und Drittjobs als Fahrradkuriere. So schließt sich der Kreis.

Mein Blut pulsierte in hastigen Stößen. Die Nerven. Hört das denn nie auf?

«So, Herr Block erwartet Sie jetzt. Da, dritte Tür links, die offen steht.»

An der Wand hinter Herrn Blocks Schreibtisch hing ein Spruch: «Lass nie zu, dass du jemandem begegnest, der nach der Begegnung mit dir nicht glücklicher ist.» Was sollte das denn? Manager mit Esoeinschlag und Fengshui-Wohnung. Fehlte bloß noch die Meditationsecke.

Bis auf die alte Rodenstockbrille und die nicht vorhandene Glatze sah Block ungefähr so aus, wie ich ihn mir vorgestellt hatte. Hybridformat, Fokusgruppen, Unique Selling Point, ich würde ihn mit seinen eigenen Waffen schlagen.

«Und, wie war die Fahrt?»

Er hatte eine eigentümlich schartige, kraftlose Stimme, die gar nicht zu seiner Erscheinung passen wollte.

«Eine Katastrophe. Gegenüber ein Handyochse, kennen Sie sicher, diese Typen, die das ganze Abteil zusammenbrüllen, und dann noch alles voll mit Soldaten, die in Mörderlautstärke Nazimusik hören.»

«Mmh.»

Sein Blick schweifte kurz auf irgendwelche Unterlagen ab. So genau hatte er es gar nicht wissen wollen. Er war jedoch routiniert genug, sich nichts anmerken zu lassen. Sozialkompetenz. Wahrscheinlich dachte er: «Ach du Schreck, ein Irrer.» Das denken solche Leute immer. Dabei sind sie die Irren. Typisch Irre, versuchen dauernd, den Spieß umzudrehen. Ein sicheres Zeichen für Wahnsinn ist fehlende Krankheitseinsicht.

«Na ja. Also, um ehrlich zu sein, weiß ich gar nicht genau, warum ich hier bin.»

«Sie sind uns empfohlen worden.»

«Aha. Von wem denn?»

«Thomas Kern. Der arbeitet projektbezogen als Producer für uns.»

«So, das ist ja nett.» (Sehr stumpf: «Das ist ja nett.» Manchmal geht's halt nicht besser.)

Mit Thomas hatte ich mich seinerzeit so gut verstanden, dass wir uns als freies Schreiberteam zusammentun wollten. Quasi in letzter Minute hatte er einen gut dotierten Posten als Unterhaltungschef beim marktführenden Privatradio angeboten bekommen, und da er im Grunde seines Herzens das Risiko scheute, nahm er an. Radiocomedy ist noch beschissener als Fernsehcomedy, die Gags sind platt bis zur Schmerzgrenze und die witzigen Stimmen nur deshalb so witzig, weil sie unerträglich hysterisch, verstellt, überdreht und gekünstelt sind. Thomas hatte sich vorgenommen, den Schrott auszumustern und im Zuge der Säuberungsmaßnahmen gleich noch den entsetzlichen Morningman rauszumobben, jedoch war der Morningman *das* Aushängeschild, und seine Popularitätswerte waren unschlagbar. Die Comedy hatte auch hervorragende Werte. So blieb, wie immer, alles beim Alten. Der Programmchef tat hinter vorgehaltener Hand immer so, als wolle er, wenn's nach ihm ginge, eigentlich auch etwas ganz anderes machen. Aber leider ginge es ja nicht nach ihm, sondern ausschließlich nach der bis ins Mark verblödeten Hörerschaft. Das sagen sie alle.

«Aha, Thomas. Wir haben uns damals aus den Augen verloren. Ich dachte, der ist immer noch beim Radio.»

«Nein, schon ewig nicht mehr. Mal was anderes: Kennen Sie überhaupt unsere Firma?»

«Nein», log ich.

Natürlich hatte ich im Netz recherchiert. C. I. war für ungefähr 99 Prozent der Schlechtigkeiten verantwortlich, die in den letzten Jahren für Kino und Fernsehen produziert worden waren.

«Ist auch nicht so wichtig. Ich will's mal so sagen: Die letzten Jahre liefen sehr gut für uns, und nun wollen wir uns auch in andere Richtungen orientieren.»

«Ach so. Was meinen Sie denn? Zum Beispiel?»

«Sie kennen doch sicher die Coenbrüder?»

«Klar kenn ich die.»

«Oder *Pulp Fiction*.»

Komisch. Was hatten die alle immer nur mit dem beschissenen *Pulp Fiction*?

«Finde ich furchtbar. Überhaupt Tarantino, schreckliche Filme macht der. Wenn man den mit John Cassavetes vergleicht. Cassavetes verhält sich zu Tarantino wie etwas Bedeutsames zu nichts.»

Das saß! Astreine Formulierung, war mir spontan eingefallen. Die musste ich mir unbedingt merken. *Verhält sich wie etwas Bedeutsames zu nichts.* Universell anwendbar.

«Na gut, Tarantino mögen Sie also nicht. Geschmackssache. Wir können auch in Deutschland bleiben.»

Ich hätte das natürlich auch anders sagen können. Undiplomatisches Verhalten. Egal, es war jetzt schon klar, dass ich hier nichts verloren hatte. Je länger ich Block anschaute, desto mehr wandelte sich sein Gesicht, als ob die Kantigkeit nur eine Oberfläche war, durch die das gedunsene und gleichzeitig scharf gefaltete Alkoholikermondgesicht eines altgedienten Schlagersängers schien. Bernhard Brink, Bernd Clüver, Roland Kaiser, Costa Cordalis sehen sich nach vierzig Jahren Hossa Hossa und Saufi Saufi je zum Verwechseln ähnlich. Block war aber kein Schlagersänger. Die etwas zu weit auseinanderstehenden, mongolischen Augen passten nicht in den Kopf, der wiederum zu groß für den Körper war. Verschiedene Persönlichkeiten, widersprüchliche Programme, die sich überlagerten wie eine unscharfe Bilderserie und dabei gegenseitig auslöschten. Der ganze Mensch Stückwerk.

«Sie kommen doch aus Hamburg. Sind Sie gebürtiger Hamburger?»

«Ja, sicher. Und ich beabsichtige, auch dort zu sterben.»

«Haha, sehr gut. Also, worum es bei dem Projekt geht: Sie kennen doch sicherlich die frühen Klaus-Lemke-Filme?»

«Ja, klar, Sie meinen wohl *Rocker*? Oder *Arabische Nächte*.»

«*Rocker*, genau. Und *Nordsee ist Mordsee* von Hark Bohm.»

«Aber bitte nicht den *letzten Luden*.»

«Schon klar. In dieser Tradition soll das jedenfalls stehen. Ich möchte das mal *Hamburger Milieufilm* nennen. Und da suchen wir fürs Drehbuch jemanden, der sich in der Ecke auskennt.»

So war das also! Was bildet der sich ein, der Stiesel!

Sich mit Dreck eine goldene Nase verdienen und dann in den heiligen Hallen des deutschen Films ein handwarmes Plätzchen sichern. Wahrscheinlich führte er täglich solche Gespräche. Jeden Tag wurde ein anderer Autor angekarrt, und Blockwart Block sitzt an der Witzerampe und selektiert. Daumen rauf, Daumen runter. Unter keinen Umständen und für kein Geld der Welt würde ich ihm meine kostbaren Ideen vertickern. Pitchen, Plotten, Turnaround, von wegen. Arschlecken, rasieren. Um wenigstens das Fahrgeld erstattet zu bekommen, musste ich wohl oder übel noch ein Weilchen so tun, als ob.

«Fällt Ihnen dazu spontan etwas ein?»

«Kennen Sie Heino Jäger?»

Block guckte erwartungsvoll.

«Heino Jäger? Ich glaube, ja. Was hat der nochmal gemacht? Ist der nicht schon tot?»

«Er ist in der Nähe von Hamburg in einem Pflegeheim gestorben. Aber das ist ja egal. Der hat Supersachen gemacht. Zum Beispiel Patientenkarteien.»

«Aha. Patientenkarteien.»

Auf seinem Gesicht las ich eine gewisse Irritation.

«Beispiel Arztbericht. Also Fakearztberichte, die Jäger sich ausgedacht hat. Die sind spitze, die krieg ich praktisch auswendig zusammen.»

«Na ja, dann.»

«Also. Vorgeschichte: Der Patient ist seit seiner frühesten Kindheit labilvegetativ aversiert, dadurch stark eingeschränkte Mimik, Gesichtsatrophie, während der Pubertät zeitweise Entwicklung zum Pneumatiker mit leichtem Dauertremor. Befund: Abdomen am Wetzbauch, Fraktur der linken Schlüsselbeinpfanne, doppelseitiges Ödem im linken Lungenlappen, übergreifend, progressive Raumforderung im Unterbauch. Trüffelleib, dadurch bedingt expansive Grünbäuchigkeit, neigt zum Wundsitzen, Harnstottern, der das Tragen eines Urindämpfers erforderlich macht, einseitige Spermenkranzbelastung, Apostelwahn. Beschreibung: Gesicht ist pfannenförmig konzentrisch, Kasperkopf, Gummihaut, Stirn oft zurückgewendet (Auflieger), Pressbrüste, Kürbishals, Tomatengesäß. Verminderte Kausalaffekte, abnormer Zungenbiss, temporär Mundklemme erforderlich, Sauermann'scher Konflikt mit expansiver Fischatmung, dabei löffelartige Haltung der Lippen. Allgemeine Konstitution: mittel, schlecht, schwach, dick. Therapie, auch nachts: Einmalgabe Borax 50 mg, Dreimonatsdepotspritze Lubdosan, Milzspülungen, Heidelberger Wannenbäder, Stockhiebe nach Dr. Wassermann.»

«Aha. Aber was hat das denn mit dem Milieufilm zu tun?»

«Heino Jäger hat in Hamburg gelebt und gearbeitet. Der Film könnte sich mit seinem Leben beschäftigen, er gilt schließlich als einer der wichtigsten deutschen Komiker, ein unentdecktes Genie.»

«Sie sagen es. Unentdeckt. Den kennen zu wenige.»

«Dann wird's höchste Zeit, dass sich das ändert.»

Immer schön bremsen und Schwung rausnehmen. Ich wurde immer bockiger. Sollte Block mich doch für einen Schwachkopf halten. Ich wartete darauf, dass er die Notklingel betätigt, um mich von den Bodyguards rausschmeißen zu lassen. Nach einer weiteren Viertelstunde gab er auf.

«Na gut, dann würd ich mal sagen, für heute soll's gut sein. Denken Sie trotzdem mal drüber nach. Ich lass Ihnen auf jeden Fall mal den Vertragsentwurf fürs Treatment zukommen.»

Und Abmarsch. Einmal Berlin und zurück zum Nulltarif, was für eine beschissene Tagesbilanz. Ich erwischte zum Glück den hinteren, mit Bordrestaurant ausgestatteten Teil des ICE. Jetzt ein Bier! Und gleich noch eins! Herrlich. Hier bin ich Mensch, hier darf ich's sein. Am gegenüberliegenden Vierertisch schnitt eine außerordentlich aparte Frau (Typ Lady) ihren beiden kleinen, wohlerzogenen Kindern das Essen klein. Einen Haps für Mama, einen Haps für Papa, einen Haps für Oma, einen Haps für Opa. Brav wie die Vögelchen sperrten die Kleinen ihre Münder auf, wenn sie an der Reihe waren. Kein Futterneid, kein Kleckern, kein Quengeln, kein nichts. Gut erzogen = leicht erziehbar. Da beißt sich die Supernanny die Zähne aus, und das Bootcamp bleibt denen auch erspart. Am Tisch dahinter saß ein Rentnerpaar, das einen mit dem Leben ausgesöhnten Eindruck machte. Die Frau trank Rot-, der Mann Weißwein. Er hatte die Eigenart, am Glas nur zu nippen und die winzigen Schlucke unendlich langsam auf der Zunge zergehen zu lassen. Ganze Schnauze voll Wein. Das jedenfalls pflegte die Zunge bei der Weinverkostung für gewöhnlich zu sagen. Von Wein verstand Onkel Friedrich nämlich auch etwas. Zunge ist Zunge ist Zunge. Die Frau schaute ihren Mann liebevoll an, dann blickte sie aus dem Fenster. Dann wieder zum Mann. Das Leben war halbwegs gut gelaufen, und jetzt konnten sie einfach mal nur so sitzen. Auch der Kellner fügte sich ins friedliche und freundliche Bild. Er sah aus, als wäre er schon über siebzig. Alles an ihm war sympathisch nachlässig, die ausgebeulte Knitterhose, das zerknitterte Beulenjackett mit Schuppennestern auf beiden Schultern, die wirren, gelbstichigen Haare, sogar das Hemd hing aus der Hose. Toll. Er brauchte niemandem mehr etwas zu beweisen und freute sich, so kurz vor der Pensionierung, sicher schon auf die Subventionsmilliarden, die bald auf sein Privatkonto fließen würden. Vielleicht war es sein Lebenstraum, als Weltraumtourist den Mars oder wenigstens den Mond zu bereisen. Meinen Segen hatte er.

Immer öfter halten Kreationen von fernsehbekannten Starköchen Einzug in die Bahnspeisekarte: «Dialog von Kresseschaum-Salbeisüppchen und Kochschinkentatar». «Monolog vom Kotelett» wäre mir lieber gewesen, haha. Gleich aufschreiben.

«Guten Tag. Ein großes Bier.»

«Pils haben wir nur null drei.»

«Ach so, ja, stimmt. Na, dann eben Weizen.»

«Danke.»

«Na dann, fein, danke auch.»

Ich nahm mir vor, nachher ein paar ganz einfache Sachen zu erledigen, die gestern liegengeblieben waren: Uhr am Computer richtig stellen, Kopf der elektrischen Zahnbürste austauschen, welken Blumenstrauß entsorgen. Die Nerven hatten jetzt Feierabend. Und der Kopf. Und Bauch, Beine, Po und überhaupt alles. War das alles wieder ein Stress gewesen. Der ganze Tag ein einziger Stressor. In Stressor klingt schon Aggressor mit. Stress, Stress, Stress.

Das Wort gibt es auch noch nicht ewig, Großmutter hat es jedenfalls in ihrem ganzen Leben nicht einmal benutzt. Scheiße kommt in ihrem Wortschatz auch nicht vor. Na ja, nicht ganz, ein einziges Mal habe ich es sie vor sich hin murmeln hören, im Zusammenhang mit dem engen, dunklen, ungünstig geschnittenen Käferhaus: «Scheißhaus». Ich habe mal gelesen, «Stress» sei eine Kreation *amerikanischer Wissenschaftler*, die, stolz auf ihre Entdeckung, nichts Besseres zu tun hatten, als unverzüglich auch den Rest der Welt mit der einsilbigen Worthülse zu überziehen. Cola. Star Wars. Elvis. Levis. Stress. Unter extremen Stresssituationen konfiguriert sich das Gehirn bisweilen neu. Die Prozessoren werden dann in Reihe geschaltet und erlauben eine rasend schnelle, sequenzielle Informationsverarbeitung. Dann produziert der Kopf statt schwach angereicherter Gedanken intelligente Algorithmen. Makroskopische Skalen, Inflation. So was in der Art. Ein Quatsch schon wieder.

Das Bier schmeckte herrlich. So gut hatte mir Bier noch nie geschmeckt, aber das kommt einem bei Bier öfter mal so vor. Jedoch nur bei Bier. Geheimnis Bier. Herrlich, diese Anflutung, die leider viel zu kurze Phase zwischen Nüchternheit und Rausch, in der die quälende, gestochen scharfe Wahrnehmung der Realität mit jedem Glas ungenauer wird. Amerikanische Wissenschaftler könnten zur Abwechslung mal was Sinnvolles erfinden, eine Pille etwa, mit der sich dieser erste Teil des Rausches stabilisieren ließe. Man wäre nicht mehr gezwungen, weiterzusaufen, sondern wirft eine Tablette ein, und alles bliebe so schön, wie es gerade ist. Den ganzen Tag leicht angesoffen, was für eine herrliche Vorstellung. Abgesehen davon, dass exzessives Trinken in chronischen Depressionen endet. Schwergewicht und Schwergemüt Ernest Hemingway legte deshalb immer wieder längere Trinkpausen ein. Es ging ihm dann zwar deutlich besser, aber dafür langweilte er sich entsetzlich. Den Teufel mit dem Beelzebub ausgetrieben. Langeweile ist verdünnter Schmerz (Ernst Jünger). Fortan pendelte Hemingways Leben zwischen Langeweile und Depression hin und her, unschlüssig, wie es sich entscheiden sollte. Das Ende kennt man ja. Herrlich, der Glimmer. Ich döste vor mich hin, und der Tag verlor seinen Schrecken, er löste sich gewissermaßen in nichts auf.

Dieser angenehme Zustand wurde jäh durch einen neuen Gast beendet: Eine junge Frau pflanzte sich an den letzten freien Vierertisch. In meiner Blickrichtung. Eine schwitzende Dicke mit Rucksack, geflochtener Haut und Tina-Turner-Kartoffelstampfern (Tramperin) wäre ja in Ordnung gewesen, aber diese Schönheit mit dem Nimbus einer *Diva vergangener Epochen* war nicht in Ordnung. Diva vergangener Epochen, das war nämlich mein erster Gedanke. Ihr ausgeprägter Mund war fast etwas zu groß für das schmale Gesicht mit den hohen Wangenknochen und den mandelförmigen blaugrauen Augen. Der lange Hals! Die schönen langen Haare! Da war irgendwas Slawisches mit drin. Ganz dezent. Viertel oder Achtel oder Achteltriole oder Sechzehntel. Eine außergewöhnlich schöne junge Frau und, da mir nichts Originelleres einfiel: speziell. Nicht die durchschnittliche, geheimnislose Schönheit ausgelutschter Supermodels, sondern die seltsam entrückte Aura eines ausgestorbenen Typus: *Das theatralisch ausdrucksvolle Gesicht einer Unberührbaren, einer einst weltberühmten Schau-*

spielerin, die sich nach ihrer großen Zeit weder fotografieren ließ noch in der Öffentlichkeit zeigte, eine, die bereits zu Lebzeiten den eigenen Mythos nährte, aus der Zeit gefallen, in den Dreißigern konserviert.

Entrückte Stammeleien eines Honks. Ich war auch in irgendwas konserviert. Na ja. Der Alkohol. Die Erschöpfung. Aber schön war sie, wirklich wunderschön. Sie schaute in die Karte. Es war doch alles gerade ganz gut gewesen. So eine Scheiße. Die sollte wieder abhauen. Kaum kommt jemand wie sie, ist kein Platz mehr für mich. Vielleicht findet sie ja nichts zu *fressen* und geht gleich wieder. Ich schaute zu den alten Leuten hinüber und dann aus dem Fenster und versuchte, mich wieder auf den Bierglimmer zu konzentrieren. Klappte nicht. Das gewohnte Programm ratterte los: Jede schöne Frau konfrontiert mich sofort mit meinen sämtlichen Unzulänglichkeiten. Die hatte bestimmt auch eine Topfigur, ist ja immer so. Ich hatte das Gefühl, sie anzustarren wie ein idiotisches Tier. Mein Gott, wer oder was war ich eigentlich? Seltsames graubraunes, behindertes Leben, gezeichnet von den Strapazen vieler grimmiger Tage. Plötzlich blickte sie auf und schaute mir direkt ins Gesicht. Erwischt! Als ob ich es geahnt hätte. Noch bevor ich meinen Blick abwenden konnte, lächelte sie. Es war ein offenes, herzliches Lächeln, ohne eine Spur von Geringschätzung, Tadel oder Spott. Meine Reaktion: Ich zuckte mit den Schultern. Tatsächlich. Achselzucken. Was sollte das? Was wollte ich damit ausdrücken? Entschuldigung? Hallo? Ich kann grad nicht? Ein Wahnsinn. Um die Situation halbwegs zu retten, versuchte ich zurückzulächeln. Da ich keine Routine in freundlichen

Gesichtern habe, verdrehten, verrenkten und verstauchten sich alle zweiundvierzig für die Mimik verantwortlichen Muskeln, mein Mund blieb in halber Bewegung stecken und erstarrte zur Fratze. Zum Glück kam der Ober, um ihre Bestellung aufzunehmen.

Die Gelegenheit, endlich pinkeln zu gehen. Danach würde ich mir ein freies Abteil suchen und mich darin bis Hamburg verschanzen. Als ich mich aus der Bank schraubte, wurde mir auch noch schwindlig. Obwohl ich starr geradeaus guckend an ihrem Platz vorbeiging, registrierte ich aus den Augenwinkeln, dass mich ihr Blick verfolgte. Irgendwann reicht's auch mal. Höfliche Menschen schauen weg, wenn sich jemand schämt oder unwohl fühlt. Metzgergemüt. Ich blieb bestimmt fünf Minuten auf der Bordtoilette, bis ich mich halbwegs wieder gefangen hatte. Mir fiel ein, dass ich noch nicht gezahlt hatte. So eine Scheiße. Als ich auf meinen Platz zurückging, blieb mein Blick kurz an ihrem Hinterkopf hängen. Auch sehr schön. Schöne Menschen sind von hinten oft noch schöner als von vorn. Hässliche sind von allen Seiten gleich hässlich und haben immer platte Hinterköpfe, eine Laune der Natur. Ich schloss die Augen und versuchte, mich auf die kümmerlichen Reste des Alkohols zu konzentrieren. Ach Gott, ach Gott.

Mit einem Mal roch es gut. Ich öffnete die Augen und wäre fast ohnmächtig geworden. Die Frau stand vor mir und schaute mich freundlich an.

«Entschuldigung, ich hab die ganze Zeit schon überlegt, bist du Markus?»

«Äh. Ja, genau.»

Wer war das? Was wollte die? Woher kannte die mich?

«Ich war mir nicht sicher, aber als du eben rausgegangen bist, hab ich dich an deinem Gang erkannt.»

«Ach so. Ja.»

Alles klar. Das Einzige, woran man sich noch Jahre später erinnert, ist mein affenartiger Gang. Der seltsam asynchron pendelnde Oberkörper, der ganz woandershin will als die untere Hälfte. Die Schultern steif, eine ewige Fermate, danach kommt irgendwas, und die Beine haben noch einmal einen ganz anderen Rhythmus, Triole gegen Synkope gegen Quintole. Als ob ich mir als Kind einen Splitter in den Fuß getreten hätte, der seither auf einen bestimmten Nerv drückt und mich in diese Watschelbewegung zwingt. Sabine Dausel hatte mal gesagt, ich ginge «wie ein Mülleimer», was auch immer das heißen mochte.

«Du kennst mich wahrscheinlich nicht mehr. Ich bin Janne. Marienkäferweg 24a, das muss jetzt ungefähr zehn Jahre her sein, erinnerst du dich?»

Janne. *Das* sollte Janne sein? Die nervige kleine Dickmadam, der ich mal ein halbes Jahr Englischnachhilfeunterricht gegeben hatte? Eine solche Verwandlung hatte ich überhaupt noch nie gesehen. Vom Saulus zum Paulus.

«Ich setz mich mal.»

«Ach so, jaja.»

«Deine Großeltern wohnen doch auch noch in der Käfersiedlung. Meine Eltern auch. Und mein älterer Bruder, Gunter, kannst du dich noch erinnern?»

«Gunter, der hatte sich doch auf ewig verpflichtet?»

«Zwölf Jahre. Während der Zeit hat er Betriebswirtschaft studiert, und jetzt ist er Unternehmensberater. Er tut jedenfalls so. Er ist seit fünf Jahren verheiratet und hat sich tatsächlich in der Käfersiedlung ein Haus gekauft.»

«Ach herrjemine.»

Plötzlich änderte sich ihr Blick. Forschend, ernst, gläsern, beschlagen.

«Ich bin auch erst seit ein paar Monaten wieder in Deutschland.»

«Ach. Warst du im Ausland?»

Was für eine Frage. Köstlich!

«Die Bundesrepublik hat mich freigekauft.»

«Hä, wie freigekauft? Versteh ich nicht.»

Was sollte das denn jetzt? Wollte sie mir etwas Privates anvertrauen, nach gerade mal zwei Minuten? Vertraulich und ungefragt. So ein uncooler Style passte doch gar nicht zu ihr. Und überhaupt, Geiseln! Freigekauft. Deutsche Geiseln sind so schlimm. Blockieren wochenlang die Hauptberichterstattung der Nachrichtensendungen und sind nach ihrer millionenteuren Auslösung (Vater Staat!) auch noch undankbar oder entpuppen sich als langweilige Trantüten oder beides.

«Bei mir ist einiges schiefgelaufen. Ich war für längere Zeit in Bolivien, und eine Woche vor meinem Rückflug haben sie mir alles geklaut. Geld, Handy, alles außer dem Pass, den hatte ich im Hotel gelassen. Und dann hab ich mich überreden lassen.»

Sie machte eine bedeutungsvolle Pause.

«Ja. Also überreden lassen. Wozu überreden lassen?»

«Hast du schon mal den Begriff *Maulesel* gehört?»

«Maulesel?»

«Oder Schlucker?»

«Versteh ich nicht.»

«So nennt man Drogenkuriere.»

«Aha. Und darauf hast du dich eingelassen?»

«Ich wusste nicht mehr weiter. Und dann haben die mich am Flughafen gleich geschnappt mit einem halben Kilo Kokain im Bauch. Die haben einen Blick dafür. Ich war wohl aufgedunsen wie ein Hamster, der seine Jungen gefressen hat. Zu zwanzig Jahren bin ich verurteilt worden. Die Gefängnisse da sind das Härteste.»

«Ach. Ja?»

«Im Landesinneren war das, mitten im bolivianischen Urwald. Und ich die einzige Europäerin.»

Ich schaute verlegen weg. Hör doch auf, Mädchen.

«Von den Einheimischen wird das Gefängnis ‹Bananenknast› genannt. Nach einem halben Jahr sind schlagartig fast alle Gefangenen entlassen worden, also alle politischen, und das waren ja fast alles politische, wegen den Fünfzig-Jahr-Feiern der Revolution, die hat der Präsident zum Anlass genommen für einen Gnadenerlass.»

Präsident? Revolution? Fünfzig-Jahr-Feiern? Ich kannte mich in Bolivien nicht so aus.

«Ach ja.»

«Wir waren danach nur noch neun Gefangene, und von denen sind drei in andere Gefängnisse verlegt worden. Zwei sind gestorben, und die letzten drei eine nach der anderen entlassen worden. Am Ende war ich allein. Die einzige Gefangene.»

«Wie, ganz alleine? Ein ganzer Knast für eine Person?»

Sie beugte sich konspirativ vor und senkte ihre Stimme, wie jemand, dem es schwerfällt, über ein schreckliches Erlebnis zu sprechen. «Und einen Spitznamen haben sie mir auch gegeben.»

«Spitznamen? Was denn für einen Spitznamen?»

«Mama Bonute.»

«Mama Bonute? Wieso das denn?»

Sie begann zu glucksen und machte eine schwer zu deutende Handbewegung.

«Ich könnte wohl ewig so weitermachen!?»

Ach so, verarscht, wie originell. Sie hatte wohl gleich durchschaut, dass meine Gutgläubigkeit zuweilen an Geistesschwäche grenzt und man es mit mir machen kann. So richtig machen kann. Mir käme es niemals in den Sinn, jemanden, den ich seit zehn Jahren nicht gesehen habe, zur Begrüßung als Erstes zu verarschen. Auch niemanden, den ich fünf Jahre oder sieben Wochen oder vier Tage nicht gesehen hatte. Verarschung gehört einfach nicht zu meinem Programm. Ich bin so gottverdammt höflich, dass ich, wenn sich jemand neben mich auf eine Parkbank setzt, ich aber gerade gehen will, so lange, bis der andere nicht das Gefühl hat, ich ginge wegen ihm, sitzen bleibe. (Schachtelsatz zum Analysieren. Obertertia.) Egal. So gottverdammt höflich bin ich. Mama Bonute, eine Unverschämtheit.

«Tut mir leid, aber die Geschichte ist mir gerade eingefallen. Ich schwöre.»

«Im Moment ausgedacht, oder wie?»

«Ja. Ich musste das einfach bringen, ich hätte das nie wieder hingekriegt. Vorschlag: Ich schenk sie dir. Ab jetzt ist es deine Geschichte. Und ich geb einen aus.»

«Na gut. Ich nehm noch ein Bier.»

Sie bestellte zwei Weizen. Mit mir konnte man es

machen, wirklich. Erst eine reinhauen und dann einen Schnaps ausgeben. Zum Glück hatte sich meine Befangenheit gelegt. Mama Bonute. Bananenknast. Maulesel. Vielleicht war sie ja lustig. Kommt bei Frauen leider nicht allzu häufig vor. Das galt es rauszufinden, jetzt war ich am Drücker:

«Mal was andres, fällt dir was zu Pfeifenrauchern ein?»

«Pfeifenraucher? Weiß nicht. Wie meinst du das denn?»

«Der innere Kern, verbindende Charakterzüge, Typologie.»

«Aha. Typologie.»

«Es gibt auf der ganzen Welt insgesamt und überhaupt nur ungefähr zehn verschiedene Typen. Bereinigt.»

«Kann sein, ich kenn jedenfalls keine Pfeifenraucher. Genauso wenig, wie ich Astronauten oder Klimaforscher kenne. Ich hab mal irgendwo gelesen, dass Pfeifenraucher viermal häufiger von ihren Frauen betrogen werden als Zigarettenraucher.»

«Kann gut sein. Ist sogar wahrscheinlich.»

«Arglose Genusstypen, die sich mehr für ihre kostspieligen Hobbys interessieren als für ihre Frau und deshalb nach Strich und Faden belogen, betrogen, hintergangen und ausgenommen werden wie die Weihnachtsgänse. Pfeifenraucher sagen Sachen wie: Neue Autos sind seelenlos. Nur Oldtimer haben Sexappeal!»

«Sprach's und klopfte die Pfeifensammlung aus.»

«Wieso interessiert dich das überhaupt? Bist du Pfeifenraucher? Oder willst du einer werden?»

«Piffpaff, die Rübe brennt. Sag ich nicht.»

«Na gut, dann nicht. Also weiter: Pfeifenraucher fahren

Autos mit Airbag-Maximalausstattung. Dreiundsechzig Airbags. Und sie benutzen Blockadewörter.»

«Was sind denn Blockadewörter?»

«Zum Beispiel *Bedarfsklärung*.»

«Was du alles weißt.»

«Ja, und jetzt mal Pfeifenraucherinnen. Das ist doch viel interessanter.»

«Kenn ich keine.»

«Ich aber. Ulrike Meinhof.»

«Die hat Pfeife geraucht?»

«Ja. Und die anderen RAF-Frauen auch.»

«Ach Quatsch.»

«Ja, natürlich. Ensslin, Mohnhaupt, Hogefeld, das war der einzige private Luxus, den die sich geleistet haben, praktisch das einzige Privateigentum überhaupt.»

«Alles klar. Ich sag nur Bananenknast.»

Sie lachte.

«Das mit der Meinhof stimmt übrigens. Das hatte mit der RAF aber nichts zu tun. Bei der RAF hat sie nicht mehr geraucht, nur vorher, als sie für die ‹Konkret› geschrieben hat.»

«Und wieso hat sie das Gerauche ausgerechnet bei der RAF aufgegeben? Gerade da doch.»

«Aber keine Pfeife. Nur noch Zigaretten.»

«Jaja. Als die RAF noch Baader-Meinhof-Bande hieß.»

«Und Sartre? Hat der nicht auch Pfeife geraucht?»

«Wie kommst du denn jetzt auf Sartre?»

«Weil der die Terroristen damals im Knast besucht hat. Wie beurteilst du eigentlich seine damalige Haltung?»

«Welche damalige Haltung? Wozu?»

«Das war doch ein Paradebeispiel freiwilliger Selbstverblendung, der Besuch in Stammheim. Oder interessiert dich das nicht? Bist du kein politischer Mensch?»

Da ging's schon wieder los! Sie wollte mir auf den Zahn fühlen. Streberscheiße. Ekelhaft. Exstudentin, die mit angelesenem Quatschkram hausieren geht. *Freiwillige Selbstverblendung*, ich glaub, mich laust der Affe, ich glaub, mich streift ein Bus, ich glaub, mein Schwein pfeift.

«Was ist denn eigentlich los mit dir? Willst du schon wieder Streit anfangen? Ich könnte dir jetzt auch ein paar Sachen an den Kopf werfen, von denen du noch nie was gehört hast.»

Von der würde ich mir nicht nochmal die Butter vom Brot nehmen lassen. Jetzt nicht mehr, schön hin, schön her. Wer war ich denn? Eben.

«Ach ja. Tut mir leid. War nicht so gemeint. Das ist leider eine Schwäche von mir. Schlechte Angewohnheit, ist in gewissen Szenekreisen gang und gäbe, hat wohl abgefärbt.»

«Ich bin aber kein Szenekreis. Mich strengt so was einfach nur an.»

«Der Lungenzug ist abgefahren.»

«Was?»

«Fiel mir gerade ein. Wegen Pfeifenrauchern. Hab ich mal gehört. Ich glaub, das war der Titel einer Fernsehreportage. Vielleicht ist dir damit geholfen.»

«Na, mal sehen. Jetzt was Einfaches: Musicalfans.»

«Schnäppchenjäger, Sparfüchse. Betanken ihre Autos an Billigtankstellen in der Pampa und machen die Reservekanister auch gleich noch mit voll. Durchforsten morgens als Erstes die Tagespresse nach günstigen Telefonvorwahlen. Und das ganze Geld, das sie sparen, investieren sie in neue Tickets. Spielen im Winter Dart und boulen im Sommer.»

«Du hast ja vielleicht *grausame* Vorurteile.»

«Wenn man immer nur zurückguckt, ist irgendwann nichts mehr da.»

Der war gut. Jetzt musste ich auch lachen.

«Wo hast du den denn her?»

«Weiß ich auch nicht mehr, irgendwo aufgeschnappt.»

«Sehr gut.»

«Weißt du eigentlich, warum der deutsche Fußball international nicht mehr konkurrenzfähig ist?»

«Nein, warum?»

«Weil die deutschen Profikicker aus dem Stand nur 55 Zentimeter in die Höhe springen können, während ein Durchschnittssportler schon 50 Zentimeter schafft, Spitzensportler anderer Disziplinen dagegen 70 bis 80 Zentimeter. Mehr braucht man doch wohl nicht zu sagen.»

«Das hast du dir bestimmt gerade wieder ausgedacht. Ich glaub dir kein Wort.»

«Du, wir sind gleich am Hauptbahnhof.»

Ach, schon? Schade. Dann doch schade.

«Du musst hier bestimmt raus.»

«So seh ich wohl aus. Ich wohn in einem so langweiligen Stadtteil, dass sich auf dem Weg von der U-Bahn zu meiner Wohnung an der Kleidung Spinnweben bilden. Du wohnst bestimmt in Ottensen oder Altona.»

«So ungefähr. Kannst du mir nicht mal deine Telefonnummer geben?»

«Ach so. Ja.»

Ich kritzelte meine Nummer auf den Reiseplan. Wieso gab sie mir nicht auch ihre Nummer? Ich traute mich natürlich nicht, sie danach zu fragen. Stattdessen:

«Aber nicht anrufen. Ich ruf dich auch nicht an.»

Cooler Spruch. Sie sagte nichts und grinste. Wohlwollend. Ich schrumpfte wieder auf Normalmaß.

«Na ja, dann grüß mir deinen Bruder.»

Die natürliche Distanz zwischen uns war endgültig wiederhergestellt.

«Bis bald, Markus.»

Sie stand auf, legte ihre Hand auf meine Schulter und küsste mich auf die Wange. Das war schön. Wahrscheinlich war es nur deshalb so entspannt und leicht gewesen, weil die Kluft zwischen uns so groß war. Ich machte mir zum Glück nichts vor, und sie wusste sowieso Bescheid. Als ich auf dem Bahnsteig an ihrem Fenster vorbeiging, traute ich mich, ihr einen Blick zuzuwerfen. Sie winkte und machte ein freundliches Gesicht.

Ich stieg eine Station früher aus, holte mir beim Asia-Imbiss S4 (Thunfisch japanische Art) und setzte mich in den Sandpark. Menschenleer, bis auf zwei Omis, die unter der wohlwollenden Aufsicht der Schachfiguren ein munteres Schwätzchen hielten. Über was die wohl immer so sprachen? «Und dann habe ich dem Oheim aber eine so was von geharnischte Epistel geschrieben!» Recht so, schlafen könnt ihr noch genug! Der Holzpyjama bleibt noch eine Weile im Schrank hängen, und der Sensenmann hat bis auf weiteres Hausverbot.

Der Thunfisch schmeckte für Imbissfraß sensationell.

Die benutzen immer frischen Koriander. Was das ausmacht! Mit frischen Kräutern kann man sich den Einsatz
von Geschmacksverstärkern sparen, und die Salzkeule
sowieso. Nach einer Weile wurde ich müde und schlurfte
nach Haus. Manchmal tapert man, manchmal watschelt
man, manchmal stolziert man, und heute schlurfte ich
eben. Es ging mir zur Abwechslung mal ganz gut. Das
musste fürs Erste reichen.

MITTWOCH
Das Leben kann man nicht bescheißen

Irgendwann in der Nacht wurde ich vom laufenden Fernseher geweckt. Zu öffentlich-rechtlichen Zeiten, als die Nächte spätestens um ein Uhr in hell brausendem, beruhigendem Flimmern untergingen, war mir so etwas nie passiert. In dem hell brausenden, beruhigenden Flimmer hatten sich unzählige winzige Männer in weißen Overalls getummelt und meinen Schlaf bewacht. Egal, es galt, den Dämmer für den kurzen Weg ins Schlafzimmer zu konservieren, husch, husch, ins Körbchen, Äuglein schließen und weiterschlafen. Taper, taper, taps, taps. Ich war schon in der Einflugschneise, als ich mit dem Kopf krachend Holz berührte. Die Badezimmertür! Aua! Ich hatte wieder mal die verdammte Badezimmertür sperrangelweit offen stehen gelassen. Ein Elend. Wie oft hatte ich mir schon vorgenommen, Türen und Schränke immer sofort zu schließen, Schlüssel, Portemonnaie und überhaupt ALLES immer sofort an der dafür vorgesehenen Stelle abzulegen, den Wasserzulauf für die Waschmaschine immer sofort wieder zuzudrehen, Backofen, Herd, Licht, Wasser, Keller, Spüle, Fernseher, Toaster abdrehen, abdrehen, abdrehen.

Ein beherzter Schritt in die Lebenstüchtigkeit und gleichzeitig ins endgültig Verschrobene: eine Liste mit den zu kontrollierenden *Einheiten* anfertigen, dreitausend Mal kopieren, in jedem Zimmer aufhängen und abends vorm Schlafengehen abarbeiten. Die erledigten *Posten* mit Häkchen versehen oder markern. König der nervösen Tics, Kaiser der Marotten. Ich knallte die Badezimmertür zu, und die Schlafzimmertür gleich auch noch. War jetzt eh egal, an Schlaf war für viele Stunden nicht zu denken. Erschöpft horchte ich in mich hinein, auf der Suche nach dem schönen Gefühl von gestern. Ich wurde aber nicht fündig, das Gefühl hatte sich über Nacht wohl einen neuen Wirtskörper gesucht. Dafür hatte sich der Kopfschmerz verändert, vom Stechen ins Pochen. Schmerzen können ziehen, pochen, brennen, laufen, drücken, stechen und ziepen. Ziepen ist die harmloseste Variante des Schmerzes, der sog. Kinderschmerz. (Jetzt neu: Kinderfolter *Bambino*: Tausend Nadelstiche, zehn Minuten Stütze, Arm umdrehen, Pferdeküsse.)

Alles andere sind Erwachsenenschmerzen: Ein steifer Nacken zieht, Rückenschmerz ist eine Kombination aus Ziehen, Pressen und Stechen, Wundschmerz pocht und Verbrennungen brennen, wie der Name schon sagt. Undundundoderoderoder. Menschen, die sich ständig verlegen und andauernd auf Toilette müssen, sind deckungsgleich mit denen, wo es zieht und ziept und angeschwollen und entzündet ist. Anfällig eben. Ich ertastete mit meiner Zunge einen Thunfischfaden (S4), war jedoch zu schwach zum Zähneputzen.

Schade, dass Janne so schön war. Wenn man von ihrer Schönheit ungefähr zwei Drittel abziehen würde (Säure-Attentat), könnte das was werden mit uns. Was ich mir nur immer für abartige Sachen zusammendachte. Als ich meine Liegeposition wechselte (Rücken > Seite), spürte ich eine beginnende Erektion. Auch das noch. Lächerlich. Nervig. Ich versuchte, mich auf etwas Neutrales zu konzentrieren (Gebietskörperschaft, Getreidespeicher, Grizzly, unaufgeladene Worte mit G), doch immer wieder schweiften meine Gedanken ab zum Epizentrum meiner aktuellen Sexphantasien, gegen die ich, Desexualisierung hin, Desexualisierung her, manchmal auch nichts machen kann: Zur pferdegesichtigen besten Freundin der Nachbarstochter. Ausgerechnet die. Das ging schon seit ein paar Monaten so. Hin und wieder begegne ich ihr im Hausflur, ich weiß noch nicht mal, wie sie heißt. Die Natur hat es mit ihr nicht gut gemeint: Mit achtzehn (vielleicht ist sie auch neunzehn, aber auf keinen Fall älter als zwanzig) bereits ein kleiner Buckel zwischen leicht hervortretenden Schulterblättern, aus dem bestimmt mal ein großer Buckel wird, dicker Po, noch dickere Oberschenkel und winzige, flache Brüstchen. Außerdem steht ihr Mund immer etwas offen, als wolle sie gleich schlafen gehen oder sei gerade erst aufgestanden. Ihrer ganzen Erscheinung fehlte es sichtlich an *Spannkraft*. Und obwohl sie verhunzt war und sich nach menschlichem Ermessen daran auch nichts mehr ändern würde, übte sie eben eine diffuse sexuelle Anziehung auf mich aus. Beschämend und unerklärlich. Vielleicht war es das Schlaffe, das mich erregte. Oder der Mund mit den dünnen Speichelfäden. Überhaupt Spucke, mein lebenslanger

Begleiter. Unter psychologischen Aspekten nicht ganz uninteressant: früher Ekelreiz, heute Schlüsselreiz. War es gar der Buckel? Bestimmt gibt es Männer, für die dieses Manko das Einzige ist, was sie am anderen Geschlecht *überhaupt* interessiert. ALLE Nichtbuckligen werden in Ruhe gelassen, ALLEN Buckligen wird nachgestellt. Buckligenjagd. Rundbuckel, Kreisbuckel, Überhangbuckel, Katzenbuckel oder was es sonst noch so an Buckeln alles gibt. Buckel. Trichterbrust. Hasenscharte. Tubalippe. Entenarsch. Das Schöne erregt interesseloses Wohlgefallen, das Hässliche, Unvollkommene wird begehrt. Wem taugt schon die symmetrische, hochglanzretuschierte Visage eines Topmodels als Wichsvorlage. Das Deformierte, Fehlerhafte, nicht Passgenaue, das schaurig Schöne erzeugt doch erst den erotischen Reiz. Über diesen geilen Gedanken schlief ich ein.

Nachdem ich gegen neun wieder erwacht war, ging ich zum Fenster. Alles wie immer: Die Sonne stand schon so hoch, als wolle sie jetzt nie mehr untergehen, sich niemals wieder der Nacht geschlagen geben. Der Sommer setzte sich selbst ein Denkmal, brannte sich als böser Traum ins Kollektivgedächtnis ein.

Auf dem Bürgersteig trabten ein Mann und eine Frau Richtung Stadtpark, ich nahm jedenfalls an, dass sie zum Stadtpark wollten. Sie trugen hellblaue Turnhosen, Kapuzenshirts in der gleichen Farbe und Pulsmessgeräte. Partnerlook. Auch als Paar Partner, Paar und Partner. Jeden Morgen schlüpfen sie, ohne zu lamentieren, in ihre Sportschuhe und traben mit undurchdringlicher, humorfreier Vitalität los. Ich konnte hören, dass sie plauderten.

Wahrscheinlich unterhielten sie sich nur, um zu diskutieren, ob sie sich im aeroben oder im anaeroben Bereich bewegten, faules Fett verbrannten oder fleißige Muskeln. Pulsmessgerät & Gespräche, doppelt hält besser. Kontrollfreaks, allerdings keine, die nächtens gegen Türen rennen und in ihrer Wohnung Prüfprotokolle aufhängen. Die haben in der Küche lediglich eine Korkwand mit gelben Merkzetteln, auf denen wichtige Termine, Telefonnummern und noch zu erledigende Erledigungen (Biozwergtomaten) gepinnt sind. Ab und an auch mal «Ich liebe dich, Bärchen» oder so was. Die Frau findet sonst noch Bruce Willis sexy, behält das jedoch für sich. Die saufen schon deshalb nicht, weil ihre sensiblen Hochleistungskörper auf jede Störung des Gleichgewichts mit Fieber und Migräne, Durchfall und Krämpfen reagieren. Einmal die Woche ist Bodycheck mit der Profikörperperfettanteildigitalwaage. Der Partner schaut zu, damit nicht beschissen wird, aber würden sie eh nicht tun, denn wer sich selbst bescheißt, bescheißt das Leben, und das Leben kann man nicht bescheißen, das haben schon ganz andere versucht. Man kann's gar nicht oft genug wiederholen! Wenn sich auf einer Party jemand eine Zigarette ansteckt, sagen die: «Zum Rauchen kann man nach draußen gehen, aber zum Atmen nicht.»

Jaja, dachte ich, mach dich nur immer schön über andere Menschen lustig. Gönn denen doch, dass sie sich wohl fühlen, die haben sich ihre gute Laune durch disziplinierte Lebensführung schließlich hart erarbeitet. Es war nämlich in Wahrheit ganz einfach: Die fühlten sich gut, weil sie so aussahen, wie sie aussehen und nicht wie ich.

Nix Elchschaufeln und Rollläden und Treppenkinn und Kartoffelknie und Flimmerspeck und Tannenbäume und Zigeuner des Körpers. Blutfettwerte eines Neugeborenen, Leberwerte eines Mönchs, Lunge eines Radrennfahrers, Durchblutung eines Tiefseetauchers! Und was es noch so alles gibt: Astronautenniere, Golferarm, Hockeymilz. Der wahre Luxus ist schlanke, sportliche, jugendliche Schönheit, und wer etwas anderes behauptet, lügt.

Wie lange ich wohl bräuchte, um wieder in Form zu kommen? Ein Jahr? Ein halbes? Oder, äußerste Disziplin und fanatische Diät vorausgesetzt, nur drei, vier Monate? Besaß ich überhaupt noch so etwas wie Sportsachen? Und wo waren die? In der hintersten Ecke des Kleiderschranks ruhten in einem zerfledderten Pappkarton Saisonkleidung und Klamotten, die ich selten oder nie trage. Mal nachgucken. Nach einigem Wühlen in mehreren Schichten lächerlicher Quatschklamotten wurde ich fündig: ein dunkelgrüner, zerknitterter Trainingsanzug der No-Name-Marke *Powersports*. Powersports, das klang nicht gut (KIK – nur nackt ist hässlicher). Den hatte ich mal getragen? Unmöglich. Irgendwo musste doch eine kurze Turnhose sein. Wühl, grabbel, schaufel. Nichts, ich würde mit dem tannengrünen Ungetüm vorliebnehmen müssen. Vielleicht war es unter psychologischen Aspekten sogar ratsam, das Training im Büßergewand zu beginnen und mir zeitgemäße Sportkleidung erst dann zuzulegen, wenn ich halbwegs *in shape* wäre. Dicke können ja eh anziehen, was sie wollen. Fehlten noch Turnschuhe: Im Keller fanden sich uralte, poröse Billigtreter aus mutmaßlich fernöstlicher

Fertigung, die, ihrem Zustand nach zu urteilen, eine Lauf-leistung von mindestens hunderttausend Kilometern auf dem Buckel hatten. Falls sie jemals über so etwas wie Dämpfung verfügt hatten, war davon nichts mehr übrig. Wie ein Auto, das auf den Felgen fährt, jeder Schritt ein Verbrechen am Gelenkapparat.

Die kurze Strecke bis zum Stadtpark hatte eine leichte Stei-gung, und bereits auf halbem Weg geriet ich derart aus der Puste, dass ich mein Schneckentempo auf Amöbentempo runterfahren musste. Von weitem sah es wahrscheinlich aus, als würde ich stehen. Auf jeden Fall sah es nicht gut aus, das war mal sicher. Beim Laufstil scheidet sich die Spreu vom Weizen, der erdrückenden Mehrheit der Läu-fer sieht man an, wie wenig Spaß ihnen das eintönige Gerenne macht, wie sehr sie sich quälen, wie mit jedem Schritt ihre schiefe, abgenutzte, kaputte Wirbelsäule noch weiter gestaucht wird und dass sie spätestens in ein paar Wochen aufgeben werden. Sie wirken wie Pappaufsteller, denen man Gelenke eingebaut hat, bewegen ihre Arme in seltsamen Trockenfechtübungen gegen einen unsichtba-ren Gegner und sacken bei jedem Schritt in einer Art Ab-wehr- und Schonhaltung in sich zusammen, als wollten sie einen starken Kackreiz unterdrücken.

Als ich mir den Schweiß von der Stirn wischte, fühlte es sich an, als hätte ich in einen Margarinebatzen gegrif-fen. Ein Schmierfilm aus gebundenem, abgestandenem Wasser, mehrfach hundertfach gesättigter Butter, Melkfett und schlechten Säften. Darunter ein paar Schichten Me-lancholie und *Depots*: Schlacken, Gifte, eingelagerte, noch aus der Kinderzeit stammende Medikamentenrückstände, verschluckte Münzen, eingewachsene Haare, Verschlüsse, Holz- und Knochensplitter, Knöpfe, Dichtungen, abgebrochene Kleinteile, und den Bodensatz bildeten virtuelle Schlacken. Das musste alles raus! Laufen, laufen, laufen, bis man tot zusammenbricht oder die Maschine anspringt und den Sondermüll in seine Einzelteile zerlegt. Kurzer, heißer, schneller Atem, der das dunkle, schwere, kurz vor der Gerinnung stehende Blut mit Sauerstoff anreichert. Es brodelt und zuckt und kocht und wird immer dünnflüssiger und schneller. Endlich platzt der Knoten: Wie Regen in den ausgetrockneten Flusslauf einer Wüste schießt Blut durch die verkalkten Arterien, durchspült die abgestorbenen Gefäße, zerlegt entartete Zellen, Gewebstrümmer, nicht mehr abbaubare Rückstände und pumpt sie bis an die oberste Hautschicht, wo der Klumpatsch so lange gegen die verstopften Poren pocht und hämmert und drückt, bis sich die Verschlüsse dehnen, nachgeben und schließlich mit gewaltigem Getöse aufspringen: plopp, boing, deng, oinker. Aus dem dicken Fettfilm schießen Fontänen, glühendes Magma aus Schweiß, Blut, Giften, Öl und Schmutz. Die Hitze ist unerträglich, ich schreie vor Schmerzen, sinke zu Boden. Rostbraune Pisse rinnt aus mir heraus, ich krümme mich unter Koliken. Es zerreißt mir fast den After, dann löst er sich, kommt er endlich zum Vorschein: der entsetzliche, steinharte Kotballen, der Schmutzkern, der mich seit Jahrzehnten vergiftet hat! Mir wird auf einmal entsetzlich kalt. Jemand kommt, spritzt mich mit einem Schlauch ab und wirft Decken über mich. Ich bleibe noch ein paar Minuten schlotternd liegen, dann erhebe ich mich aus dem Schmutz, ein endlich befreiter Menschenrest!

Na ja, so oder so ähnlich. Obwohl ich schwitzte und keuchte und sicher aussah wie ein Sack Schrauben auf Wanderschaft, war ich ganz begeistert von meiner Willensstärke. Tschakka, du schaffst es! Guter Schweiß, schlechter Schweiß, die subtile Dialektik des Körperwassers; klebrige Demütigung oder erotische Rutschbahn. Nach zehn Minuten hatte ich den Stadtpark erreicht, der um diese Zeit fast nur von Joggern und Idioten frequentiert wird, die ihre vierbeinigen Affen Gassi führen. Flucht in den Hund. Hier war mal wieder Vater Staat gefragt. Von Rechts wegen sollten nur Amtspersonen und Versehrte einen Hund besitzen dürfen: Blinden-, Drogen-, Schäfer-, Hirten- und Hofhunde, Funktions-, Arbeits- bzw. Diensthunde, die sich ihr Fresschen selbst verdienen. Omas, denen die Angehörigen weggestorben sind, ist in Härtefällen Hundehaltung aus humanitären Gründen ebenfalls gestattet, aber klein muss er sein (Schmetterlingshunde, leicht wie Insekten)!

Ich lief und lief und lief, ein unentdecktes Konditionswunder. Als ich das Naturbad Stadtparksee erreichte, begann sich der dumpfe, taube Schleier im Kopf etwas zu lichten. Was wohl noch so in mir steckte und nur noch nicht rausgedurft hatte? Vielleicht konnte ich Spagat und wusste es nicht. Oder ich war Aufsichtsratsvorsitzender eines Energieversorgers und hatte es schlichtweg vergessen. Oder in mir schlummerte ein *Salonlöwe*, umwölkt von der Aura weltläufiger Bescheidenheit. Mehrsprachiger Gebärdendolmetscher. Privatsheriff. Ramschkönig. Crackrentner. Sitzriese. Produktpirat. Turnfloh. Politclown.

Das Naturbad Stadtparksee ist von gigantischen, Einblick verwehrenden Hecken umgeben: Nichts sehen, alles hören, nichts kann, alles muss: Lachen, Planschen, Kindergeschrei, ein schief und krumm vor sich hin plärrendes Kofferradio. Keine besonderen Vorkommnisse. Scheinbar. Oder doch? Verbarg sich hinter der vermeintlich harmlosen Kulisse etwa anderes, war das vermeintlich harmlose Spaßbad eine wässrige Psychodusche, eine nasse Hölle, ein todbringender Trip aus Chlor?

Was sich im Bermudadreieck Nichtschwimmerbecken, Umkleidekabinen und Billigkiosk abspielt, ist unvorstellbar: Adipöse Fastfoodjunkies lassen sich per Arschbombe vom Fünfmeterturm fallen, versinken krachend in den mit Keimen verseuchten Fluten und bleiben leblos auf dem Beckengrund liegen. Über den klaustrophobisch engen Umkleidekäfigen hängt eine Glocke aus halb ersticktem Stöhnen, leisen Schreien und geschnorchelten Zischlauten: Rumänische Kinderbanden foltern hilflose Pensionäre, um deren PIN-Nummern zu erpressen. Langzeitarbeitslose, die den Eintritt nicht bezahlen können, krallen sich mit bloßen Händen am Stacheldrahtzaun fest. Bademeister, Tauchlehrer und Rettungsschwimmer sind das unumstrittene Herrscher-Triumvirat über das feuchte Lager, das sie mit Menschenverachtung und Trillerpfeife führen. Verknotete Teenyleiber schmoren derweil wie zuckende Aale dichtgedrängt auf der verkohlten Wiese. Die Jungen liegen auf dem Bauch, weil sie sich für ihre schmerzhaft pulsierende Rute schämen, schließlich halten sie es nicht mehr aus und fallen, vor Hitze und Nacktheit vollkommen verrückt, mit hölzernen Bewegungen übereinander her. Durch das stundenlange Liegen in der prallen Sonne haben sie schwere Rückenverbrennungen erlitten. Die Haut wirft Blasen, groß wie Joghurtbecher. Sie suchen Erlösung im großen Becken, wo sie jedoch sofort von alten, welken Fleischbergen in die Schraubzwinge verwitterter Oberschenkel genommen werden, denn Rentner im Freibad sind in erster Linie eines: gierige Molche auf der Suche nach dem nächsten Kick usw.

Erstaunlich, auf was man beim Sport alles kommt. Ich nahm mir vor, beim nächsten Mal ein Diktiergerät mitzunehmen. Noch hundert Meter bis zur Fußgängerampel Ohlsdorfer Straße, ich war praktisch am Ziel. Fünf Kilometer in einem Durchmarsch. Sagenhaft, von null auf hundert, Sportskanone. Auf der anderen Straßenseite wartete eine Fußstreife auf das Ende der Rotphase. Wen man nicht so alles trifft. Mir sollte es recht sein, ich hatte mich immer gut mit den Bullen verstanden. Ihr mutmaßlicher Auftrag: Hundehalter verhaften, die sich nicht an den Leinenzwang halten. Schnellgericht, Enteignung und/oder 5000 Euro Geldstrafe oder ein halbes Jahr Santa Fu. *A dream come true.* Träume sind Schäume. Leider. Leiderleider. In der aktuellen, halbwegs menschenwürdigen Designlinie sehen die Bullen eindeutig besser aus als in der plumpsackartigen Dienstkleidung früherer Jahre. Auffällig: Die Exekutive (Polizisten, Soldaten, Zollfahnder) ist mit eng geschnittenen, sexy Knackuniformen ausgestattet, die Judikative mit weit geschnittenen Kutten, Roben, Mönchskostümen und sonstiger Hiphopwallawallakleidung. Je höher die Position, desto schlabbriger der Schlabberlook. Ganz oben steht der Papst.

Die Ampel sprang auf Grün. Beim Vorübergehen warf mir einer der beiden Polizisten einen freundlichen Gruß zu. Ich grüßte freundlich zurück.

Der stimmungsaufhellenden Wirkung des Dauerlaufes vermochte auch die Post von den Hamburger Wasserwerken nichts anzuhaben. Schon wieder Zählerablesungen, meine Güte, hatte ich das nicht gerade erst letzte Woche machen müssen? Da stimmte doch etwas nicht. Fast täglich musste ein Zähler abgelesen werden: Ökostrom, konventioneller Strom, Starkstrom, Schwachstrom, Kriechstrom, kaltes Wasser, heißes Wasser, lauwarmes Wasser, Erdgas, Russengas, verbilligtes Gas, Heizöl, Schmieröl, freies Öl vom Rotterdamer Spotmarkt undundundoderoderoder. Wahrscheinlich würde für jeden Zähler bald noch ein Kontrollzähler installiert werden, der die ordnungsgemäße Funktion des Hauptzählers überwacht. Die ganze Wohnung ist erfüllt von einem leisen Schnarren, Puckern und Klickern. Noch bis auf die dreißigste Stelle hinter dem Komma wird der Verbrauch gemessen. Ich beschwere mich. Daraufhin behördliche Verfügung: Schlaf- und Wohnzimmer zusammenlegen, um Platz für noch mehr Zähler zu schaffen.

Nach dem Duschen verlegte ich die anstehende Arbeitseinheit ins Zombiecafé und versuchte, die Texte zu rekonstruieren. «Dauerlauf ins Glück» und «Das Spaßbad – Hassbad». Ich hatte praktisch noch alles im Kopf. Ergiebige Themen, zu denen einem viel einfällt. Anfangen konnte man damit natürlich wie immer nichts. Halde. Egal. Die Inschrift auf meinem Grabstein: «Er hat sein ganzes Leben in den Startlöchern gestanden.» Vielleicht musste ich die Latte einfach niedriger hängen, Stichwort «Flieg nicht zu hoch, mein kleiner Freund». Drehbücher schreiben, z. B. für meine Lieblingsserie «Forsthaus Falkenau», die dieser

Tage in die einundsechzigste Staffel oder so geht. Glückwunsch!

Das Forsthaus Falkenau liegt im fiktiven, unweit von Passau gelegenen Örtchen Küblach. Hauptdarsteller ist natürlich der Förster, lange Jahre verkörpert von Christian Wolff (Förster Rombach). Man kann ohne Übertreibung sagen: die Rolle seines Lebens. Aus dem Autor bekannten Gründen musste er Platz schaffen für seinen Nachfolger, Förster sowieso, gespielt vom viel zu jungen Hardy Krüger junior. Frank Elstner hätte besser gepasst. Oder Michael «Mütze» Steinbrecher, für den das ZDF angeblich schon seit Jahren verzweifelt händeringend (genau, kein Fehler: verzweifelt händeringend) nach einer *internen Lösung* sucht. Der Förster rettet kranke Tiere, dünnt den Wald aus, säubert Teiche von Algenbewuchs und bekämpft Schädlinge, wobei der größte Schädling der Mensch ist und bleibt: Nebenplot ist immer die Überführung eines Umweltsünders oder Wildcampers oder einer Bande rücksichtsloser Städter, die im Wald rauchen und / oder Musik hören oder sich laut unterhalten und damit die Tiere vertreiben. Da kennt der Förster, ein ansonsten grundgütiger Mann, keinen Spaß. In der spannendsten Folge *ever* musste er (Förster Rombach natürlich) einen aus dem benachbarten Tschechien ausgebüxten Bären wieder einfangen, der ins reiche Bayern rübergemacht hatte. Obwohl so ein Meister Petz lustig aussieht, wenn er etwa einen Honigtopf ausschleckt oder sich putzig putzt, darf man nie vergessen, dass er zuallererst ein Raubtier ist. Nach dem Tagewerk sitzt der Förster auf der Terrasse des Forsthauses und hört sich bei einem Seidel Bier (den er nach jedem noch so kleinen

Schluck wieder schließt, Verschlussbierseidel oder wie das heißt), die Sorgen und Nöte seiner Familie an, obwohl er doch selber schon genug Sorgen und Nöte hat, und als ob das immer noch nicht reichen würde, schaut er täglich im Wirtshaus vorbei und lässt sich von den fröhlichen, aber tendenziell unterbelichteten Waldarbeitern über etwaige besondere Vorkommnisse unterrichten. Beim Original-förster waren allein die Frauen das Problem: Entweder sie starben nach kurzer, schwerer Krankheit, oder sie liefen ihm davon, weil sie die Einsamkeit des Forsthauses nicht mehr ertrugen, die dummen, erlebnissüchtigen Puten. In der einzigen Werbeinsel (19.47 bis 19.52) liegt der Fokus auf medizinischen Artikeln: Tropfen gegen Harndrang, Er-wachsenenwindeln, Stützstrümpfe, Treppenlifte, Cremes gegen Vergesslichkeit. Hin und wieder verirrt sich auch ein Bauspar- oder Waschmittelspot auf das von Mainzelmänn-chen bewohnte Reklame-Eiland, meist jedoch bleiben die Anbieter geriatrischer Produkte unter sich.

Wer erst einmal im Drehbuchgeschäft bei den Öffent-lich-Rechtlichen Fuß gefasst hat, muss sich um seine Zu-kunft keine Sorgen mehr machen: Jede Folge der ARD-Vor-abendserie *Großstadtrevier* beispielsweise wird sechsmal ausgestrahlt, und jedes Mal gibt's Bares, bei der ersten Wiederholung sogar das volle Honorar. Aber diese Fleisch-töpfe sind heiß umkämpft, teilen will da natürlich keiner – Vetternwirtschaft.

Langsam wurde es zu heiß, und ich ging rein, um zu zahlen. Fantomas trug ein grau-braun gesprenkeltes Schlab-berhemd und eine dunkelgrüne, beulige Hose unklaren Schnitts. Karotte, Röhre, Backpflaume? Seine Teilnahmslosigkeit schien noch tiefer als sonst. Vielleicht hatte er ja irgendwas. Ob es eine gute Idee wäre, ihn zu meinem nächsten Geburtstag einzuladen? Als ich zu meiner Wohnung zurückging, kam es mir so vor, als hätte die Sporteinheit bereits positive Auswirkungen auf meine Haltung: straffer, gerader, entschlossener. Und größer. Sport streckt. So wie Automatikuhren eine Gangreserve haben, verfügt der Mensch über eine versteckte Größenreserve, zwei bis drei Zentimeter, mindestens. Ergebnisorientiertes Gehen. Marschieren statt schlendern. Im Wort schlendern ist der Schlendrian ja schon enthalten. Noch haltloser ist trödeln. Wer schlendert oder trödelt, akzeptiert, dass er nicht mehr ist als eine Papierschwalbe, die ziellos mal da- und mal dorthin treibt. Stapfen (Schnee) ist die winterliche Variante des Marschierens, also genehmigt, Bummeln nur bei Beerdigungen und zu Feiertagen. «Klare, gerade Menschen sind ein gutes Ziel, Menschen ohne Rückgrat gibt es schon zu viel», wie Trauerkloß Bettina Wegner in einem ihrer lichten Momente formuliert hat. Ihr größter Hit, irgendwas mit klein.

«Sind so kleine Fingers aus Knorpel, Haut und Blut,
darfst du nicht drauf schlagen, Fingers gehn kaputt.
Sind so kleine Füßkens, mit winzig kleinen Zeh'n,
darfst du nicht drauf tretmach, Füß könn sonst nicht gehn.

Sind so kleine Kerlkes, mit Köpke, Arm und Bein,
musst sie immer lieb ham, Kerlkes tun sonst schrein.
Sind so kleine Kerlkes, mit Augen, Ohr und Nas,
musst sie immer streicheln, verfallen sonst dem Hass.

Auch der Adolf Hitler war ein toller Hecht,
als er ein kleins Kerl war, später wurd er schlecht.
Selbst der Josef Stalin war zart mit süße Ohr,
später lief viel schief, und er wurd Diktator.»

Sinngemäß.

Das war ein ebenso anstrengender wie aufregender Vormittag gewesen. Ich legte mich aufs Sofa. Vielleicht eigneten sich die Texte als Kolumne für eine Spezialzeitschrift: «Spex». «Visions». «Intro». Oder: «Wild und Hund» (Themen der aktuellen Ausgabe: 1. Die schönsten Jagden von Flensburg bis Bayrischzell. 2. Im Test: zwanzig neue Pirschstiefel. 3. Der Marder: Waidwund und immer noch gefährlich. 4. Ab heute neu: «Jägerlatein», die nicht ganz ernst gemeinte Kolumne von Autor M. Erdmann. Folge eins: «Das Spaßbad – Hassbad».)

Egal, später, erst mal Fernsehen, zur Belohnung. Auf den Sendeplätzen zwischen eins und drei tummelt sich der klägliche Rest der Dailytalks. 13 Uhr Britt auf SAT1 und direkt im Anschluss um 14 Uhr auf RTL die «Oliver Geissen Show». Früher hatte der Talktag um 10 Uhr vormittags mit Sabrina (kann sich eh kein Mensch mehr dran erinnern, außer Sabrina selber und mir) begonnen und erst um 17 Uhr mit Hans Meiser geendet. Britt besteht eigentlich nur noch aus Lügendetektortests (Britt zahlt deinen Lügendetektortest!). Untertitel: Britt deckt auf. Themenvarianten: 1. «Du Schwein! Heute kommt alles raus». 2. «Du Sexsau. Sag endlich die Wahrheit: Von wem ist das Kind wirklich?» 3. «Du Schwein. Du verdammte Sexsau!» Zahnlose Honks bezichtigen sich gegenseitig der Untreue. Schattenwand!

Kontoauszüge! Milchglasscheibe! Wärmebildkamera! SMS-Kontrolle! Darmspiegelung! Und natürlich LÜGENDETEK-TORTEST. Eine Frau, die die Schwester von Birgit Brunau hätte sein können, wirft ihrem «Verlobten» vor, sich regelmäßig mit anderen Frauen zu vergnügen. O-Ton: «Ich sitz allein zu Hause, und er haut sich die Falten aus dem Sack.» (Man kann sich immer gar nicht vorstellen, dass das alles Vielficker sein sollen.) Achjeachje. Anstrengend. Vor allem zu laut, mir war nach Gediegenem zumute, Arte, Phoenix, Bibel-TV, so was in der Richtung. Auf 3SAT die Gesprächsreihe «Vis-à-Vis». Zu Gast: Deutsche-Bank-Chef Josef Ackermann (schon wieder Sepp Ackermann). Der Schweizer sprach schön legato, ein Wort klebte am anderen, guter Sound. Überhaupt machte er einen ausgesprochen gewinnenden Eindruck. Ob Neupositionierung an hochmargigen Wachstumsfeldern, partielle Radikalisierung der Binnenmärkte oder suboptimale Allocation: Ackermann verkörpert wie kein Zweiter die menschliche Seite einer feindlichen Übernahme.

Der Global player ist kein onkelhafter Gewaltherrscher, sondern der Kumpeltyp von nebenan! Auch unverschämte Fragen nach seinen Einkünften beantwortet er ruhig und besonnen. «Die monetäre Performance ist integraler Bestandteil des Salärs.» Kann man es eleganter formulieren? Eben nicht. Deshalb ist der Reporter Reporter und Josef Ackermann Josef Ackermann. Genug entspannt, ich schaltete wieder zu «Britt». Zwei Männer stritten darüber, wer seine Ehefrau öfter und doller verprügelt: «Wenn sich deine Frau ausziehen würde, dann hätte sie viel mehr blaue Flecken als meine.» Wasserdichte Argumentation. Sein

Kontrahent flippte daraufhin vollkommen aus und wurde von Britt des Studios verwiesen. Das Gespräch nahm dann doch noch ein versöhnliches Ende:

Der (übrig gebliebene) Mann: «Und dann wollte ich mich nochmal bei Petra bedanken.»

Britt: «Ja, das ist schön. Wofür denn nochmal genau?»

Mann: «Dass sie mich weggebracht hat von dem Pattex.»

Britt: «Aha. Ja.»

Punkt zwei klingelte es. Sonja kommt immer auf die Minute pünktlich, quarzgenau, atomgetrieben. Ihre letzte Verspätung liegt ewig zurück (zweiter Weihnachtsfeiertag?) Damals hatte ich insgeheim gehofft, dass sie gar nicht kommt. Heute nicht und morgen nicht und übermorgen auch nicht. Sie ruft auch nicht an oder schreibt einen Brief oder schickt eine SMS oder E-Mail. So klingt die Beziehung ohne großes Trara aus. Jahre später läuft man sich zufällig über den Weg, im Schlepptau die neuen «Partner», die exakt so aussehen wie die alten. Linkischer Handschlag, unsteter Blick, verlegenes Räuspern, Käsemauken. Die «Neuen» bleiben in zweiter Reihe stehen und fühlen sich unwohl.

«Ach, guck mal, gibt's doch gar nicht. Ewig nicht gesehen. Wo wollt ihr denn drauflos?»

«Mal sehen, Kino, und danach vielleicht noch einen Happen schnappen.»

PAUSE.

«Du hast damals gar nicht mehr angerufen.»

«Du aber auch nicht.»

«Ja, ich weiß jetzt auch nicht mehr so genau. Also tschüs dann.»

«Ja, mach's gut. Tschööös.»

Sonja schien zur Abwechslung ganz gute Laune zu haben. Sie grüßte und folgte dann.

«Was schenkst du Opa denn?»

«Ein Schweizer Messer, seins ist irgendwie weggekommen. Das weißt du doch.»

«Ich weiß weder, dass Opa jemals ein Schweizer Messer besessen, noch, geschweige denn, dass er es verloren hat. Ein Schweizer Messer, was will er denn damit noch? Das ist ja wohl das langweiligste Geschenk, von dem ich je gehört habe.»

«Also folgendermaßen: Ich bin mir sicher, dir davon erzählt zu haben, und falls nicht, entschuldige ich mich offiziell hier und jetzt. Und die Diskussion, was das langweiligste Geschenk der Welt ist, können wir führen, wir müssen es aber auch nicht. Im Übrigen ist das langweiligste Geschenk der Welt ein Gewürzbord, aber, und das gebe ich gerne zu, nur deshalb, weil ich mit zwanzig Jahren eins zum Geburtstag geschenkt bekommen habe. Als junger Mann freut man sich weder über Gewürzborde noch über Teppichkleber oder einen Pürierstab. Ich bin indes der festen Überzeugung, dass sich Oma, die meines Wissens kein Gewürzbord ihr Eigen nennt, darüber ein Loch in den Bauch freuen würde.»

«Laberlaberlaber. Kannst du dich eigentlich noch gestelzter ausdrücken? Redest du mit anderen Leuten auch so?»

«Ich empfinde meine Ausdrucksweise keineswegs als gestelzt, ich gebe mir lediglich Mühe, auch Alltagsgesprächen einen gewissen Glanz zu verleihen. Außerdem macht es mir Spaß.»

«Manchmal hab ich das Gefühl, du willst mich verarschen.»

«Du weißt, dass das Unsinn ist.»

«Jedenfalls glaube ich nicht, dass du mit anderen Leuten auch so redest.»

«Mit den Großeltern rede ich sicher nicht so, weil die damit nichts anfangen können.»

«Und mit Sven? Mit dem sprichst du doch auch nicht so.»

«Du bist herzlich eingeladen, bei einem der nächsten Treffen zu hospitieren.»

«Ach komm, lass mal los.»

«Ja, finde ich auch.»

Die Stimmung war schon wieder halb bis zwei Drittel bis drei viertel gekippt. Missmutig trotteten wir zur U-Bahn. Wir sahen aus (konnten gar nicht anders aussehen) wie zwei Dicke, die gerade den nächsten Schnellimbiss ansteuern. Dicke in Begleitung anderer Dicker wirken *automatisch* nochmal dicker. Ich betrat die U-Bahn als Erster. Unbekanntes Terrain wird vom Mann erkundet, das gehört sich so und ist zudem im genetischen Programm verankert. Ich setzte mich auf den nächsten freien Platz, und Sonja ließ sich neben mich fallen. Nicht gegenüber, sondern daneben, wie früher meine Mutter.

Die Busfahrten mit meiner Mutter waren mir immer schrecklich peinlich gewesen. Während sie noch vorne die Fahrscheine löste, hatte ich mich, so schnell ich konnte, nach hinten verdrückt, möglichst auf die letzte Bank. Ich träumte immer davon, dass sie auf dem Schwerbehindertenplatz gleich hinter dem Fahrer Platz nehmen würde, damit nicht rauskam, dass wir überhaupt zusammengehören. Es sollte ein Traum bleiben:

«WAS SOLL DAS, MARKUS, WIESO GEHST DU DENN NACH HINTEN, HIER SIND DOCH GLEICH ZWEI PLÄTZE. KOMM MAL WIEDER HIERHER!»

Die Mädchen guckten komisch. Was ist denn mit dem los? Trottel. Arme Wurst. Spastiker.

«MARKUS, SAG MAL, WAS SOLL DAS, WIESO LÄUFST DU IMMER GLEICH WEG? DU MUSST DOCH GESEHEN HABEN, DASS HIER NOCH ZWEI PLÄTZE FREI SIND. MANCHMAL VERSTEH ICH DICH WIRKLICH NICHT!»

Allerdings! Sie war einfach nicht in der Lage, sich in einen pubertierenden Jungen hineinzuversetzen, sie begriff nicht, dass sie mich bis auf die Knochen blamierte. Mir blieb nichts anderes übrig, als mich durch den ganzen Bus wieder nach vorn zu kämpfen und neben sie zu setzen.

«Mama, kannst du nicht ein bisschen leiser reden? Das müssen doch nicht alle mitkriegen.»

«SO? MIR IST EGAL, OB IRGENDJEMAND ZUHÖRT ODER NICHT. ICH LASSE MIR AUSSERDEM VON NIEMANDEM DEN MUND VERBIETEN, UND SCHON GAR NICHT VON MEINEM HERRN SOHN!»

Oneinoneinonein. Sie konnte mit mir nichts anfangen, und ich nichts mit ihr, so einfach war das. Das sollte meine Mutter sein? Unmöglich. Vertauscht, ich war als Baby vertauscht worden! Meine Mutter hatte in der kurzen Zeit, in der ihre Existenz auf meine einwirkte, ganze Arbeit geleistet, ein Gespenst aus Druck, Schuld, Trauer, Enttäuschung und, um dem allen die Krone aufzusetzen, absoluter Humorlosigkeit. Eigentlich lachte sie überhaupt nicht, und wenn, dann nur zu amtlich beglaubigten Anlässen (fünfte Jahreszeit) aus den falschen Gründen über die falschen Sachen. Der Einzige in unserer Familie, der Humor hat, ist Onkel Friedrich. Häufig derb, aber immer lustig. Für meine Mutter war Onkel Friedrich natürlich das Letzte: «So, Markus, jetzt will ich dir mal was sagen: Onkel Friedrich ist ein ganz schlimmer Prolet. Außerdem raucht er, und Raucher sind alles Schweine. Ich begreife nicht, wie du über seine schweinischen Witze lachen kannst. Bist du denn wirklich so dumm? Du enttäuschst mich wirklich.»

Das sitzt bis zum Ende des Lebens. Jede Frau, die neu in mein Leben tritt, eine Wiedergängerin meiner Mutter, eine, die das schlechte Gewissen verwaltet und dafür sorgt, dass der Strom der finsteren Gefühle niemals versiegt. Schuld erzeugt Schuld und Schuldesschuld und Schuldesschuldesschuld, und irgendwann versinkt das Leben in einer nicht mehr zu tilgenden Schuldenlast. Zum Glück war sie früh aus meinem Leben verschwunden, einfach abgehauen mit dem Neuen, der mit mir nichts anfangen konnte und wollte. Die Drecksau hatte sie, ohne mit der Wimper zu zucken, vor die Alternative gestellt: Entweder ich oder dein doofer Sohn. Ein ganz schlimmer Mann, ich glaube sogar: ein böser Mann. Einmal, als ich mit ihm allein war, hat er mir seinen Zeigefinger in die Wange gedrückt und rumgebohrt. Ich begriff nicht, was das sollte, und war ganz starr vor Schreck. Nach einer Weile sagte er: «Merkst du das, Markus, du bist ganz weich. Guck mal, wenn ich hier einen Finger reinstecke, kommt er auf der anderen Seite wieder raus.» Das war eine der schrecklichsten Sachen, die je ein Mensch mit mir gemacht hat.

Wenigstens musste ich nicht ins Heim und wurde außerdem von allen bedauert. Die einhellige Meinung: der arme Markus. Das ungeliebte Kind. Daran wird er zerbrechen. Von wegen. Ich war erleichtert über ihren Abgang gewesen, wirklich unendlich erleichtert, denn ich wusste, dass es mein ganzes Leben lang so weitergegangen wäre. Ein Psychiater hätte natürlich schon von Berufs wegen eine ganz andere Meinung. Soll er, kann er, interessiert mich nicht. Ich bin erwachsen und möchte nicht therapiert werden. Ich möchte auch nicht beraten werden. Beratung kommt für mich zu spät. Ich möchte niemandem gegenübersitzen und falsche Fragen beantworten. Die wesentlichen Fragen habe ich mir alle bis zum Erbrechen selbst gestellt, die anderen stellen ausschließlich Trivialfragen.

Der Waggon war für die Tageszeit ziemlich voll. Direkt an der Tür nestelte ein attraktives Pärchen verliebt aneinander herum. Nesteln, fummeln, tatschen, schmusen. Hässliche Menschen trauen sich öffentlich nur herumzuirgendwas, wenn sie besoffen mit dem Nachtbus unterwegs sind. Nüchtern schämen sie sich ihrer Existenz, machen sich so klein wie möglich und hoffen, dass alles schnell vorbeigeht. Direkt vor Sonjas Haus *ist eine Bushaltestelle untergebracht* (haha, das wollte der Lektor rausnehmen, ich hab mich durchgesetzt), in der es regelmäßig hoch hergeht: Patienten aus der benachbarten Tagesklinik (Down-Syndrom) überbrücken die Wartezeit mit Zungenküssen und Heavy Petting. Völlig ungeniert. Manchmal schaue ich mir das verdorbene Treiben vom Balkon an. Die haben's gut, können machen, was sie wollen, sind für nichts verantwortlich. Die Omas gehen trotz schwerer Beine meist eine Haltestelle weiter, stummer Protest, mehr können sie nicht machen, da die Heimleitung die zahlreichen Beschwerden zwar zur Kenntnis nimmt, jedoch keine entsprechenden Maßnahmen einleitet. Die armen Mogos. Haben nicht viel vom Leben, essen, grapschen und früh sterben.

Die Bahn fuhr und fuhr nicht. Sonja ballte die Hände zusammen, ihre Knöchel traten hervor und wurden kalkweiß. Sie kochte innerlich. Meine Güte, die Wutschwelle sank mit jedem Tag ein Stückchen mehr, bald würde sie einen Zigarettenautomaten aus der Verankerung prügeln, nur wenn ein Münzstück durchfiel. Wo sollte das nur enden?

Dann entfuhr ihr vollkommen überraschend etwas Seltsames und sehr Komisches: «Nun fahr schon los, du schwuler Zug.» Schwuler Zug. Früher hatte sie so was öfter gebracht. Ich unterdrückte ein Lachen, da ich befürchtete, sie könnte es als Auslachen missverstehen. Missverständnisse, nichts als Missverständnisse, alles zwischen uns bestand aus Missverständnissen.

«Warum fährt die Kackbahn nicht endlich ab?»

«Ich weiß es doch auch nicht.»

Ich hauchte vor Langeweile an die Scheibe, eine Angewohnheit von früher. Wie lange man wohl an die Scheibe hauchen muss, um ein Schnapsglas zu füllen? Wieder eine Frage für ein TV-Wissensmagazin. Bewegt sich die Tankan-

zeigenadel auch nach oben, wenn man statt Benzin Apfelschorle einfüllt? Verlaufen Sitzfalten überwiegend diago-
nal oder horizontal? Endlich das erlösende Fiepen. Piep,
piep piep. Leise machte ich das Geräusch mit. Mehr hüt als
piep. Hüüt. Oder noch genauer üüt, ohne h. «Üütüütüüt-
ütütütütüt». In letzter Sekunde stürmte ein sehr dicker
Mann mit aller Macht in die sich schließende Tür. In der
einen Hand hielt er ein dampfendes Stück Pizza, mit der
anderen drückte und zog und presste er. «ZURÜCKBLEI-
BEN! BITTE NICHT MEHR EINSTEIGEN!» Keuchend
und mit hochrotem Kopf gelang es ihm, sich doch noch
hereinzuzwängen. Sonja konnte sich kaum beherrschen.
Ich schaute sie an und las den genauen Wortlaut über ihrem Kopf:

«WAS FÄLLT DIR HÄSSLICHEM KLUMPEN TALG EIN,
DIE ABFAHRT DES ZUGES ZU VERZÖGERN? MIT KRÄF-
TIGEN TRITTEN IN ARSCH UND HODEN GEHÖRST
DU DORTHIN GEPRÜGELT, WO DEIN PLATZ IST: AUF
DIE GLEISE! LOS HINUNTER, DU BIST GERADE GUT
GENUG, DIE SCHIENEN BLANK ZU LECKEN!»

Sollte sie es doch endlich mal sagen! Es rauslassen!

Der Dicke guckt betreten zu Boden und versucht, noch
ganz außer Atem, sich klein und unauffällig zu machen.
Ein Ding der Unmöglichkeit, denn alles an ihm ist groß
und auffällig. Blitzschnell verbreitet sich unerträglicher
warmer Salamigestank. Er hatte nach der Arbeit so schrecklichen Hunger gehabt, dass er es bis zu Hause nicht mehr
aushalten konnte, aber jetzt würde er sich das Drecksessen
am liebsten in den Schritt stopfen, nur, um nicht so böse
angestarrt zu werden. Er trägt einen blauen Arbeitsoverall,

und seine Füße in der Größe amerikanischer Profi-Basketballspieler stecken in klobigen Sicherheitsstiefeln. Wie das wohl riecht, wenn er die auszieht? Lieber nicht drüber nachdenken. Der arbeitet bestimmt bei der Müllabfuhr oder Sperrmüllabfuhr oder Altkleiderabfuhr oder irgendeiner anderen Abfuhr, bei dieser Hitze trägt doch kein normaler Mensch solche Behindertenschuhe. Das Pärchen ist sichtbar angeekelt und rückt demonstrativ ab von ihm, das Schwein soll spüren, dass es ein Schwein ist, ein ekelhaftes Schwein.

Aus seinen Leberflecken am Hals sprießen dunkle Borsten. Ein Borstenschwein. Nase, Ohren, Zehen, Arschritze, Bauchnabel, aus allen Ritzen und Falten kommen diese ekelhaften, dicken Haare gekrochen. Gestern Abend erst hat er kontrolliert, da war noch alles in Ordnung, glatt wie ein Babypopo, woher in Gottes Namen kommen nur diese Wachstumsschübe? Aber nicht nur die Haare: Leberflecken, Warzen, Schuppen, Placken, Grieben, Schmutzinseln, Drecksatolle, käsige Gerinnsel, er ist regelrecht eingedunkelt. Sein Fleisch sieht aus, als hätte man es ausgeschabt, mit Döner vermischt und vermittels einer Spritztüte wieder eingefüllt, seine Hände sind Pfoten, die Füße Tatzen, die Brüste Zysten. Sein einziges Hobby: Er legt sich nachts auf die Straße und lässt sich überrollen, nur zum Spaß, weil er das Brechen, Splittern und Reißen der Knochen so mag. An irgendjemanden erinnerte er mich. Irgendeine Zeichentrickfigur, eine Karikatur, einen Comic-Helden. Seine Schultern sind verhältnismäßig schmal, der Oberkörper wird zur Mitte immer gewaltiger und läuft in einem riesigen, birnenförmigen Po aus. Sein dünner, zerzauster Schnauzbart und die wenigen, zu einem Zopf gebundenen Haare, es lag mir auf der Zunge, und endlich hatte ich es: Obelix! Bestimmt heißt er Frank oder Thomas, aber seit der Kindergartenzeit nennen ihn alle Obelix, selbst seine Mutter hat seinen richtigen Namen vergessen. Zum Geburtstag bekommt er als Running Gag Hinkelsteine geschenkt, mittlerweile ist seine gesamte Wohnung damit vollgemüllt. Ein schrecklicher Gag. Ein Stuhl, ein Tisch, ein Bett, ein Schrank und Dutzende Findlinge. Sie wegzuschmeißen traut er sich nicht, weil er seine wenigen Freunde nicht verprellen will.

Der Pizzageruch ist unerträglich, das schöne Pärchen hält sich demonstrativ die Nase zu. Obelix stopft den Müllfraß mit seinen verdreckten Pranken in so rasender Geschwindigkeit in sich hinein, als würde er an einem Schnellfresswettbewerb teilnehmen. Menschen wie er haben ihr Recht auf Genuss verwirkt. Sie haben im Grunde genommen ihr Recht auf alles verwirkt. Die Würde des Menschen ist unantastbar? Hahaha, dreimal laut gelacht. Vor Angst und Aufregung sifft er seinen Overall mit Tomaten, Zwiebeln und Salamischeiben voll. Er wischt sich mit dem Ärmel über die Lippen, aus dem rechten Mundwinkel hängt ein Käsefaden, der Bart ist dunkelrot von Soße. Aus Versehen (Aufregung) rülpst er. Die Schönen sind fassungslos. Das ist doch kein Mensch mehr. Für ihn und die gesamte Menschheit wäre es besser, wenn er endlich sterben würde, sterben könnte. An der nächsten Station können sie aussteigen, endlich. Die Frau bleibt demonstrativ vor Obelix stehen, damit der die verdammte Tür frei macht. Er schaut auf den Boden und rollt sich regelrecht ein. Ihn mit sehr bösem Blick fixierend, quetscht sie sich an ihm vorbei. Obelix schaut auf den Boden und rollt und rollt und rollt sich immer weiter ein, bis er endlich zu seiner wahren Form findet: der einer Schnecke. Doch das reicht nicht. Kleiner und kleiner und kleiner muss er sich machen, bis er endlich vom Erdboden verschwunden ist. Oder explodiert. Lange kann es nicht mehr dauern, und der eingelagerte Schmerz seines ganzen Lebens löst sich in einer gewaltigen Explosion.

Birgit und ihre Crew hatten vor der Dönerbude Stellung bezogen. Es war das erste Mal, dass Sonja ihnen begegnete. «Was sind denn das für welche? Wo kommen die denn plötzlich her? Gibt es in der Gegend seit neuestem Penner?» – «Keine Ahnung.» Ich hatte ihr nichts erzählt. Träge schoben wir uns zur Käfersiedlung, zwei Panzer mit zerschossenen Ketten, russische T-34 aus dem Zweiten Weltkrieg oder der träge deutsche Riesenpanzer Tiger, der dem Feind ein derart gutes Ziel bot, dass er trotz überlegener Feuerkraft wie eine Tontaube abgeschossen wurde.

Ob es so etwas wie eine offizielle Altersgrenze gibt, ab der man in die Käfersiedlung eingezogen wird? Der hünenhafte Mitarbeiter eines privaten Sicherheitsdienstes hindert mich freundlich, aber bestimmt am Verlassen der Siedlung:

«Herr Erdmann, nichts für ungut, aber Sie bleiben hier.»

«Aber mein Bus, ich muss doch meinen Bus …»

Der Privatsheriff unterbricht mich mit ruhiger Stimme

und deutet auf das amtliche Formular, auf dem es schwarz auf weiß steht, mit dem Amtssiegel des Bezirksamtes Hamburg-Nord: In der Angelegenheit Zwangsumsiedlung Markus Erdmann ...

«Sie müssen Ihren Bus nicht mehr erreichen. Sie sind in Ihrem Leben schon viel zu viel Bus gefahren.»

Er legt seinen muskelbepackten Arm um meine Schultern und deutet mit dem Kopf in Richtung Sandkäferweg. «Da drüben wohnen Sie jetzt, Nummer 67. Gehen Sie gleich dorthin und legen sich ein Stündchen aufs Ohr, Sie sehen müde aus.»

Ich habe immer noch nicht verstanden.

«Sie bleiben ab heute bei uns. Sie werden sehen, wie wohl Sie sich fühlen. Schauen Sie sich um, alles für den täglichen Bedarf ist vorhanden. Ein Kaufmannsladen. Ein praktischer Arzt, der ambulant auch kleinere Operationen vornimmt. Eine Apotheke. Ein Sanitärfachgeschäft. Ein Drogeriemarkt. Und ganz viele Briefkästen.»

Widerstand zwecklos. Dann ist das wohl so. Sonja zögert, sie weiß nicht, ob die Anordnungen auch für sie gelten, sie wird jedoch von dem freundlichen Riesen durchgewinkt.

«Sie dürfen sich jetzt voneinander verabschieden.»

Er dreht sich für diesen privaten Moment diskret zur Seite.

Etwas scheu reichen wir uns die Hände, zum vermutlich letzten Mal.

«Tschüs, Sonja.»

«Tschüs, Markus, tut mir leid du. Der Bus ...»

«Kein, Problem. Wenn du dich beeilst, schaffst du ihn.»

«Danke. Also, mach's gut.»

«Du auch. Alles Gute.»

«Jetzt muss ich aber wirklich. Tschüs.»

«Tschüs.»

Sie hat es mit einem Mal sehr eilig. Ich winke ihr versonnen hinterher. An der Ecke Marienkäfer- / Sandkäferweg dreht sie sich ein letztes Mal um. Die Hauptstraße ist nur noch wenige Meter entfernt, man hört schon den Bus kommen. Sie nimmt die Beine in die Hand, dann ist sie verschwunden. Der Hüne tippt mir sacht auf die Schulter und holt mich in die Wirklichkeit zurück.

«Sie sollten jetzt wirklich ins Haus gehen bei der großen Hitze. Zur Eingewöhnung werde ich Sie heute mal begleiten.»

Großmutter öffnete erst nach dem fünften oder sechsten Läuten (sie weigert sich beharrlich, ein Hörgerät zu tragen, weil das angeblich so *schrecklich alt* aussieht). Ihre schlohweißen Haare waren ganz durcheinander, und am Hals klebte ein Klecks Schlagsahne, von dem ein dünner, milchiger Faden auf ihr Kleid rann. Sie wirkte gehetzt und erschöpft.

«Da seid ihr ja endlich.»

«Nicht endlich. Da sind wir. Immer sagst du, wir wären *endlich* da, egal, ob wir zu früh, zu spät oder auf die Minute pünktlich sind. Und jetzt sind wir genau eine Minute zu früh. Also bitte nicht immer endlich sagen.»

Sie guckte mich ganz traurig an.

«Ach, Markus, nun sei doch nicht gleich wieder so.»

«Unsinn. Als ob ich immer gleich so wäre.»

Was soll das überhaupt bedeuten, gleich so sein? Schwammiges Gequatsche.

«Ach, Markus.»

«Ja, ist ja gut. Wo ist Opa überhaupt?»

«Hinten auf der Terrasse.»

«Auf der Terrasse? Bei der Hitze?»

«Er wollte unbedingt.»

«Na gut, dann lass uns mal.»

Opa saß zusammengesunken am Gartentisch. Sonja gab ihm ein Küsschen, Opa drückte ihr die Hand.

«Herzlichen Glückwunsch. Na, du hast dir heute aber ein Geburtstagswetter ausgesucht.»

Sie legte ein in rotes Geschenkpapier verpacktes Bündel auf den Tisch. Opa machte nicht viel Federlesen und rupfte es auf. Rupfen konnte er immer noch gut. Ein Pyjama. In Rot, praktisch wie das Papier. Auch alte, verwirrte Menschen freuen sich nicht *automatisch* über alles. Ich drückte ihm das Messer in die Hand, ohne Geschenkpapier. «Hier, Opa, aber nicht schneiden!» Opa, der praktisch sein halbes Leben im Bombenhagel verbracht hatte, klappte jede Klinge einzeln auf und wieder zu. Waffen, Krieg, Schießereien, das kriegt man nie mehr weg. Oma bekam es mit der Angst zu tun. Nachher, wenn wir weg waren, würde sie ihm das Messer wegnehmen. Am nächsten Tag würde er sowieso alles vergessen haben, den Pyjama, das Messer und den Geburtstag sowieso. «So, Sonja, wir gehen mal in die Küche und lassen die Männer allein.»

Opa hielt das Messer fest umschlossen. In Stahlgewittern, gleich kommt der Feind. Der eingesunkene Brustkorb hob und senkte sich. Er machte den Mund auf und zu und sah aus, als würde er bis zum Abend verdurstet sein. Wie er so klein und zusammengefaltet im Gartenstuhl eingesunken war, konnte ich mir noch weniger vorstellen, dass er mich jahrelang in Angst und Schrecken versetzt hatte. Opa schabte mit der scharfen Klinge an dem uralten Gartenmöbel herum. Dann drehte er an seinem Ehering herum und schaute mich aus verschlierten Augen an.

«Das freut mich aber, dass du gekommen bist. Wie geht es dir denn, mein Junge?»

«Ach, es geht so. Mir macht die dauernde Hitze zu schaffen.»

«Mir auch, Markus, das darfst du glauben.»

«Aber du bist doch heute die Hauptperson, wie geht es dir denn?»

«Mir geht es gar nicht gut. Ich hab Angst.»

«Wieso das denn? Wovor hast du denn Angst?»

«Dass ich bald sterben muss. Ich behalte gar nichts mehr. Oma geht es auch schlecht. Das sagt sie bloß nicht.»

Es war sehr heiß und still. In seinen aschfahlen Zügen war der Widerschein der verlorenen Lebensmühe und der düsteren Eintönigkeit seines Kampfes zu erkennen. Der sich zersetzende Geist, die Hilflosigkeit, das Elend seiner Beschränkungen. Seine Augen füllten sich mit Tränen, die auf den hellen Sommeranzug tropften. Meine Eingeweide klumpten sich zusammen, ich wurde überwältigt von Zuneigung und Zärtlichkeit. Ich erinnerte mich plötzlich an ganz früher, als ich klein gewesen und jeden Sonntagmorgen zu ihm ins Bett gekrabbelt war, während Oma schon längst in der Küche vor sich hin wuselte. Die Zeit zwischen neun und elf gehörte uns und Opas Abenteuern aus dem Zweiten Weltkrieg, an dem er als einfacher Soldat teilgenommen hatte. Den anderen Kindern wurden Märchen aufgetischt, mir wahre, selbsterlebte Geschichten! Dass sie sich nach kurzer Zeit wiederholten, war vollkommen egal. Die Top-Story hätte ich mir immer wieder anhören können. Es ging quasi um Befehlsverweigerung:

Opa war nach einem zehnstündigen Gewaltmarsch vollkommen am Ende gewesen und hatte die verdiente Pause herbeigesehnt. Endlich war es so weit: Rucksack ab, Gewehr ab, Schuhe aus und im Kreis der ebenfalls bis auf die Knochen erschöpften Kameraden eine schöne heiße Suppe löffeln. Doch plötzlich, Opa hatte die Suppe noch nicht mal zur Hälfte aufgegessen, hieß es schon wieder: Abmarsch! Was zu viel ist, ist zu viel, scheiß aufs Kriegsgericht, scheiß auf den Führereid, Opa blieb sitzen und löffelte weiter. Der Kompanieführer brüllte und tanzte um ihn herum wie ein wild gewordenes Rumpelstilzchen, doch Opa ließ sich nicht beirren. Soll er mich doch erschießen! Und das Wunder geschah: Der Leutnant ließ Gnade vor Recht ergehen und die Angelegenheit auf sich beruhen. Keine Strafe. Kein Kriegsgericht. Wahnsinn. Großvater war Widerstandskämpfer gewesen, beinahe jedenfalls.

Manchmal beschlichen mich *leichte* Zweifel über den Wahrheitsgehalt dieser und anderer ziemlich sagenhafter Geschichten, doch Großvater war ein Ehrenmann, der in seinem ganzen Leben noch nie gelogen hatte, niemals, keine Ausreden, keine Ausflüchte, keine Notlügen, keine Halbwahrheiten, kein Jägerlatein, kein nichts. Nur bei der einen Frage, die kleine Jungs naturgemäß am brennendsten interessiert, hatte er aus möglicherweise pädagogischen Gründen möglicherweise geflunkert. «Opa, hast du auch jemand totgeschossen?» Die unbefriedigende Antwort: Das wisse er auch nicht so genau, er könne es nicht hundertprozentig ausschließen, aber erschossen, also Aug in Aug, oder mit dem Bajonett aufgeschlitzt habe er niemanden. Man habe den Feind häufig nicht erkennen können aus den großen Entfernungen, und wer könne schon genau sagen, welche Kugel tödlich gewesen sei. Und das wolle man auch gar nicht wissen.

Es war schön warm im Bett, Opa genoss das Opasein und ich das Enkelsein, und von mir aus hätte es so weitergehen können bis ans Ende aller Zeiten. Doch von einem Tag auf den anderen war Schluss mit Geschichten und Gekuschel. Eines verregneten Sonntagmorgens verweigerte er mir den Eintritt. Begründung: Ich sei jetzt kein kleines Kind mehr. Er schien sich verpflichtet zu fühlen, den fehlenden Vater zu ersetzen und mich zu einem Mann zu erziehen, einem Mann, wie er selbst einer war, einer, den Disziplin und eiserner Wille durchs Leben peitschen. Da das Leben keine Rücksicht auf ihn genommen hatte, nahm er auch keine auf mich. Und auch auf sonst niemanden, noch nicht mal auf die Großmutter.

Weil er das Kind armer Leute gewesen war, hatte er nur die Volksschule besuchen dürfen und im Anschluss eine Schlosserlehre gemacht. Dann brach auch schon der verdammte Krieg aus, und nachdem er den überstanden hatte, erwischte ihn im Hungerwinter 1946 eine Rippenfellentzündung, an der er fast krepiert wäre. Es folgten harte Gesellenjahre in den Wilhelmsburger Zinnwerken. Tagsüber rackern, nach Feierabend Abendschule und am Wochenende lernen. Nur einmal im Jahr gönnte er der Großmutter und sich eine zweiwöchige *Sommerfrische* in Berchtesgaden. Doch mit vierzig hatte der zähe, harte Mann, den seine Kollegen spöttisch «den Halben» (Opa maß nur 1,64, jetzt noch weniger) nannten, sein großes Ziel endlich erreicht: Maschinenbauingenieur. Und drei Jahre später Oberingenieur. Vielleicht hatte er gehofft, alles würde sich jetzt zum Besseren wenden, aber in seinem Leben hatte sich schon zu viel Falsches angestaut und war zu einem immer enger werdenden Gefängnis geworden. Er selbst verbreitete nun eine Aura, die anderen Menschen die Luft zum Atmen nahm. Bald kam nur noch Omas Schwester Anni zu Besuch, um die Herrenzimmercouch durchzusitzen. Es wurde zu Großvaters Altersziel, seinem großen Vorbild Konrad Adenauer zu folgen und *niemals* in Rente zu gehen, als ewiger Ingenieur in die Geschichte der Zinnwerke und die Geschichte der gesamten Ingenieurszunft einzugehen. Vielleicht hätte er das sogar geschafft, wenn der neuen Geschäftsführung Opas Verdienste um die Firma nicht reichlich egal gewesen wären. Kurz vor seinem fünfundsiebzigsten Geburtstag zwangen sie ihn in den Ruhestand, eine Demütigung, von der er sich nicht mehr erholte.

Er schaute mich an und streichelte über meine Hand.

«Ach, Markus, mein lieber Junge. Du guter Junge du.»

«Keine Angst, Opa.»

«Ich weiß es gar nicht.»

«Ja, natürlich, keine Angst.»

Aus der Küche drang fröhliches Geschnatter. Die beiden Frauen benahmen sich trotz des Altersunterschiedes wie Freundinnen, was ich irgendwie peinlich fand. Hoffentlich hatte Oma Preiselbeertorte gebacken, das Flaggschiff unter den Sommertorten, wunderbar erfrischende, säuerliche Preiselbeertorte, genau das Richtige bei der Hitze. Oft sagt man fahrlässig dahin, diese oder jene Spezialität bekomme niemand so hin wie dieser oder jener. Aber im Fall von Großmutters Preiselbeertorte ist es tatsächlich so: Wenn jemals etwas unwiderstehlich geschmeckt hat, dann ihre nach einem jahrtausendealten Geheimrezept handgeknetete Festtagstorte. Unten mürb, oben kross, in der Mitte sämig. Oma ist eine Meisterin des Mürbeteigs, kein Mensch auf der ganzen Welt bekommt den hauchdünnen Teig so hauchdünn und mürbe hin wie sie. Über dem Mürbeteig eine luftige Schicht aus Nüssen, gefolgt von einem Zwischenteig, dann Matschepatsche und obendrauf die von einer braunroten, lauwarmen Paste *umspielten* handgepulten Preiselbeeren. Sonja balancierte ein Tablett mit der Torte, Windbeuteln und klebrigem Bienenstich, den bei der Hitze (außer den Wespen) sowieso niemand anrühren würde, gefolgt von Oma mit frisch gemahlenem, handgebrühtem Bohnenkaffee, den sie in einer weißen Porzellankanne mit blauen Windmühlenmotiven servierte. Opa rührte die Preiselbeertorte nicht an und verputzte dafür in einem Affenzahn alle vier Windbeutel quasi auf einen Schlag. Immer wieder phänomenal, was in den alten Kör-

per alles hineinging. Nachdem er den letzten Beutel rein-
gedrückt hatte, war er ganz zugekleistert mit Schlagsahne
und Kirschmarmelade. Er lehnte sich erschöpft zurück
und wartete, dass Oma mit einem feuchten Tuch über ihn
drüberging. Oma und Sonja schnatterten langweiliges
Zeug, und Opas Lider waren bereits halb geschlossen. Er
dachte sicher an etwas Schönes, wahrscheinlich Krieg.
Zeit, dass der Geburtstag ausklang. Ich deckte extra laut
und ungeschickt den Tisch ab, und nachdem ich fertig
war, wurde ich ekelhaft ungemütlich:

«Entschuldigung, aber ich würd ganz gerne mal los. Ich
muss noch was machen.»

«Och, jetzt schon, Markus?»

«Nicht *och, jetzt schon!* Weder *endlich seid ihr da* noch *och,
jetzt schon wieder los.* Wir könnten bis Mitternacht hier hocken, und du würdest *och, jetzt schon* sagen.»

«Nun übertreib doch nicht so. Ich dachte, ihr bleibt wenigstens bis sieben.»

«Wieso, guckst du etwa auf die Uhr? Es geht doch nicht
um die Zeit, die man da ist, sondern darum, ob die Zeit erfüllt ist.»

«Na ja, wenn ihr losmüsst, müsst ihr los.»

«Wir sind ja schließlich auch berufstätig.»

Sonja schaute mich spöttisch an. Dumme Trine, halt
bloß dein Maul.

«Woran arbeitest du eigentlich gerade?»

Das hatte ich gern. Den ganzen Nachmittag hatte sich
Oma nicht für mich interessiert, und jetzt verzögerte sie
den Aufbruch durch Fangfragen.

«Wenn du damit ein bisschen früher gekommen wärst!

Jetzt hier zwischen Tür und Angel ist es ein bisschen spät, findest du nicht?»

Fragen immer mit Gegenfragen beantworten, das hatte ich von Opa, und der hatte das aus der schlechten Zeit.

«Na ja, dann kommt mal gut nach Hause. Komm doch auch bald mal wieder mit, Sonja.»

«Tschüüs, Oma.»

Ich ging noch einmal auf die Terrasse zurück und drückte Opa die Hand.

«Tschüs, mein Lieber. Bis Sonntag. Und iss mal heute lieber nichts mehr, sonst wird dir noch schlecht.»

So ein Quatsch. Opa wurde niemals schlecht.

«Vielen Dank für euren Besuch. Komm gut hin und komm gut wieder.»

«Ja logisch, versprochen.»

«Komm mal her, mein Junge.»

Er griff mein Handgelenk und zog mich zu sich herunter. Ich gab ihm ein Küsschen, und fast war es wie früher an den Sonntagvormittagen. So schließt sich der Kreis, dachte ich, und manchmal, wenn man schon gar nicht mehr damit rechnet, kommt man am Ende doch noch ins Reine. Nur darum geht es, wiedergutmachen lässt sich eh nichts.

«Tschüüs, Opa.»

«Auf Wiedersehen, mein Junge.»

Er winkte mir matt hinterher.

Sonja hatte sich schon verabschiedet und wartete an der Gartenpforte. Ich gab Oma ein Küsschen.

«Also tschüs dann.»

«Hast du eigentlich schlechte Laune?»

«Nein, was soll das denn? Ich muss jetzt echt los.»

«Das war eben nicht so gemeint. Ich dachte doch nur, dass ihr heute ausnahmsweise ein bisschen länger bleibt und mich mit Opa nicht gleich wieder allein lasst.»

«Sonntag bleib ich länger, versprochen.»

«Schön, dass ihr da wart.»

Wir gingen schweigend zur U-Bahn. Kein Wort, keinen Mucks, keinen Pieps, es gab nichts zu reden. Den Rekord in Sprachlosigkeit hatten wir aufgestellt, als wir nach einem Kinobesuch bis zum Schlafengehen kein Wort miteinander geredet hatten. Wie fandest du den Film, wollen wir noch 'ne Kleinigkeit essen, wie geht's, wie steht's? Nichts. Zähne putzen, Licht aus, Feierabend.

Wir standen auf dem Bahnsteig, stumm den Blick auf die Anzeigetafel gerichtet. Noch zwei endlose Minuten. Ich dachte an mein Vorhaben: «Die Zunge Europas». Vielleicht war der Titel zu eklig oder würde falsch verstanden werden (pornographische Konnotation). Alternativen: «Orangenhain». «Fischvogel». «Die Kürbisverheißung». Ohne Artikel. Einfach nur: «Kürbisverheißung». Oder: «Raumforderung». Ein metastasierender Text. Gab's leider schon, habe ich bei Amazon nachgeschaut, 2007, Thomas Melle, Suhrkamp. Oder was in der Art von Onkel Friedrich: «Entweder sahnig oder gar nicht». Guter Titel für ein Kochbuch. Erst Sahne macht die Soße rund. Was Kritisches: «Kindschrottmeile», «Kindschutt», «Schuttkind». Na, egal, eins nach dem anderen, erst mal anfangen.

Noch eine Minute.

Ich stellte mir vor, wie es gleich weitergehen würde,

und mir wurde schrecklich elend zumute. Das war mehr, als ich heute noch ertragen konnte.

«Mir ist irgendwie schlecht, ich glaub, ich muss mich mal hinlegen. Wär es schlimm, wenn ich heute mal allein nach Hause fahr?»

«Echt, dir ist schlecht? Musst du dich übergeben?»

«Weiß nicht, kann ich noch nicht sagen.»

«Hast du irgendwas gegessen? Vielleicht den Bienen-stich?»

Steilvorlage. Da war ich gar nicht drauf gekommen, bei Bienenstich kann man sich gut vorstellen, dass er schnell verdirbt, Stichwort Stich.

«Ja, du nicht?»

«Nee, nur Preiselbeertorte.»

«Ach so. Dann liegt's wohl daran.»

«Wann sehen wir uns? Freitag?»

«Nee, Freitag muss ich mich mit Sven treffen, der kann nur da. Ich würd sagen Samstag.»

«Ach so, wir können ja nochmal telefonieren. Dann gute Besserung.»

«Ja, danke.»

«Und wenn noch was ist, kannst du ja anrufen.»

«Mhm. Mach ich.»

Meine Bahn fuhr zuerst ein. Zum Abschied fasste ich ihr mit Daumen und Zeigefinger an die Schulter und drückte ein paarmal herum. Kein Streicheln, kein Massie-ren, kein Tätscheln, einfach nur Rumdrücken. Eine hilflo-sere Geste hatte es wohl auf der ganzen Welt noch nicht gegeben. Sie durchschaute es, und ich durchschaute es, und für einen Moment war alles klar. Jetzt, genau jetzt und hier, wäre der passende Zeitpunkt gekommen. Ich zog meine Hand zurück.

«Also.»

«Bis später.»

Zu Hause angekommen, packte ich ein paar Halbe und die Pferdedecke ein und ging in den Stadtpark, auf die große Wiese. Ich musste unbedingt mit der Großmutter reden, es gab so viel, was ich wissen wollte. Wissen musste. Von meinen Eltern, warum alles so gekommen war, es war mit einem Mal, als würden mir lebensnotwendige Informationen fehlen, Basiswissen. Die Jahre verstreichen, und nie wird über das Wesentliche gesprochen. Man glaubt, noch so viel Zeit zu haben, und irgendwann ist es zu spät.

Direkt neben mir bereiteten drei junge Männer eine Grillsession vor. Sie sahen aus, als kämen sie gerade von einem MTV- oder Werbe- oder Sonstwiewasgeilescasting: volle Haare, volle Lippen, klare Augen, feste Nägel, reine Haut, perfekte Körper, selbstverständliche Gesamterscheinung. Im Sommer Skaten oder Surfen, im Winter Snowboarden, danach Aprèsirgendwas. Hüttenzauber. Arbeiten? Fehlanzeige. Nachdem sie mit den Vorbereitungen fertig waren, zog der Geilste sein T-Shirt aus, stopfte es sich in den Gürtel und steckte sich eine Zigarette an. Das alles sah beneidenswert lässig aus. Wie machte der das nur? Antwort: Instinktive Überlegenheit. Er war nicht eine Spur bedürftig und konnte es sich leisten, einfach nur er selbst zu sein. Die Art, wie er sich auszog, wie wenig Aufsehen er um seinen Spitzenkörper machte, wie er rauchte und Bier trank, gelegentlich auf sein Handy blickte, sich

mit den Fingern durch die halblangen Haare fuhr und des-
interessiert in der Gegend herumschaute. So einer wird
nie notgeil, der hat in seinem Leben noch nicht gewichst.
Wahrscheinlich war er gar nichts. Dumm, arm, humorlos, und zum VJ reichte es auch nicht, in spätestens zehn
Jahren ist nichts mehr übrig von dem. Vielleicht hatte ich
sogar recht, aber das war egal. Ich hatte keine Lust mehr,
mich von unerreichbaren Oberkörpern demütigen zu lassen, und es bereitete mir nicht mal mehr ein dumpfes Vergnügen, mir vorzustellen, wie in zehn Jahren nichts von
ihm übrig war, und es war mir auch zu anstrengend, ihm
und seinesgleichen die Pest an den Hals zu wünschen oder
irgendwas anderes, was sie von ihrem hohen Drecksross
runterholte. Ich trank einen Schluck Bier und horchte in
meinen Körper hinein. Wenn man sich ganz doll konzentriert, kann man hören, wie die roten Blutkörperchen unermüdlich in einem rauschen. Was wäre der Mensch ohne
rote Blutkörperchen. Sport ist wie eine Operation ohne
Messer.

Zwei junge Frauen gesellten sich zu der Truppe, natürlich genauso jung und cool und geil. Sie steuerten Baguette
und zwei Packungen Würstchen und eine Schüssel mit irgendeinem Salat und eine andere Schüssel mit Mousse au
Chocolat zum Grillabend bei, eine Auswahl der schlimmsten Figurkiller aller Zeiten, aber die konnten ja essen,
was sie wollten, ihr überdrehter Stoffwechsel wurde mit
jeder verdammten Extrakalorie fertig. Die eine zog ihr Bi-
kinioberteil aus. Barbusig hockte sie im Schneidersitz und
drehte sich eine Zigarette, was auch schon wieder geil aussah (nicht die Titten, die sowieso, TOTAL PACKAGE, Digga).

Die dreht die Zigaretten nicht, weil sie kein Geld hat, sondern weil's einfach geiler aussieht. Mir fiel der Lieblingstrinkspruch von Onkel Friedrich ein: «Benedictum, Benedactum, in Afrika laufen die Frauen nackt rum. Bei uns tragen sie Kleider. Leider!» Ich hatte hier nichts mehr verloren. Als ich aufstand, schaute mich die Barbusige an und lächelte. Zu meiner *wirklichen* Überraschung. Für einen Moment wünschte ich mir nichts sehnlicher, als dass sie mich auf eine Wurst einladen würde. Mein Entree in die Runde wären geistreiche, witzige Bonmots, und wenn der Abend dann irgendwann ausklänge, wünschten sich alle, sie wären so wie ich, haha.

Nächsten Sonntag musste ich alles von der Großmutter erfahren! Das war ganz wichtig, ich durfte unter keinen Umständen vergessen, sie danach zu fragen. Vielleicht wartete sie schon seit Jahren darauf, mir endlich *alles* zu erzählen. Wieder zu Hause, fühlte ich mich beschwingt und gleichzeitig sehr traurig, eine seltsame Mischung, ein süßer Schmerz. Immer wenn ich in diese Stimmung gerate, schaue ich mir alte Filme an. Nicht *Casablanca* oder *Sissi* oder *Der dritte Mann*, *meine* Lieblingsfilme sind karge Sozialdramen aus den Siebzigern und Achtzigern. Grobkörnige Bilder, triste Satellitenstädte, graugesichtige Menschen, schwere Schicksale, lange Einstellungen, hervorragende Schauspieler. Und vor allem kein nervtötendes Gedudel (Filmmusik) unter jeder gottverdammten Szene. Manche Filme kommen tatsächlich ohne einen einzigen Ton aus. Ich entschied mich für einen Siebzigerjahre-Tatort mit dem Kieler Kommissar Klaus Schwarzkopf. Regie: Wolfgang Petersen. Was hat Wolfgang Petersen damals nur für Spitzenfilme gemacht. Es hätte ein bedeutender Regisseur aus ihm werden können. Klaus Schwarzkopf war nicht nur ein hervorragender Schauspieler, sondern auch der erste Synchronsprecher von Inspector Columbo gewesen, nach seinem Tod trat jemand mit einer markigen Werbestimme seine Nachfolge an. Welcher Fernsehhitler ist nur auf die verfickte Nazi-Idee gekommen, den verschmitzten Inspector Columbo von einer Warsteiner-Sau synchronisieren zu lassen? Das war's dann für mich mit Inspector Columbo, schade eigentlich. Günter Lamprecht, einer meiner All-Time-Lieblingsschauspieler, spielte in dem Tatort einen Polizisten, der auf die schiefe Bahn gerät. In den Siebzigern war Günter Lamprecht auf der Höhe seiner Schauspielkunst und seiner physischen Kraft. Ich schaute mir gleich noch zwei weitere Filme mit ihm an: *Flüchtige Bekanntschaften* und *Rückfälle*. Einer ging noch: *Die Freiheiten der Langeweile*, auch ein toller Film, allerdings ohne Lamprecht. Ungefähr bei der Hälfte schief ich ein.

DONNERSTAG

Gespenster aus der Vergangenheit

Wie angenehm müsste es sein, ein Leben im Halbschlaf zu verbringen. Einnicken, dämmern, kurz wieder aufwachen, erneut einnicken und nie richtig wach werden. Ein Tag ist wie der andere, aristokratischer Müßiggang, ein schläfriges Dasein, das unaufgeregt verstreicht, kein spezielles Ziel kennt oder fortwährend kleinkrämerisch irgendwelche «Bilanzen» zieht, nach denen zum Schluss eh kein Hahn kräht. Die beruhigende Gewissheit, dass man irgendwann zu Staub zerfällt und es *eigentlich* auf gar nichts ankommt. Höhere Menschwerdung in der Horizontalen. Wenn man den ganzen Tag pennt, benötigt man auch keine Stimulanzien (Kaffee, Zigaretten, aufregendes Fernsehprogramm). Ich hielt die Augen geschlossen und wartete. Die einen brüten Nachwuchs aus, die anderen Ideen. Nachwuchs will gestillt werden, Ideen muss man anreichern. Wenn Einfälle* das Licht der Welt erblicken, sind sie mickrig und schwach wie Frühchen. Steißgeburt, Sturzgeburt, Kaiserschnitt.

Leider verbanden sich die Spin-Schäume mit den Strings

*INFOKASTEN:
Woraus bestehen Ideen?
Antwortmöglichkeiten: 1. Aus Spin-Schäumen. 2. Aus Strings, die in einer zehndimensionalen Raumzeit schwingen.

nicht auf die gewünschte Weise, sondern im Sinne einer Schwarzkörperstrahlung bzw. Rotverschiebung zu einem sexuellen Hintergrundrauschen, das wieder einmal der Freundin der Nachbarstocher galt. Außerdem: erotische Fragmente, gierige Bruchstücke, angesaute Miniaturen: Hier ein ausgeleierter Mund, dort ein gebrochenes Bein, hier ein dicker Po, dort ein blutig gepiercter Speckbauch. (Bevor sie ganz im Fett verschwunden sind, muss man Piercings entgegen dem Uhrzeigersinn rausdrehen wie einen Zeck.) Spin-Träume sind Schäume: mit der Buckligen im Fahrradkeller. Die Bucklige schnallt sich auf den Buckel einen Umschnallbuckel. Und darüber einen Überhangbuckel. Und darüber noch einen Katzenbuckel. Bizarre Spielchen. Sonja und ich hatten auch mal eine kurze *Spielchenphase* gehabt. Unvorstellbar. Der schlechteste Sextipp aller Zeiten ist, einem lustlosen Paar zu empfehlen, sein Sexleben mit Hilfe von «Hilfsmitteln» (mit Hilfe von Hilfsmitteln, genau) aufzumöbeln. Ehehygiene. Eine Frau in Strapsen und ein Mann mit Fetischmaske sitzen auf dem Sofa, zwischen ihnen eine aufblasbare Puppe, auf dem Beistelltisch Handschellen, Gleitcreme und Fisselkram. Und nun?

Wir hatten auch mal Fesselspielchen ausprobiert, es jedoch bei einem Versuch bewenden lassen. Zu ungeschickt. Zu ungeil. Dildos, Pornos, glühende Zangen, Henkersmasken, Streckbett, tausend Stecknadeln, Liebeskugeln, wo war der Kram eigentlich abgeblieben? So was schmeißt man doch nicht weg, sondern lagert es ein. Für bessere Zeiten. Die Sachen moderten bestimmt in einem Umzugskarton im Keller vor sich hin. Scheiß auf den Halbschlaf, das interessierte mich nun doch.

Schneller als erwartet wurde ich fündig. Unter einer dicken Schicht Altkleider lagerte eine Plastiktüte mit einem nicht mehr aktuellen Karstadt-Logo. Das musste es sein. Ohne groß hineinzugucken, schlich ich mit dem Sausack nach oben und schüttete alles auf dem Wohnzimmerboden aus. Neben diversen Schweinereien fand sich auch eine VHS-Kassette, auf deren fast abgelöster Banderole ich meine Handschrift identifizierte: *RAF-Doku. Teil eins.* Hä? Wie hatte sich so etwas in meine erotische Schatztruhe verirrt, da stimmte doch was nicht! RAF-Doku Teil eins. Überleg, Grübel, Gedankenwälz. Gibt's doch nicht! Es konnte sich nur um die Kassette mit *den Aufnahmen* handeln. Einsamer Höhepunkt unserer sexuellen Laufbahn, die Mitschnitte erotischer Sessions. Nachdem unzählige Stunden Rohmaterial zusammengebumst waren, hatte ich die schönsten Stellen auf Videokassetten zusammengefrickelt und zur Tarnung mit irreführenden Beschriftungen versehen. Nach meinem Ableben käme sicher niemand auf die Idee, dass auf halb zerfallenen VHS-Schwarzbroten mit den Etiketten *Forsthaus 21–25, Das Boot / Director's Cut* oder Mehrteilern übers Dritte Reich etwas ganz anderes zu sehen sein könnte. Das musste ich mir anschauen. Unverzüglich. Ich zog die Vorhänge zu und drückte die Playtaste.

Die Kamera ist aufs Sofa gerichtet, in dessen rechter Ecke Sonja in Latex-Kellnerinnentracht mit Schürze und Häubchen herumflegelt und, ihrer Körpersprache nach zu urteilen, sich auf das freut, was gleich kommt. Unvermittelt schiebt sich ein kalkweißer nackter Po ins Bild, gefolgt von Oberkörper und Armen. *Der Mann* packt Sonja grob an den Armen und positioniert sie mittiger. Dann verschwindet er wieder. Irgendwas scheint Sonja zu stören, sie gestikuliert und sagt aufgebracht: «Dro... Mac... d... hint... weg... nee.» Total abgehackt, kein Wort zu verstehen, die Tonspur hat offenbar unter der unfachgemäßen Lagerung gelitten. Erneut versperrt der Po die Sicht. Regieanweisung vom Mann: «Wert...unrg... nene! ...alat.» Dann setzt sich der Mann neben Sonja. Eigentlich sieht sie gar nicht so schlecht aus in dem Kostüm, jedenfalls besser als der Mann. Plötzlich ein Scheppern, begleitet von lautem Fluchen, dann ist nur noch ein Close-up der Sofalehne im Bild. Aha. Kamera umgekippt. Und? Das konnte doch unmöglich alles gewesen sein. Hatte ich wirklich so schlampig gearbeitet? Das war doch gar nicht meine Art. Vorspulen. Play. Gestochen scharfes Bild, auch die Tonspur hatte sich auf wundersame Weise erholt. «Sau», «Nutte», alberne Bumsbefehle. Plötzlich: «Fiffi.» Hatte sie mich wirklich Fiffi genannt? «Bist ja schon ganz aufgeregt. Böser Fiffi.» Schrecklich. Es gibt Menschen, die sind für den Geschlechtsverkehr einfach nicht gemacht. Ich schmiss die Kassette in den Müll. Braver Fiffi, böser Fiffi, meine Güte.

Mir kam es vor, als hätte ich ewig kein Fernsehen mehr geguckt. War eigentlich mal wieder eine neue «Big-Brother»-Staffel im Anmarsch? Die beiden einzigen Fremdwörter, die die Insassen beherrschen, sind «nominieren» und «im Endeffekt» (unsportlich, sich über das «Big-Brother»-Personal lustig zu machen). Auf VOX lief eine Dokumentation über eine ehemalige Kiezgröße, die sich das Leben genommen hatte. Der Starlude hatte nach den goldenen Zeiten in den Siebzigern und Achtzigern den Anschluss verpasst und musste zum Schluss als Altenpfleger arbeiten. O-Ton: «Ich will selber bestimmen, wann ich abtrete. Wie Inge Meysel bis zum Schluss an ihrem bisschen Scheißleben gehangen hat, festgeklammert wie ein Hund am abgenagten Knochen.» Da hatte er leider recht. Wenige Wochen nach dem Interview hatte er sich im Boxraum der «Ritze» aufgehängt.

RTL: *Unsere erste gemeinsame Wohnung:* Der junge Mann sammelt Star-Wars-Figuren, die Frau besitzt sogar zwei Sammlungen, eine mit Bärchen, die andere mit Elefanten. Der Mann hat für das Schlafzimmerfenster einen Kronkorken-Bierdeckelvorhang aus Hunderten von Bier- und Brausedeckeln, Wein- und Sektkorken gebastelt.

Im Teaser für eine neue Schuldenberatungsshow fällt ein sehr guter Satz: «Ratenzahlung bedeutet ja nun nicht, dass ich rate, wann Sie zahlen.» Echt gut. n-tv: Der Reporter steht vor der Zentrale eines *Versorgers* und berichtet über dramatisch gestiegene Energiekosten. In zweiter Reihe hält ein Demonstrant ein Plakat hoch. Aufschrift: «Das Internet birgt Gefahr.» Etwas allgemein gehalten, im Kern aber richtig. RTL Punkt zwölf. Familienzwist. Der etwa zehnjährige Sohn möchte für sein Leben gern in einen Eishockeyverein eintreten, der Vater ist dagegen. Angeblich zu gefährlich. Dann bringt der Vater den schönen Satz: «Das einzig Gute am Eishockey ist, wenn nach dem Spiel in der Umkleide die Gebisse getauscht werden.» Ich wusste zwar nicht, was *genau* er damit sagen wollte, aber lustig war's ja wohl auf jeden Fall. Man muss auch nicht alles verstehen. Prominews. Irgendein neuer CSU-Skandal, Weiber mal Promille. Erdbeben. Hitzewelle. Quallenplage auf Mallorca.

Irgendwie war ich nicht in Fernsehlaune. In Arbeitslaune auch nicht. Unterlagen gab es keine zu ordnen, und beim Sport soll man immer einen Tag aussetzen. Was im Keller wohl sonst an verborgenen Schätzen lagerte? Die süße Melancholie des gestrigen Abends wirkte immer noch nach. Dann war heute eben der Tag der Erinnerungen. Erinnerungen auffrischen. Nach Erinnerungen graben. Mich *kontextualisieren*. Woher ich komme, wohin ich gehe, Zukunftsblick. Ich holte aus dem Keller den Karton, in dem ich Alben, Briefe, Fotos, Zeugnisse, Postkarten und Klöterkram (Schwimmpass, Ausweis vom evangelischen Kirchentag neunzehnhundertsowieso, Eintrittskarte fürs Pink-Floyd-Konzert, ebenfalls neunzehnhundertschießmichtot) aufbewahre. Es ist immer wieder erschreckend, an wie wenig ich mich erinnern kann. Das Gros der Jahre ist einfach so verstrichen.

Beispiel 1988: Komplett ausgelöscht, keine einzige konkrete, persönliche Erinnerung. In diesem gerade für Deutsche historisch bedeutsamen Jahr sind Franz Josef Strauß und Kurt Georg Kiesinger gestorben, Steffi Graf gewann zum ersten Mal Wimbledon, und Bundestagspräsident Philipp Jenninger trat zurück. Warum mir ausgerechnet dieses verhältnismäßig unwichtige Detail quasi exklusiv im Gedächtnis geblieben ist, war mir ebenso rätselhaft wie das ganze verhonkte Jahr. 1988, Jahr der Nebel. Irgendwas musste doch passiert sein, immerhin war «1988» ein ganzes Fotoalbum gewidmet. Verbrannte Erde. Eine Reise ins Niemandsland. Spannend. Als ich das Album aufschlug, fiel mir ein zerfleddertes Foto von Sabine Freudenthal entgegen. In Sabine war ich Ewigkeiten verliebt gewesen, mindestens aber drei Jahre, heimlich natürlich. Sie hatte davon nichts mitbekommen dürfen, das wäre extrem peinlich gewesen, weil ich ohne jede Chance war. Glaubte man den Gerüchten, so ließ sie sich nach Schulschluss regelmäßig von älteren Mofarockern *durchnehmen*. So hieß das damals. Ausgreifen, abgrapschen, durchnehmen, durchfummeln. Fummeln war auch Fußballspreche, der kann echt gut fummeln, hihi, geile Doppelbedeutung, anderes Wort für Dribbeln, na ja, weiß ja eh jedes Kind. Sabine kam aus gutem Haus (Eltern Oberstudienräte) und galt als langweilige Streberin, die nur Einser und Zweier schrieb und zweimal die Woche zum Klavierunterricht latschte. Mit ihrem lustigen blonden Pferdeschwanz und den rehbraunen Augen sah sie aus, als könne sie kein Wässerchen trüben, weshalb die Vorstellung, dass sie sich von mit Getriebeöl und Ficksahne (wahnsinnig hartes Wort) verschmierten Händen ungeduschter Saufprolls hinter der Turnhalle durchnehmen und durchwalken und durchfummeln ließ, doppelt bis dreimal so scharf war: Grobschlächtige Nachwuchskriminelle reißen ihr das mit Blumenmotiven bestickte Sommerkleidchen vom zierlichen Körperchen. Der lustige blonde Pferdeschwanz wird nach hinten gezogen, bis die Nackenwirbel knacken, und a Watschn gibt's als Zugabe umsonst. Jaja! Ich malte mir die wildesten Sachen aus. Meine Phantasien schwankten zwischen der Brunauschen und Hobbynutte Sabine Freudenthal hin und her, aber da die Kornfeld-Episode schon so lange zurücklag und immer mehr verblasste, gewann Sabinchen langsam die Oberhand. Der *reale* Kontakt zwischen uns beschränkte sich, wenn überhaupt, auf ein knappes «Hallo» – «Hallo. Ja, also tschüs dann.» Obwohl man chancenloser nicht sein konnte, hatte ich die Hoffnung nie ganz aufgegeben. Vielleicht würde sie ja eines Morgens aufwachen und ihr würde schlecht bei dem Gedanken an die ekligen Mofarocker und die ölverschmierten Schweinigeleien hinter der Turnhalle. Sie würde alles ihren Eltern erzählen, und die würden dafür sorgen, dass die rücksichtslosen Bumsböcke dahin kommen, wo sie hingehören: in die JVA Hahnöfersand, die noch sicherer ist als Alcatraz und von der noch nie ein jugendlicher Mofarocker lebend zurückgekehrt ist. Und warum würde sie das alles machen? Doppelpunkt: weil ihr plötzlich und mit einem Mal klar geworden ist, dass sie schon ganz lange und ausschließlich in mich verliebt ist.

Diese sehr schwache Hoffnung wurde am Spätnachmittag meines vierzehnten Geburtstages endgültig zu Grabe getragen. Ich «feierte» zu Hause, natürlich nicht abends, sondern nachmittags. Eingeladen waren Volker Schmidthals, Frank Dengler, Heiko Wandtke und Petra Joch. Und Sabine Freudenthal. Das war von mir sehr geschickt, um nicht zu sagen genial eingefädelt worden, denn da ich mich nie getraut hätte, das Mofaliebchen persönlich einzuladen (ich kannte sie ja kaum), hatte ich den Umweg über die picklige und käsige Petra Joch gewählt, die aus unerklärlichen Gründen Sabines beste Freundin war (Vergleich nach unten, psychologischer Kniff). Mehr Ladenhüter als Petra Joch ging nicht, und obwohl eine Einladung zu meinem Geburtstag keineswegs als Eintrittskarte zu *irgendet-was* galt, hatte sie zugesagt. Bedingung: Ihre beste Freundin müsse auch mitkommen.

Juhu, mein Plan war aufgegangen! Nun saß die Angebetete zum Greifen nahe auf meiner Jugendzimmercouch und langweilte sich wie alle anderen zu Tode, denn außer gelber Brause, Würmern (weiß ich doch nicht mehr, was es damals zu fressen gab, Würmer klingt ja wohl tausendmal lustiger als Chips) und Süßigkeiten hatte ich nicht viel zu bieten. Zu reden gab es irgendwie auch nichts, und die allerletzte Luft aus dem ungeselligen Beisammensein ließ routiniert meine Großmutter, indem sie, ohne zu klopfen und unter fadenscheinigsten Begründungen, alle halbe Stunde ins Zimmer kam, um zu kontrollieren, ob auch ja keiner rauchte oder gar Alkohol trank. Die Zeit bis halb sieben wollte einfach nicht vergehen. Bis dahin musste durchgehalten werden, ein ungeschriebenes Gesetz, das selbst für mein Sit-in galt. Um halb sieben gab es Abendbrot, bei uns und bei allen anderen auch. Ich bekam mit, wie Sabine unter dem Tisch dauernd die doofe Petra anstieß, damit die sich endlich eine Lüge ausdachte (Mathearbeit / Bruder krank). Aber Petra dachte nicht daran, sie hatte wohl immer noch nicht die Hoffnung aufgegeben, dass mit einem der Jungs eventuell noch was laufen könnte. Dauernd entstanden quälend lange Gesprächslöcher, als wäre mein Scheißzimmer kontaminiert mit den Sporen der Langeweile. Woanders, davon war ich felsenfest überzeugt, hätten sich alle prächtig amüsiert, und vielleicht hätte Heiko Dengler Petra Joch aus Mitleid sogar durchgekitzelt. Gegen fünf erreichte die «Feier» ihren absoluten Tiefpunkt. Minus 273 Grad, der absolute Nullpunkt, die Temperatur, bei der Stoffe und Menschen keine Wärmeenergie mehr besitzen. Volker Schmidthals stand mit einem Mal wortlos auf, um meine Büchersammlung zu begutachten. *Fünf Freunde. Tim und Struppi. Wissen kompakt. Die Bibel. Asterix und Obelix. Diercke Weltatlas.* Langweiliger ging es nicht mehr. Als Nächstes kamen die Platten dran. Jedes verdammte Cover klappte er auf, studierte die Songtexte und hielt die Vinylplatten gegens Licht, um Zahl und Tiefe der Kratzer zu begutachten. Was für ein öder Typ. Dass ich während der Schmidthal'schen Kontrolle vor Angst halbtot und der Ohmacht nahe war, hatte allerdings einen Grund. Und dann passierte auch schon, was unter gar keinen Umständen hätte passieren dürfen: Aus dem Erfolgsalbum *Breakfast in America* (Supertramp) fielen *Ausschnitte* heraus. Viele Ausschnitte, einschlägige Ausschnitte: Immer wenn wir bei Onkel Friedrich eingeladen waren, hatte ich die Gelegenheit genutzt, seine abgelegten «Playboy»-Hefte nach Wichsvorlagen zu durchforsten. Ich riss die geilsten Seiten heraus und versteckte sie zu Hause in den Plattencovern, da ich sicher war, dass die Erwachsenen dort nie nachgucken würden. Scheißerwachsene. Volker hatte voll ins Schwarze getroffen. Schlagartig änderte sich die Stimmung. Endlich war was los! Volker durchforstete systematisch die gesamte Plattensammlung. Yes! Deep Purple! Madonna! Depeche Mode! Prefab Sprout! Pink Floyd! Roxy Music! Pet Shop Boys! Jeder Schuss ein Treffer, immer neue Schweinefotos purzelten ihm entgegen. Nachdem Volker die Ausschnitte einer Vorselektion unterzogen hatte, legte er sie zur freien Ansicht auf den Tisch und schob sie nach einem nicht nachvollziehbaren Prinzip («Und das kommt da noch hin») so lange hin und her, bis er endlich zufrieden war. Dann murmelte er in einem ganz ekelhaften Tonfall: «Ach guck mal, Tiger, das ist ja interessant.» Ausgerechnet Tiger. Zuerst hatten die Mädchen verstohlen weggeguckt, doch bald waren die Hemmungen verflogen: Sie steckten ihre Köpfe zusammen, flüsterten leise und warfen mir unverschämte bis angeekelte Blicke zu. Sie wollten gar nicht glauben, dass ich die Ausschnitte dafür benutzte, woran alle dachten. Natürlich hobelten alle Jungen, mit oder ohne Vorlage, wie die Weltmeister, aber offiziell herrschte strengstes Wichsverbot. Wer als Melker enttarnt war, hatte nichts zu lachen, und wenn man jemanden so richtig in die Pfanne hauen wollte, verbreitete man das Gerücht über ihn, er tue *es*. Sabine Freudenthal schaute mich an. Ihrem Gesichtsausdruck nach zu urteilen, fragte sie sich gerade, wie oft ich es tat. Das hätte ich wahrheitsgetreu und wie aus der Pistole geschossen beantworten können: Vor der Schule. Nach der Schule. Vor dem Essen. Nach dem Essen. Vor dem Schlafengehen. Nach dem Schlafengehen. Usw. Als sich endlich alle sattgesehen hatten, löste Volker die Runde mit den Worten «So, Tiger, dann viel Spaß noch» auf. Und alle ab nach Hause, einen runterholen. Die Ausschnitte waren nämlich wirklich geil. Vielleicht durfte Volker zur Belohnung Sabine Freudenthal hinter dem Fahrradschuppen noch schnell durchnehmen (für Blasen oder Lecken oder so waren wir ja noch zu jung).

Als ich am nächsten Tag in der großen Pause beim Bäcker anstand, um mir das obligatorische Negerkussbrötchen zu kaufen, tippte mir Maik Bohnsack von hinten an die Schulter.

«Du bist vielleicht 'ne Sau. Jetzt bist du dran.»

«Wie, was? Wieso bin ich dran? Versteh ich nicht.»

«Du weißt schon, was ich mein. Mongo. Pass auf, was demnächst passiert.»

«Wieso bin ich dran? Was meinst du denn?»

Es hatte sich noch schneller rumgesprochen, als ich für möglich gehalten hätte. Maik schaute mich verächtlich an.

«Ist noch irgendwas?»

«Nein, nein.»

«Dann ist ja gut.»

Und weg war er. Die nächsten beiden Wochen verstrichen ohne besondere Vorkommnisse. Er wollte meine Angst maximal steigern, ich sollte nicht wissen, wann und wo und vor allem wie er zuschlagen würde. Maik hatte weder Hobbys noch Interessen oder Neigungen, seine einzige Freude bestand darin, andere Lebewesen zu quälen. Schon als Kind hatte er ganze Nachmittage damit verbracht, Schuster, Asseln und überhaupt *alles* bei lebendigem Leib mit einem Brennglas zu verschmurgeln. Fliegen, Wespen und Libellen riss er Flügel und Beine heraus. Während sich bei normalen Menschen irgendwann am Ende der Pubertät die Nervenbahnen für Mitleid bilden, waren die bei Maik zu einem unentwirrbaren Strang zusammengepappt. Seine Eltern schienen nicht zu merken, was für einen Teufel sie großzogen, denn sie schenkten dem schon mit dreizehn Jahren fast achtzig Kilo schweren Foltermeister zum Geburtstag auch noch ein Luftgewehr. Jetzt ging die Party richtig los: Maik ballerte ab, was ihm vors Visier kam, bevorzugt Singvögel, die verdammten Plärrviecher, und abends mit Beleuchtung. Nachdem ihm das zu langweilig geworden war, begann er, seine Neigungen an höheren Wirbeltieren auszuleben. Und prügelte sich, um seine Hemm- und Schmerzschwelle herabzusetzen, mit größeren und kräftigeren Jungen, die seiner Entschlossenheit und Brutalität aber meist auch nichts entgegenzusetzen hatten.

Dann wurde es Zeit, sich ein erstes Langzeitopfer zu organisieren, und am 21. Oktober 1986 war es so weit: *Maik Bohnsack der Erste* zelebrierte an mir ein Strafgericht allererster Kajüte: Er eröffnete seine Studien mit bewährten Standards (Kopfnüsse, Monkeys, Ohrfeigen, Muskelreiten und Pferdeküsse – Kinderfolter Bambino), begleitet von kurzen Aufwärtshaken in die Magengrube, eine Technik, die immer dann zur Anwendung gelangte, wenn ich gerade mein Pausenbrot verputzt hatte. Neugierig wartete Maik, bis ich mich übergeben musste. Falls ein Schlag nicht punktgenau gesessen hatte, schlug er erneut zu, doch das war meist nicht nötig, ich kotzte wie gewünscht. Maiks Kreativität beim Ersinnen neuer Methoden kannte keine Grenzen. Einmal drohte er, mir ohne Betäubung die Zähne zu ziehen, wie er es im Thriller *Der Marathonmann* gesehen hatte, aber das setzte er doch nicht in die Tat um, wohl weil dann alles rausgekommen wäre. Die Ankündigung hatte auch gereicht. Professionelle Folter zeichnet sich dadurch aus, dass man dem Opfer nichts ansieht: Es windet sich unter schlimmsten Qualen, wirkt jedoch wie frisch geduscht. Als Nächstes verbot mir der Meister unter Androhung härtester Strafen («Ich mach dich ganz kaputt») Essen oder Trinken. «Ich warn dich, wenn ich dich auch nur einen Schluck trinken sehe, dann bist du endgültig dran, das glaub mir.» Ich glaubte ihm und schloss daheim die Vorhänge, aus Angst, das Monstrum könnte sich im Garten auf die Lauer legen. Dann führte Maik eine neue Technik ein, die sich schon bald zu seiner Königsdisziplin entwickeln sollte: *Stauchen*. Ich hatte mich fortan zu Beginn jeder großen Pause unaufgefordert am Eingang des Kreuzbaus einzufinden, wo er mir sogleich einen Arm um die Schultern legte. Es folgte ein zwanzigminütiger *Spaziergang* übers Schulgelände. Der Trick war, dass Maik mich immer tiefer herunterdrückte, bis ich am Ende gekrümmt in der Hocke neben meinem Herrn herwatschelte. Das klingt jetzt vielleicht gar nicht so schlimm, aber kanns ja ma ausprobieren, solls ma sehen. «Bald hab ich dich so weit, dann bist du ganz gestaucht», pflegte Maik zu sagen, und nach ein paar Wochen Drill hatte er mich so weit, dass ich bereits in die Hocke ging, wenn ich ihn nur von weitem kommen sah. Maik hätte alles mit mir machen können, doch von einem Tag auf den anderen ließ er völlig überraschend von mir ab und wandte sich der nächsten Feldstudie zu: Kai Behrendt, der erst vor wenigen Wochen mit seiner Mutter in unsere Gegend gezogen und in meine Parallelklasse gekommen war.

Kai gehörte zu den hoffnungslosen Fällen, bei denen alles, aber wirklich alles zusammenkam: Aufgrund einer seltenen Stoffwechselstörung hatte er böse Wassereinlagerungen in den Beinen, was deshalb besonders schlimm aussah, weil er ansonsten abgemagert war wie ein afrikanisches Hungerkind. Der längliche Totenschädel mit den tief in den Höhlen liegenden, ausdruckslosen Augen und den wulstigen Blumenkohllippen verliehen ihm ein grotesk negroides Aussehen, er sah aus wie eine Mutation, der missglückte Versuch einer Kreuzung, als habe ein Biologiestudent aus unzureichendem genetischem Material einen weißen Neger züchten wollen. Deshalb sein Spitzname: «Biafra». Und als ob das nicht schon genug gewesen wäre, litt er an Schuppenflechte. In einem fort rieselten griesiges Gestöber und münzgroße Placken von seinem windschiefen, papierdünnen Körper. Von einem solchen Schicksal geschlagene Jungs werden normalerweise in Ruhe gelassen, aber aus irgendwelchen Gründen löste Kai kein Mitgefühl aus, sondern Aggression und Vernichtungswillen. Vor der ersten Turnstunde zogen ihm die Jungen im Umkleideraum die Unterhose herunter, um aber gleich vor seinem Genital zurückzuschrecken. So was hatten sie auch noch nicht gesehen: Das Teil bestand quasi nur aus Sack. Riesig, prall und puterrot, als hätte man ihn gerade in kochendes Wasser gehalten. Die Jungs stießen ihn ohne Buxe in die Turnhalle und hielten von innen die Tür zu. Die gröbere Hälfte der Mädchen amüsierte sich, die zarter Besaiteten dagegen fragten sich wahrscheinlich, ob das bei allen Jungen so abartig aussah, und flüchteten in die Umkleide. Kai versteckte sich im Geräteraum, wurde aber von Gunter Dausel hervorgezerrt und so lange mit Arschtritten durch die Halle gejagt, bis der wie immer verspätete Lehrer dem bösen Spiel ein Ende setzte. Auf Kai schien ein Fluch zu liegen. Er war kein normaler Aussätziger, sondern ein unheimlicher Brunnenvergifter, den es unbedingt loszuwerden galt, bevor er die gesamte Klasse ausgelöscht hatte.

Sie zerbrachen seine Stifte, fraßen ihm das Pausenbrot weg, bemalten seine Wulstlippen mit Filzschreibern und zogen ihn regelmäßig splitterfasernackt aus. Hofften sie, er würde aufgeben, sich vielleicht was antun oder wenigstens die Schule wechseln? Doch Kai hatte sich schon so weit von allem entfernt, dass es ihm ein krankes Vergnügen bereitete, sich quälen zu lassen. Er stachelte seine Klassenkameraden durch sein Verhalten an, es war wie eine flehende Bitte ums Ende. Anders ist es nicht zu erklären, dass er damit zu prahlen begann, er würde es sich besorgen. Ausführlich und ohne die geringste Scham berichtete er von seinen Exzessen und löste damit bei den anderen Jungen eine Mischung aus Abscheu und Faszination aus. Endlich traut sich mal jemand, es auszusprechen. Aber ausgerechnet Kai! Unvorstellbar, was er mit seinem knallroten Geschwür alles anstellte. Sie weideten sich an seinen geilen Schwänken und glaubten ihm jedes Wort. Denn wenn einer keinen Grund mehr hatte zu lügen, dann Kai Behrendt.

Es dauerte nicht lange, bis Maik Bohnsack Wind von der Sache bekam und Kai zu meinem offiziellen Nachfolger kürte. In nur zwei Wochen schaffte er, was die anderen in einem halben Jahr nicht geschafft hatten: Kai mag nicht mehr, er kann nicht mehr, er will nicht mehr. Doch wie soll er es anstellen? Einmal legt er sich auf die Schienen, doch als die Geleise vom heranbrausenden Zug zu zittern beginnen, verlässt ihn der Mut, und er läuft davon. Vom Hochhaus springen bringt er auch nicht wg. Höhenangst, und an eine Pistole kommt er nicht ran. Maik Bohnsack der Erste sieht im Fernsehen eine Reportage über den Volkssport der Iren, die sich Frettchen in die Hosenbeine stopfen und dann zubinden. Die Frettchen geraten in Panik und beißen zu, gewonnen hat, wer am längsten aushält. Toll, Spitzenidee, das muss er unbedingt ausprobieren, sofort. Anstelle Frettchen benutzt er Ratten. Er stellt sich alles so schön vor: wie Kai in Todesangst und Schmerzen herumhüpft wie ein Brummkreisel, während ihm die Viecher die Luft aus dem prallen Sack lassen. Doch Kai tut ihm den Gefallen nicht: Er bricht zusammen und bleibt bewusstlos liegen (Schock). Scheiße, Scheiße, Scheiße! Maik schüttet ihm Cola ins Gesicht, haut ihm eine rein, nichts. Die einzige Möglichkeit, ungeschoren aus der Sache rauszukommen, wäre, ihn umzubringen, doch das packt er dann doch nicht, und so haut er ab und hofft, dass Kai gleich aufwacht und wie immer nach Hause geht, als wäre nichts geschehen. Doch Kai wird erst am späten Abend zufällig vom Hausmeister gefunden, da ist er schon halb tot und drei viertel erfroren. Maik wandert in den Jugendknast, und Kai wechselt die Schule. Was wohl aus ihnen geworden ist? Meine Güte, Sabine Freudenthal, Volker Schmidthals, Maik Bohnsack, Kai Behrendt, Gespenster aus der Vergangenheit.

Zum Glück klingelte das Telefon. Vielleicht hielt der Tag doch noch eine erfreuliche Überraschung für mich bereit.

«Baron von Nuttentümpel.»

«Ich bin's.»

«Ich bin's, ich bin's, wer ist ich? Manchmal erkennt man die Stimme nicht, und dann wird's schnell peinlich.»

«Das ist mir gerade egal, wir müssen uns unbedingt treffen.»

«Wie! Heute?»

«Ja.»

«Um was geht's denn überhaupt?»

«Das kann ich am Telefon nicht sagen.»

«Das ist ja wohl das Allerletzte, erst die Leute verrückt machen und dann nicht mit der Sprache rausrücken.»

«Ich hab gestern aus Versehen eine mit ins Hotel genommen, und die war erst fünfzehn.»

«Mann, Sven, du kennst ja wohl gar keine Grenzen mehr. Wie konnte denn das passieren?»

«Wie das passieren konnte? Mann, du weißt doch, wie das ist!»

«Nein, leider nicht. Zum Glück nicht.»

«Die sah wie neunzehn aus. Mindestens. Ich kann mir doch nicht jedes Mal den Personalausweis zeigen lassen. Da kommst du doch nicht drauf, dass die so jung ist. Die hat es richtig drauf angelegt.»

«Details, bitte.»

«Auf dem Zimmer hat sie sich gleich bis auf ihre Stiefel ausgezogen und ins Bett gelegt. Da bin ich misstrauisch geworden.»

«Und, was hast du mit ihr gemacht?»

«Ich hab sie gefragt, wie alt sie ist, und sie hat's mir gesagt. Vielleicht dachte sie ja, dass mich das noch zusätzlich anschärft.»

«Hat es ja wahrscheinlich auch.»

«Jetzt hör mal auf. Ist doch alles Wahnsinn.»

«Was soll denn passieren? Die rennt doch nicht gleich

zur Polizei oder zur ‹Bild›-Zeitung. So berühmt bist du schließlich auch nicht.»

«Ich hab aber mit ihr rumgemacht, das ist schon schlimm genug.»

«Details bitte!»

«Du weißt doch, was rummachen heißt.»

«Alles und nichts. Also, Details bitte.»

«Wir haben vorher noch eine Stunde in der Hotelbar gesessen, und alle haben gesehen, wie ich sie mit nach oben genommen habe.»

«Ja, gut, dann im Café. Wann?»

«Zwei Stunden, so was. Bis gleich.»

Ich brachte die Sachen zurück in den Keller und ging mit der Kladde bewaffnet zu den Zombies.

«Habt ihr heute Käsekuchen?»

Fantomas nickte. Wie er sich jetzt wohl fühlte? Er sah besser aus als gestern. Ob ihm die Hitze etwas ausmachte? Fragen über Fragen.

«Ein schönes Stück mit Schlagobers und einen Pott Bohnenkaffee. Und ein Mineralwasser mit Kohlensäure, richtig zischen soll es.»

Fantomas nickte und bewegte sich, ohne die Füße vom Boden zu heben, in einer Art Moonwalk in die Küche zurück. Es war nicht viel los, und ich konnte in aller Ruhe meine Fettdepots überprüfen. Richtig viel weniger war es seit gestern noch nicht geworden. Was im Fett außer Wasser und Fett wohl noch drin ist? Schwabbelkram. Schmand. Schmand, klang ganz anschaulich.

«Onkel Markus, wie war das gleich nochmal mit dem Körper?»

«Also, von vorn, du musst dir deinen Körper vorstellen wie einen gigantischen Schrotthaufen, fangen wir oben an: Es beginnt mit dem Kopf, dein Kopf ist ein großer vermoderter Kürbis, du weißt doch, was ein Kürbis ist?»

«Ja.»

«Und der Rest ist Fett, gemischt mit Schmand. Du weißt doch, was Schmand ist.»

«Hmmm.»

Usw.

Fantomas kam mit dem Käsekuchen angeschlurft. Ein großzügig geschnittenes Stück hat i. D. (im Durchschnitt) vierhundert Kalorien plus die einhundertvierzig Schlagsahnekalorien. Zusammen fünfzig Kalorien weniger als eine Currywurst, aber fünfundsechzig mehr als ein Big Mac und etwa gleich viel wie ein Hamburger mit einer Portion Pommes oder eine Bratwurst mit zwei cl Cognac. Oder anderthalb Kilo Erdbeeren ohne alles.

Anderthalb Stunden noch. Langweilig. Ich las mir die Texte der letzten Tage durch. Das mit dem Schwimmbad war gut. Noch besser gefiel mir *Unsere Mission*. Geradezu poetisch. Trotzdem, das Thema alte Leute war noch nicht richtig *durchverhandelt*. Zu einseitig, es fehlte ein Korrektiv, eine andere Haltung. Was Böses musste her, sogar was Bitterböses. Mir fiel die Formulierung «Boten des Todes» ein, stammte aus dem Schirrmacherschinken «Methusalemkomplex». Das war der richtige Ansatz: eine bitterböse Polemik. Boten des Todes. Ab jetzt: Copyright M. Erdmann. Safe the copyrights!

Boten des Todes

Kranke, kalte Körper, gefangen in der Bückzone, unendlich
gekrümmt, so hängen sie zäh und dürr am Futtertrog des
Lebens.
Noch mit 100 legen sie Vorräte an, als ob sie 1000 werden
wollten, speicheln unerbittlich das Brot der Jugend ein.
Oldies but Goldies? Nein, Alte sind Boten des Todes,
Söldner der Krankheit, gelebte Gerüche.

Sie tippeln auf gebrochenen Oberschenkelhälsen ins Tal der
Angst, tote Augen in zerfurchten Gesichtern, abgestorben, von
Krämpfen geschüttelt.
Doch wolln sie scheinbar ewig leben, unnütz und geizig,
gemischt mit hohen Kosten, das ist ihre Formel paradox.
Oldies but goldies? Nein, Alte sind Boten des Todes,
Glöckner des Untergangs, Pförtner der Schwäche.

In ihrem Narbenpanorama spiegelt sich welkes Haar.
Sie graben im Hausmüll nach Obst und Peelings.
Gehirnjogging im Leerlauf, verheddert im Bruchband,
Alter als Vernichtung öffentlicher Räume.
Boten des Todes, Diener des Verfalls,
Spione des Jenseits, Botschafter der Schmerzen.

Aus untoten Nebeln entsteigen poröse Leiber, geronnen und
verwittert.
Ihre morbiden Armeen rücken unaufhaltsam vor.
Abnorme Lebenslust, durch nichts gerechtfertigt,
saugen sie embolische Luft in ihre faltigen Lungen.

Mobiles aus Glasknochen und ausgefallenen Zähnen. Essen, leben, reisen, Hedonismus, der nicht fragt.

Wir wollen doch nur leben, wie ihr früher auch, lasst doch los, lasst doch ab!
Doch ihr haltet mit aller Kraft am längst erloschenen Dasein fest.
Wir bitten um Erbarmen, Alte, geht
und lasst uns endlich leben!

Spitzentext schon wieder. Überlegenes Material. Ich hatte es einfach drauf. Irgendwie.

Sven schien es wirklich nicht gutzugehen. Selber schuld. Noch bevor er sich richtig hingesetzt hatte, legte ich los:

«Ich hab's dir gesagt, deine Weibergeschichten gehen nicht ewig gut. Ein Wahnsinn alles, ein Wahnsinn!»

«Ach, hör auf. Ich bin wieder extra so lange backstage geblieben, bis ich dachte, dass alle weg sind, aber da war die noch, die hat sich ja quasi auf dem Silbertablett angeboten, das hast du auch selten bis nie. Da kommt man doch nicht drauf, dass die so jung ist.»

«Man weiß doch heutzutage nie, wie alt die wirklich sind bei dem Geschminke. Ist doch das Mindeste, dass du die fragst, wie alt sie ist, bevor du sie mitnimmst. Das sind doch Grundregeln.»

«Grundregeln, Grundregeln, was denn für Grundregeln? Es gibt keine Grundregel, außer dass hinterher nur noch der bucklige Veranstalter da ist und der Techniker.»

«Wenn das rauskommt, kannst du einpacken.»

«Meine Güte, jaja. Ein Quäntchen menschlicher Anteilnahme ist doch wohl nicht zu viel verlangt.»

«Ach, hör auf. Anteilnahme. Ich mach das Theater nicht länger mit.»

Das saß. Er sah plötzlich noch schlechter aus. Diesmal aber nicht geil schlecht, sondern echt schlecht.

«Wie meinst du das?»

«Die Angelegenheit erledigt sich möglicherweise von selbst, und wenn nicht, ich kann nicht mehr. Mein Körper rebelliert. Das ist wie bei Schwerstarbeit, da macht der Körper irgendwann auch nicht mehr mit. Jahrelang hab ich das Falsche gedacht, gemacht, geschrieben, und jetzt sind die Nervenleitungen kurz vorm Verkleben.»

«So, und wovon willst du leben?»

«Und wovon willst du leben, und wovon willst du leben? Weiß ich doch nicht. Achttausend oder so hab ich noch, und wenn das weg ist, findet sich schon was oder auch nicht. Ist mir doch egal. So geht's jedenfalls nicht weiter mit dem Nazikram.»

Das Wort Nazi lässt sich in fast jedem Zusammenhang benutzen. Musiknazi, Naziwetter, Diätnazi – passt irgendwie immer.

«Ach so, ein Nazi bin ich in deinen Augen.»

«Du weißt doch genau, wie ich das meine. Mir wirfst du vor, dass ich mich nicht auf die Bühne traue, aber du setzt dich auch nie hin und denkst dir mal selbst was aus. Und wenn du nur mal einen Entwurf ablieferst, irgendwas, womit du dich auskennst und was ich ausarbeiten könnte. Sexuelle Kriegsgewinnler. Dr. Fummel. So was, Dr. Fummel, der sexuelle Kriegsgewinnler.»

«Sexueller Kriegsgewinnler, was soll das denn sein? Versteht doch kein Mensch.»

«Das versteht jeder, keine Sorge.»

«So unsensibel wie du kann ein einzelner Mensch gar nicht sein. Ich brauch jetzt was zu saufen.»

«Okay. Bier oder Wein? Schnaps haben die Zombies ja leider nicht.»

Wir schwiegen und tranken. Und tranken und schwiegen. Und schwiegen und tranken, und dann schaute er mich verzweifelt an:

«Ich geb mir überhaupt keine Mühe mehr, es geht immer gleich in die Hotelbar. Dann hör ich mir das Geschwätz an. Wenn es zu arg ist, trink ich so viel, dass ich schon nach 'ner Stunde abschmier, das Zeitfenster wird zunehmend schmaler. Manchmal, wenn wir oben sind, kommt es vor, dass ich mich nur kurz aufs Bett legen will und sofort einschlafe. Das Schlimmste ist, wenn die dann nicht gehen, sondern sich zu mir legen. Nichts hat mehr eine Bedeutung. Erinnerst du dich noch an Simone Bornholdt?»

«Natürlich erinnere ich mich noch an Simone Bornholdt.»

«In die bin ich doch so verliebt gewesen. Ich hab sie vor ein paar Tagen wieder getroffen, zufällig. Und die Verknüpfung funktionierte immer noch, ich war schlagartig wieder verliebt.»

«Und? Ändert das was? Du kannst mir doch nicht weismachen, du würdest dich wegen der von deiner Frau trennen. Simone muss doch mittlerweile über vierzig sein, ich bitte dich. Darf ich dich daran erinnern, dass du gerade mit einer Fünfzehnjährigen schlafen wolltest?»

«Ach komm, jetzt lass mich nicht im Stich.»

«Ich weiß auch nicht. Lass uns nicht mehr davon reden.»

«Ich muss nach Hause, mir geht's nicht gut. Jetzt heißt es zittern.»

«Ach, wird schon. Ich hau auch ab. Lass mal morgen telefonieren.»

Nach dem mächtigen Käsekuchen hatte ich Appetit auf etwas Leichtes, Gesundes, Erfrischendes. Ich tat einen Beutel Tomatensauce in die Mikrowelle, setzte Nudelwasser auf und überbrückte die Wartezeit mit der Lektüre des Wochenblatts. Das Wochenblatt ist eine intakte Welt, in der auch der kleine Mann, die Melkkuh der Nation, mal zu Wort kommt. Auf Seite fünf wurden die Verdienste eines gewissen Heinz Brenner gewürdigt: «Ein echter Blutsbruder geht in Rente: Nachdem er in 35 Jahren rund 75 Liter Blut gespendet hat, lässt sich Heinz Brenner morgen zum letzten Mal in der Transfusionszentrale anzapfen. Der Dauerspender erreicht das 68. Lebensjahr und beendet aus Altersgründen seine Blutspenderkarriere. Rund 150 Mal hat er gespendet.» Heinz Brenner ist sicher ein ganz feiner Mann. Die Mikrowellenglocke erklang, und gleichzeitig piepte mein Mobiltelefon. Das war Timing. Mein Leben glich einem Räderwerk. Alles greift irgendwie ineinander. Ich rechnete mit einer Jammer-SMS von Sven, aber die Telefonnummer, die im Display erschien, hatte ich nicht gespeichert. «Bock, morgen auszugehen? Zweiundzwanzig Uhr bei mir ... Janne.»

Oje. Ausgehen. Zweiundzwanzig Uhr. Im Sprachgebrauch junger Leute bedeutet «ausgehen» bis in die Puppen aufbleiben, feiern, tanzen und verrückte Sachen machen. Also all das, wofür ich mich nicht eignete. Wenn überhaupt, eignete ich mich für ereignisarme Unternehmungen mit geringer Reizdichte. Picknick, Zoobesuche, wenn's hochkommt, Kino. Ich verstehe keinen Spaß und gönne auch anderen keinen. Mir fiel der schöne Satz mit dem misanthropischen Rand wieder ein. Astrein. Für jede Lebenslage zaubert Peter Sloterdijk einen passenden Spruch aus seinem Denkerhut. Wer viel feiert, stirbt auch früh. Da ist es doch klüger, auf toter Mann zu machen und so den Zahn der Zeit zu ziehen. Wieso ging sie nicht mit ihren Leuten aus? Die musste doch Freunde haben wie Sand am Meer. Sie war bestimmt eine gute Tänzerin. Was dem einen sein Raclette-Abend, ist dem anderen seine Goa-Party. Eine Zeitlang hatte ich sehr gern Raclette gegessen, weil die fingerhutgroßen Zwergenpfännchen einen zum Langsamessen zwingen. Langsamessen = mehr Genuss, Zeiten, in denen ich noch das Wolkenkuckucksheim bewohnte. Ob wohl mittlerweile eine neue Generation von Raclettegrills auf dem Markt ist, mit Erwachsenenpfannen? Oder gar mannsgroße Raclettewoks, für Hungrige? Seit wann gibt es Raclette überhaupt? Typische Siebziger-Jahre-Erfindung, Hippiequatsch. Raclette ist die Eventgastronomie des kleinen Mannes. Apropos: Seit wann gibt es eigentlich Eventgastronomie? Entertainment direkt am Tisch. Zur Suppe Kartentricks, der Salat wird serviert von handzahmen Äffchen. Zwischen den Gängen Zwergenweitwurf und Rentnerbungee. Der rote Faden des Events ist ein wiederkehrendes kulinarisches Motiv: Rind im Rind. Ein kleines, mit Rind gefülltes Rind wird in einem

großen Rind mitgegrillt. Statt Verdauungsschnaps Gehirnjogging. Thema: legendäre europäische Rabattschlachten.
Zum Abschied überreichen bildhübsche Hostessen jedem
Gast ein T-Shirt in seiner Temperamentsfarbe. Beige für
Majonäse, Rot für Ketchup, denn es gibt in Wahrheit nur
zwei Kategorien: den Ketchup- und den Majonäsetyp. Ich
schrieb zurück: EINVERSTANDEN. ERDMANN. In Groß-
buchstaben.

FREITAG
Hermeneutische Geilheit

Ich lag auf dem Rücken und spürte, wie sich etwas angenehm Warmes und Feuchtes um meine Körpermitte ausbreitete, dann jedoch schnell unangenehm kalt wurde. Ich zog meine Hand unter dem Kopfkissen hervor und ließ sie langsam nach unten wandern. O Gott o Gott o Gott. Klitschnass! Ich tastete mich nach oben. In meinem Bauchnabel hatte sich eine Lache gebildet, das Schlafanzugteil war klatschnass. Vollgepisst bis zur Brust, wie ein großer Hund, den man in ein Zimmer gesperrt und dort vergessen hat. Lange vor der Zeit hatte es mich erwischt, ein Unterleibsschicksal: Nebenhodenentzündung, Genitalwarzen, kanadische Preiselbeeren (klingt ganz schön mysteriös, was? Gibt's aber. Wen's interessiert: selber recherchieren). Pollakisurie, Nykturie, Strangurie, Hämaturie! Künftig würde ich meine Vormittage wohl in Gesellschaft sehr alter Männer im Wartezimmer eines Urologen verbringen müssen. Beispiel:

Arzt: «Herr Erdmann, geht es Ihnen heute besser? Was ist mit dem nächtlichen Harndrang? Haben Sie Ihre Beckenübungen gemacht?»

Ich: «Ja, natürlich. Aber ich hab seit dem letzten Mal so furchtbare Poschmerzen, ich glaube, ich hab Hämorrhoiden.»

Arzt: «Aha. Glauben ist aber nicht wissen. Legen Sie sich doch bitte mal auf die Seite und lassen Sie die Unterhose etwas herunter.»

Ich: «Bleibt die Schwester im Raum?»

Arzt: «Na, zum Kaffeekochen habe ich Schwester Irene nicht eingestellt.»

Schwester Irene: «Hihi.»

Ich: «Ach so, ja, natürlich.»

Arzt: «Ich guck mir das jetzt erst mal von außen an. Schwester, gucken Sie, ich ziehe ganz leicht die Pobacken auseinander und seh mir das erst mal nur äußerlich an.»

Schwester: «Hmm.»

Ich: «Aua, aua!»

Arzt: «Was ist denn, das kann doch noch gar nicht wehtun!»

Ich: «Ein bisschen doch.»

Arzt: «Sehr gut zu sehen, chronische Analfissur bei sechs Uhr in SSL und deutlicher Sphinkterspasmus.»

Schwester: «Ja.»

Ich: «Wie bitte, was?»

Arzt: «Sie haben keine Hämorrhoiden, sondern eine Fissur. Das ist ein Riss, ungefähr 2 Zentimeter tief im After, verbunden mit einer starken Schließmuskelverkrampfung. Ich trau der Sache aber nicht und möchte mir deshalb mit einem speziellen Gerät auch den tiefer gelegenen Teil des Enddarms anschauen. Sie kriegen jetzt von mir eine örtliche Betäubung, sonst halten Sie das nicht aus. Das pikst gleich ein bisschen.»

Ich: «Aua. Aaaaaargh. Muss das so? O Gott!»

Arzt: «Sie sind total verkrampft. Ziehen Sie die Knie Richtung Kinn. Entspannen Sie sich, sonst kann ich Sie nicht richtig untersuchen!»

(Ich muss vor Aufregung und Schmerz pupsen.)

Ich: «Oh, das tut mir leid.»

Arzt: «Jaja. So, jetzt ganz locker.»

(Ich stöhne und schreie. Es ist kaum auszuhalten, ganz im Ernst.)

Arzt: «Locker, sag ich. Ich muss mir das angucken, sonst kann ich Ihnen nicht helfen!»

Ich: «Ich halt das nicht aus!»

Arzt: «Sie haben doch jetzt die Betäubung, mein Gott!»

Ich: «Ich kann nichts dafür.»

(Pupsen und Wimmern)

Arzt: «So, jetzt seh ich's. Hypertrophe Analpapille bei 5 bis 6 Uhr in SSL, polypöser distaler Rektumpolyp unklarer Dignität.»

Ich *(pupsend, wimmernd)*: «Ich kann gleich nicht mehr.»

Arzt: «Ist ja schon vorbei.»

Schwester: «Geben Sie Lido posterine?»

Arzt: «Nein, nein, das hilft nicht mehr. Das muss operiert werden.»

Ich: «Wie, operieren? Vielleicht helfen ja Kamillenbäder.»

Arzt: «Kamillenbäder, Sie sind wohl verrückt geworden! Ich könnte Sie auch ambulant hier operieren, aber bei Ihrer Verfassung schick ich Sie lieber in eine Klinik, da wird das dann unter ITN, also Narkose gemacht.»

Ich: «Und das tut dann nicht weh?»

Arzt *(nun sehr ungehalten)*: «Herr Erdmann, was erwarten Sie eigentlich? Dass alles immer ein Spaziergang ist? Es gibt Dinge, die zum Leben gehören, und dazu zählen auch Schmerzen. Aber heutzutage darf ja nichts mehr wehtun. Niemand ist mehr bereit, irgendwas auszuhalten. Dabei sage ich Ihnen: Schmerz kennenzulernen heißt, einen integralen Bestandteil des menschlichen Lebens kennenzulernen. Was Sie haben, ist *nichts*. Ich sage Ihnen, es gibt Schmerzen, von deren Existenz Sie noch nicht mal etwas *ahnen*! So, gehen Sie jetzt bitte mit Schwester Irene nach vorn, wir versuchen ein Bett zu besorgen.»

Ich: «Vielen Dank, Herr Doktor, tut mir leid. Normalerweise bin ich gar nicht so empfindlich.»

Arzt: «Lernen Sie den Schmerz aushalten. Sie werden sehen, er wird eine Bereicherung in Ihrem Leben. Nur wer starke Schmerzen ertragen kann, wird sich auf Dauer durchsetzen.»

Ich: «Ja, Herr Doktor. Danke, auf Wiedersehen.»

Arzt: «Auf Wiedersehen und viel Glück.»

Alternativ: Dialog mit Sonja:

«Was hast du denn da unter der Schlafanzughose, die sieht ja ganz unförmig aus?»

«Nichts weiter. Eine Windel.»

«Wie bitte? Also, jetzt reicht's aber! Auf so was steh ich nun echt nicht!»

«Es ist aber ganz anders, als du denkst.»
«Wie anders?»
Usw.

Ein Albtraum. Handelte es sich um eine zufällige und einmalige Dysfunktion, oder hatte sich *grundlegend* etwas verändert, eine irreversible neuronale Verschaltung bzw. Abschaltung? Egal, bei der Hitze würde es bald anfangen zu stinken. Ich zog das Bettzeug ab und stopfte es zusammen mit dem Schlafanzug in die Waschmaschine. Und die Matratze? Am besten aufrecht stellen, damit Luft rankommt? Mir fehlten die Erfahrungswerte. Noch.

Erst elf. Noch zehn Stunden bis zum Gute-Laune-Abend. Wie machen das eigentlich die anderen, die spätestens ab Mittwoch aufs Wochenende hinfiebern? Von Freitagnachmittag (Holla, die Waldfee) bis Sonntagabend (Ende im Gelände) feiern gehen. Fünf-vier-drei-zwei-eins-Wochenende! Bescheuerte des Tages, Begeisterte der Nacht, die einen scheitern hier, die anderen da. Einzig auf die Angst ist Verlass, denn die Angst ist unser großer Führer. Und jetzt? Sport? Dann wär ich nachher zu schlapp. Wohnung war halbwegs sauber. Körperpflege mit gründlicher Inspektion entlegener Stellen dauert auch nicht ewig.

Die Zunge Europas, das war es! Mein taufrisches Projekt vorbereiten, die Voraussetzungen schaffen, um gleich am Montagmorgen mit der Arbeit beginnen zu können. Am Anfang muss das Gespräch mit Onkel Friedrich stehen, wg. emotionaler Einstimmung. Die Sachinformationen konnte ich mir auch woanders holen: Kaffeetrinker,

Kaffeehändler, Kaffeegroßhändler, Kaffeeexperten, Kaffeetrinken (Selbstversuch), Internet, Buchladen: «Entschuldigung, ich bin angetreten, den Schlüsselroman über die große, weite Welt des Kaffees zu schreiben. Was gibt es denn zu diesem Thema alles?» Warum nicht. Why not. Einfache Fragen, komplizierte Antworten. Onkel Friedrich hatte seine Laufbahn in der Nachkriegszeit begonnen, also musste auch die Geschichte in dieser Zeit spielen. Oder nicht? Was genau sollte es eigentlich für ein Buch werden? Eine *Melange* (Herr Ober, eine Melange!) aus Sachbuch und Unterhaltungsroman? Eine Psychogroteske? Ein Kaffeekrimi? Eine in- und miteinander verschachtelte und verschränkte Familiensaga (Schachtelroman) über viele Generationen (Generationenschachtelroman). Papa, Mama, Tante, Onkel, Opa, Oma, Vetter, Base, Schwippschwager, Duzfreund. Noch auf p. 643 wird eine Figur eingeführt, die nach 41 Seiten wieder abtritt und ff. nie wieder auftaucht. Langweilige Weltliteratur – Makro- oder Mikrostruktur? Realismusparodie oder Metakomik? Affektive Dramaturgie oder neurophysiologisches Gefrickel? Pentatonische Überschaubarkeit oder chromatische Wirrnis? Enthusiasmus oder niederfrequentige Begeisterung? Paradox oder stringent, aussparen oder verdichten, atmen oder Schwitzkasten, Abba oder Zappa? Fragen über Fragen. Das Einzige, was ich auf sicher wusste, war, dass das Wort «flussabwärts» nicht auftauchen würde. Egal. Das Wichtigste ist der Sound. Am Anfang steht der Ton. Im Idealfall der hohe Ton. Pliiiing. Der ganze Text muss nach diesem einen Ton klingen:

Es war ein kühler, jedoch nicht kalter Herbsttag. Bald 16 Uhr, ich musste los. Ich fuhr mit der S3 bis Trittau, stieg dann in den 119er bis Talweg. In der Nr. 43 war die Werkstatt. Leo hatte gesagt, ich solle keinesfalls vor halb fünf kommen. Jetzt war es Viertel vor. Trotzdem wanderte ich noch eine Weile die Straße entlang. Bäume. Autos. Kinder. 17 Uhr. (Ein zahlenlastiger Text. Aber interessant.) Ich ging in die Werkstatt, um Leo abzuholen. Werkbank vier, hatte er gesagt. Er war nicht an seinem Platz. Ich schaute mich um. Wahrscheinlich würde er bald kommen. In der angenehm klimatisierten Halle hing ein helles, kaum vernehmbares Surren. Jetzt erst fiel mir auf, dass keiner aufgeschaut hatte, als ich hereingekommen war. Die Männer arbeiteten in sich versunken, mit mehr oder weniger identischen Bewegungen. Sie schienen alle die gleiche Arbeit zu verrichten, hantierten alle mit sehr dünnem Draht. Nach wenigen Minuten setzte ich mich an Leos Werkbank. Links von mir lagen große Mengen Draht. Nachdem ich eine Weile nur dagesessen hatte, nahmen meine Hände sich automatisch eine Spule Draht vor. Erst behutsam, dann immer energischer knetete ich daran herum, es war wie ein Sog. Nachdem ich anfänglich noch ein-, zweimal unsicher um mich geschaut hatte, versank ich immer mehr in mir selbst. Ich formte Gegenstände, wie es sie nicht gegeben hatte. Objekte ohne Bedeutung oder Funktion. Auch an den anderen Werkbänken schienen nur zweckfreie Gegenstände zu entstehen. Immer flinker und behänder formten meine Finger neue Dinge. Ich wurde Teil des Surrens. Meine Euphorie verstärkte sich, ein unbekanntes Gefühl von Heimat stieg in mir auf. Alle arbeiteten mit Draht. Wo war Leo? Ich hatte es vergessen. Ich nahm eine neue Rolle Draht.

So vielleicht. Statt Draht nur eben Kaffee.

Oder anders:

Der Satz wurde gesagt wie andere Sätze auch. Er hallte im Schlauchflur wider, drang in ihn ein wie in Brei. Irina schaute ihn an, prüfte, wie der Satz in ihm versickerte. Ihre Knochenkaltfinger berührten ihn kurz an der Schläfe. Sie schritt die Runde ab und wurmfortsatzte zum Ausgang. Tschüs! Er stand bewegungslos da, zurückgelassen in der Runde, die er nicht kannte und die den Satz und seine Bedeutung nicht kannte. Die Runde sprach, aß, trank, lachte in Unkenntnis des Satzes. Er ging in die Küche. Die kalte Küche. Er riss sein Maul auf und rotierte ein Fuder Oliven in den Schlund. Seine Nüstern bliesen Pistazienkerne weg. Nur voll den Schlund! Das gestopfte Maul ließ ihn den Satz nicht sagen können.

«Iss Käse dazu.» Ruts Stimme durchschnitt den Raum. Ruckartig fuhrwerkte sie auf ihn zu. Eine Olive flutschte ihm seitlich aus dem randvollen Maul. Rut walzte sie platt, obszön und hässlich. Ob sie etwas bemerkte? Er sah sie vor sich; wie sie die grünen Sitzpolster vollgereihert hatte auf dieser entsetzlichen Fahrt nach Koblenz vor drei Jahren, als er noch mit Sybille verheiratet gewesen war. Gelbe Kotze auf grünem Grund. Die fette Gelbkotzrut im geleasten Kleinwagen. «Lass», sagte er. «Ich gehe.» Er ging in Hartmuts Zimmer. Saurer Atem. Hier roch es immer nach saurem Käseatem, gemischt mit Fersenhorn. Wie machte Hartmut das nur.

«Bleibt es bei Donnerstag?» Karl hatte ihn am Arm gepackt und schaute ihn fragend an. Mein Gott, der Satz. Der Satz fiel ihm wieder ein. Er fletschte die Zähne und gurrte.

Na ja, so oder so, auf jeden Fall schien es mir ratsam, mich an gewisse *Gesetze* zu halten. Sonst kriegt man's dicke:

Markus Erdmann ist Comedy-Autor. Dies möge eine Erklärung sein dafür, warum sein literarisches Debüt hilflos zwischen burleskem Männerwitz und peinlich-bemühter Zerebralität oszilliert, ohne sich für das eine oder andere entscheiden zu können. Das hätte allerdings auch nicht geholfen: Der Text ist ein rundum misslunge-

nes Ärgernis: Ohne Sound, Gehalt, innere Rhythmik und Strömung holpert das grobmaschig gestrickte Geschwätz von Schlagloch zu Schlagloch, die an allen Ecken knarzende Syntax eingeklemmt zwischen den rostigen Scharnieren effekthascherischer Neologismen. Nach einer einheitlichen Erzählperspektive oder gar ästhetischer Konsistenz sucht man vergebens. Der durchgängig kolportagehafte Ton, die verhaspelten Satzperioden und unsinnigen Steigerungen, Erdmanns peinlicher, durchschaubarer Versuch, durch pathetischen Überschwang so etwas wie Welthaltigkeit vorzutäuschen, ist in seiner offensichtlichen Dreistigkeit in der jüngeren Literatur ohne Beispiel.

Worum geht es? Sein Onkel, ein offenbar gottgleicher Alleswisser in Sachen Kaffee, ist mit einem einmaligen Talent ausgestattet, einem geradezu überirdischen Geschmackssinn, der ihm im Hamburger Freihafen, einem der international wichtigsten Umschlagplätze für Rohkaffee, den Spitznamen «die Zunge Europas» beschert hat. Fertig. So abenteuerlich dieser «Plot», so dilettantisch die Umsetzung: Schon nach wenigen Seiten erstickt die anekdotenselige Erzählung in stilistischer Bürokratie und musealer Drögheit. Der krampfhafte Versuch, Zeitkolorit zu transportieren, wendet sich gegen den Text, das an sich reizvolle Leitmotiv wird zermahlen wie eine, ja, sagen wir es ruhig: Kaffeebohne. Das in überaus unanschaulicher Kulissenhaftigkeit erstarrte Szenario, die inkonsistenten, nur wie durch Nebelschleier wahrnehmbaren Figuren und jeglicher Mangel an sinnlicher Qualität lassen das auf 642 Seiten aufgeblasene Geschreibsel in den Untiefen eines alpinen Urgesangs, eines hooliganartigen Gegröles versinken, ohne allerdings dessen Kraft zu besitzen. Erdmann hat während seiner endlosen Recherchen allerhand laue Geschichtchen zusammengetragen, die wichtigste Grundregel jedoch missachtet: In der Literatur geht es eben nicht um «Authentizität», ist diese doch allemal nur künstlich hergestellter Effekt! Wahrscheinlich ist es eine Déformation professionelle von Comedy-Autoren, dass sie Effekt nicht von Effekthascherei zu unterscheiden vermögen. Doch nicht einmal das Effektehaschen will Erdmann mit dieser ermüdend eindimensionalen Abbildung ohne jede Konstruktion und Textökonomie gelingen. Der Text versucht immer wieder Luft zu holen, stürzt jedoch aufgrund akuten Sauerstoffmangels nach wenigen Schnappatmern ab in wattiertes Gebrabbel. Manchmal lösen stilistisch verunglückte Peinlichkeiten ja eine gewisse hermeneutische Geilheit aus, im vorliegenden Fall jedoch nur Fassungslosigkeit. Hier hat sich ein Gebrauchsschreiber an etwas verhoben, von dem er besser die Finger gelassen hätte. Grotesker kann man nicht scheitern. Amen.

Auweia. Volle Breitseite. Arschgeigen.

Die Herrschaft der Literatur muss zugunsten des reinen Erzählens aufgegeben werden! Geschwätzigkeit ist ab sofort ausdrücklich gestattet!

Der Bedeutungsflur wird frei gemacht, und zwar mit der Sense!

Produktion von Sinn durchs Erzählen, ohne dass Sinn vorausgesetzt wird! Denn: Durchs Erzählen wird erst Sinn produziert!

Ich schaltete den Fernseher ein. Die Scheißsonne strahlte direkt auf den Bildschirm. Alles macht die Sau kaputt, selbst die Kontraste auf dem Bildschirm. Ich schloss die Vorhänge und blieb nach kurzem Zappen beim Ersten hängen. Das Erste ist die Heimstätte für Menschen, die demnächst aus allen Zielgruppen herausfallen, es bleibt ihr treuer Begleiter bis zum Ende. Irgendwann ist auch mal

gut mit ständigen Produktwechseln und bewährte Kaufprä-
ferenzen In-Frage-Stellen. Ein neuer Trend? Lächerlich!
Verschlafen! Aussitzen! Einen drauf hobeln! DVD, iPod,
Wireless Lan, von wegen. Back to Mono! Commodore C64,
mein Lieblingscomputer ever, eine Hightech-Maschine mit
menschlichem Antlitz, deren Rechenleistung für «Henrys
House», das beste Computerspiel der Welt, dicke gereicht
hatte: Die Aufgabe des Spielers bestand darin, eine quasi
halbdimensionale, *sehr* einfach animierte Figur (Henry)
mit einem extradoppelklobigen Joystick durch ein mit
toten Gängen und Falltüren gespicktes Gebäude (House)
zu lotsen, wobei jede Aktion von digitalem Quäksound in
vier / drei / zwei / eins Bit Auflösung untermalt worden war.
Besser geht's doch nicht.

Die einen fallen mit Ende zwanzig aus dem Zielgrup-
penraster, wg. Starrsinn, Scheuklappen und Verkalkung,
andere gehen bis weit ins sechste Lebensjahrzehnt in die
künstliche (gekünstelte) Verlängerung. Faustregel: Solange einem auf der Straße noch Diskotheken-Flyer zu-
gesteckt werden, ist alles in Ordnung; wenn man irgendwann Luft wird für die blutjungen Promo-Affen, heißt es
ab ins Forsthaus. Diskotheken-Flyer sind das Zünglein an
der Waage, ist tatsächlich so. Das Leben gibt auf komplizierte Fragen oft verblüffend einfache Antworten.

Im Ersten lief Pferdesport, Liveberichterstattung von einem international bedeutenden Springreitturnier. Spring-
reiten nimmt noch hinter Renn- und Dressurreiten in der
steil ansteigenden Langweiligkeitsskala den ersten Platz
ein. Pferdesport ist Nazi-Amüsement (herrlich, schon wieder was mit Nazi). In ihren bretthart gestärkten SA-Klamot-

ten sehen die humorlosen Reiter aus wie reinrassige Gauleiter. Pferde sind dümmer als Schweine. Schweine sind die eigentliche Herrenrasse, nicht die dämlichen Gäule mit ihren extralangen Pferdegesichtern. Nutzen lässt sich vom Pferd lediglich die Wurst, die allerdings mit viel Ketchup, Majo und Gewürzmischungen *hochgejazzt* werden muss, damit's nicht so nach Pferd schmeckt.

Der von seinem Elitesport berauschte Kommentator sprach anmaßend leise, um sich von den grölenden Fußball- oder sonstigen Prollreportern abzugrenzen. Leise, aber intensiv, ein Pferd sagt mehr als tausend Worte. Rasputin aus dem Gestüt Ed von Schleck. Oder so. Name des Reiters: Dr. Ernst Oertzen. Der Reporter klang immer intensiver, als hätte er sich vor andächtiger Freude in die Hose gekackt. Pferdewurst, haha! Das Gespann Rasputin / Oertzen war Favorit. Nur noch vier Hindernisse! Phantastische Zeit! Gesamtsieg! Hopphopphopp, tschakka, du schaffst es! Der Herrenmenschenreporter rutschte aufgeregt in seiner übervollen Windel hin und her. Dann das Unfassbare: Rasputin stoppt beim Anlauf auf das vorletzte Hindernis. Vollbremsung. Von hundert auf null, irgendetwas musste das Tier irritiert haben. Dr. Oertzen versucht, sich in der Mähne festzuklammern, rutscht jedoch über das Hinterteil in den Staub und bleibt seltsam verrenkt liegen. Stille. Schweres Atmen, Mundgeschnalze, Schnauben, Rascheln, Schlucken, es gibt nichts mehr zu kommentieren. Endlich kommen zwei Sanitäter herbei und helfen Dr. Oertzen auf die Beine, der aber sogleich wieder einknickt und erneut auf dem Hosenboden landet. Statt endlich was zur Sache zu sagen, kommt dem offenbar völlig geschockten Reporter etwas ganz und gar Irres aus dem Mund gepullert: «Ein Reiter ohne Pferd ist nur ein Mensch, aber ein Pferd ohne Reiter ist immer noch ein Pferd.» Die Essenz eines ganzen Pferdesportkommentatordaseins, und in Wahrheit alles, was es über Pferdesport zu sagen gibt. Zum Glück konnte ich nochmal einschlafen.

Ich musste mit meinen Kraftreserven heute besonders gut haushalten und bestellte deshalb ein Taxi, genauer gesagt ein Nichtrauchertaxi. Großvater seinerzeit war immer noch weiter gegangen: Das Tüpfelchen auf dem i seines umfangreichen Forderungskatalogs (Nichtraucher, Leder-sitze, Mercedes der aktuellen Baureihe) lautete «Deutscher Fahrer». Ich lehnte mich zurück und atmete tief durch. Das Taxi roch nach Neuwagen. Den charakteristischen Neuwagengeruch erschnuppern bedeutet für Autofans ein sinnliches Vergnügen der S-Klasse. Vielleicht benutzte der Lenker (österreichisch für Fahrer, klingt tausendmal besser – Taxilenker / Erdäpfel / Fisolen / Holzpyjama, herr-lich, ich könnte die Reihe beliebig fortsetzen) auch Neu-wagenspray, das diesen unvergleichlichen Duft perfekt nachahmt. Neuwagenspray ist nach Autotelefonattrappen das nutzloseste Produkt aller Zeiten. Autotelefonattrappen erfuhren eine sehr kurze Blüte zu Beginn der Neunziger, als Handys noch ausschließlich den oberen Zehntausend vorbehalten waren. Eine kleine Firma mit großem Riecher stieß sich im schmalen Zeitfenster gesund und befriedigt jetzt hoffentlich die Nachfrage für ein vergleichbares Ni-schenprodukt.

Ich war zehn Minuten zu früh. Hier wohnte sie also. Unschlüssig stand ich vor dem maroden Gründerzeit-gebäude, blickte an dem ollen Kasten hoch und fragte mich, wann er wohl der Abrissbirne zum Opfer fallen würde. Das Haus starrte mich aus blinden Scheiben an und schämte sich. Jaja, der Lack ist ab, denkt das Haus. Nur zu gern würde es den Besuch guten Gewissens herein-bitten, aber die Begehung des Treppenhauses ist mit Risi-ken behaftet. Das Geländer ist locker, und aus dem von unzähligen harten Wintern verwitterten Klingeltableau (Grünspan) hängen die Kabel raus wie überlange Nasen-haare. «Betreten auf eigene Gefahr!», würde das Haus ru-fen, wenn es denn rufen könnte, und es schlottert trotz der Hitze vor Angst, seinen hundertsten Geburtstag im kommenden Jahr nicht mehr zu erleben. In welcher Ab-sicht der Mann wohl gekommen ist? Wie einer vom Bau-amt sieht der jedenfalls nicht aus; die trauen sich sowieso nicht mehr her, seitdem das Haus, quasi in Notwehr, ei-nen losen Ziegel hat fallen lassen, um die Pissnelken zu vertreiben. Doch das war leider ein Eigentor gewesen, denn gleich nach dem Vorfall wurde im Eilverfahren der Notabriss beschlossen, und nun würde alles ganz schnell gehen. Ich konnte dem Haus nicht helfen, und das Haus konnte mir nicht helfen, unsere Wege trennten sich, und jeder musste sehen, wie er / es allein klarkam.

Janne heißt mit Nachnamen Schultz. Schultz / Leh-mann / Berger war mit trauriger Kinderschrift auf einen welligen Fetzen Klebeband gekrickelt. Eine Wohngemein-schaft, und noch dazu eine, die sich aus Personen mit den langweiligsten Nachnamen Deutschlands zusammensetzt.

«Markus?»

«Genau.»

«Wart mal, ich komm runter.»

«Ja, ist gut.»

Das war nochmal gutgegangen. Ich hatte schon befürchtet, hochgebeten zu werden, und mich einem WG-typischen Verhör stellen zu müssen: Drei überirdisch schöne, klapperdürre Frauen lümmeln sich rauchend und Gin Tonic trinkend in einer sonnendurchfluteten Wohnküche und fühlen mir so ganz nebenbei auf den Zahn. Sie heißen Zoë oder Sumi, was in der Richtung, und benehmen sich auch so: überkandidelte Möchtegern-künstlerinnen mit überspannten Namen, humorlose Gernegroße, oder wie die weibliche Form von Gernegroß geht. Gernegroßinnen? Von Zeit zu Zeit schöpfen sie mit einer Riesenschöpfkelle Honig oder Nuss-Nougat-Creme aus überdimensionalen Honig- oder Nuss-Nougat-Creme-Bottichen. Trotzdem bleiben sie dünn, lächerlich dünn. Sie könnten wochenlang rumdösen und Schnaps trinken und Zigaretten rauchen und Käse und Süßigkeiten essen und nicht aufs Klo gehen, sie werden weder dick noch traurig, noch bekommen sie Verstopfung. Beneidenswert.

Gerade am Anfang ist es wichtig, dass alles gutgeht. Später, wenn alles läuft, darf auch mal ein Malheur passieren, aber nur was Kleines (Portemonnaie fallen lassen / Knopf am Hemd geht ab / Schwitzfleck). Worüber ich mir schon wieder Gedanken machte. Verrückt. Unnötig. Überflüssig. Paranoid. Zwischen uns war nichts, ist nichts und wird nie was sein, im schlimmsten Fall wird's langweilig. Trotzdem wünschte ich in dem Moment nichts mehr, als dass sie beim Rausgehen umknickt und sich den Fuß verstaucht. Nichts Schlimmes, nur verstauchen. Dann könnte ich ihren angeschwollenen Knöchel mit kalten Umschlägen wickeln und nach einer halben Stunde im Bewusstsein, mich wie ein echter Gentleman benommen zu haben, wieder gen Heimat fahren.

Statt ihrer Hand hielt Janne mir eine Dose Bier hin. Die weiß, wie man's macht. Sie trug eine braune Bluse mit grünen *Applikationen* (Blick geschärft durch «RTL Shop») und eine Stoffknickerbockerhose im gleichen Braun. Das Braun meiner Cordhose war eine Spur dunkler. Braun und Braun gesellt sich gern. Sie lächelte mich an.

«Ahoi. Ich hab um halb elf einen Tisch beim Japaner bestellt. Der ist hier gleich um die Ecke. Ich hoffe, das ist recht.»

«Ja, passt schon.»

Japaner, na vielen Dank. Noch eine halbe Stunde. Das Bier war eiskalt. Herrlich. Ich trank einen großen Schluck. Unter Alkoholeinfluss verliert man rasch die Fähigkeit, zwischen Nähe und Distanz zu unterscheiden, und zündet Strohfeuer, die es gar nicht gibt. Als wir den Hans-Albers-Platz *durchschritten*, legten wir eine kurze Pause ein und beobachteten das exhibitionistische Treiben. Janne steckte sich eine Zigarette an.

«Alles Idioten hier.»

«Du kannst ja wegziehen.»

«Noch nicht, es ist noch nicht an der Zeit.»

«Wann ist es denn an der Zeit?»

«Weiß nicht, vielleicht in einem Monat, vielleicht erst in zwei Jahren. Morgens beim Aufwachen muss man spüren, dass es so weit ist.»

«Ich wach seit ungefähr zehn Jahren jeden Morgen so auf. Aber dann denk ich nicht weiter drüber nach und schau mir Kochsendungen an. Das hilft.»

«Guckst du gerne Kochsendungen?»

«Ja. Aber nur welche mit alten, dicken, öffentlich-rechtlichen Köchen. Lafer, Schubeck, so was. Neulich hat Schubeck die vier verschiedenen Typen Weißwurstesser erklärt: Aufreißer, Zuzler, Nager und Sauger.»

«Wirklich, heißt das so?»

«Weiß nicht, klingt jedenfalls gut.»

«Lass mal rübergehen.»

«Hmm.»

Kein Gast war älter als vierzig. Noch schlimmer ist es nebenan im Schanzenviertel, der mutmaßlich ersten komplett altenfreien Zone Deutschlands. Nicht mal tagsüber sieht man dort einen Rentner zum Briefkasten huschen oder gar einkaufen, selbst in der Konditorei Stenzel, einem typischen Oma-Café, drücken sich nur Beknackte herum, die es witzig finden, extra dorthin zu gehen, wo sie nichts verloren haben. Janne bestellte Rindfleischsalat und danach irgendwas mit Ente. Ich entschied mich aus Vernunftgründen für leichtverdauliches Weltraumessen: Bento zwei (incl. Misosuppe). Misosuppe, Misosuppe, das klingt schon so, als ob's nicht schmecken werde. Man hat ein riesiges, trübes Gewässer ohne jeden Wellengang vor Augen, aus dem die lauwarmen Portionen einzeln (hand)geschöpft werden. Janne schaute mich an.

«Besonders glücklich wirkst du ja nicht, wenn ich das mal so sagen darf.»

«Ach Gott, glücklich, was heißt schon glücklich?»

Was war denn jetzt schon wieder los mit der? Da machte ich mir Gedanken über Distanz und Nähe, und die kommt mit Themen, die man, wenn überhaupt, erst ganz spät anschneidet, am besten, wenn man zu besoffen ist, um sich am nächsten Tag daran zu erinnern.

«Ich weiß auch nicht, was das für dich heißt.»

«Glück ist die Methode des Gehirns zu signalisieren, dass man genau das Richtige getan hat. Was glücklich macht, erhöht die Aussicht aufs Überleben, das ist der wahre Kern des Glücks. Fett, Salz und Zucker sind die größten Glücksbringer der Welt.»

«Wir können auch über was anderes reden.»

Jannes Ente duftete nach Sesamöl und Zitronengras. Das Bento roch weder, noch schmeckte es nach irgendwas. Dingsfisch, Dingsfisch, Dingsfisch, mit pampigem Sushireis eingewickelt, der den kaum vorhandenen Eigengeschmack restlos neutralisiert. Die Geschmacksnerven können sich nur an scharf und salzig erinnern, scharf vom Meerrettich und salzig von der Sojasauce. Den Fisch könnte man eigentlich auch weglassen.

«Ist das jetzt Makrele oder Lachs oder Thunfisch oder was?»

«Ich glaub, Thunfisch.»

«Kennst du eigentlich die drei goldenen S der Fischzubereitung?»

«Nee, sag mal.»

«Säubern, säuern, salzen.»

«Gut. Kennst du die drei goldenen S der Darmreinigung?»

«Nein.»

«Oder findest du das unappetitlich beim Essen?»

«Nein, im Gegenteil. Überhaupt nicht.»

«Schonung, Säuberung, Schulung.»

«Aha. Gut.»

«Sag mal, ist eigentlich noch Mozartjahr, oder war das im letzten?»

«Für mich ist jedes Jahr Mozartjahr. Wenn man den Salzburgern Mozart wegnimmt, dann bleibt denen doch gar nichts mehr.»

Irgendwie war es plötzlich wieder wie Dienstag. Angenehm. Unbefangen. Lustig. Unterhaltsam. Leicht. Ich hatte keine Angst mehr.

«Schon nach zwölf. Wollen wir gleich mal los?»

«Ja. Wohin geht's denn überhaupt?»

«Es gibt unterschiedliche Optionen.»

Unterschiedliche Optionen, was sollte das denn heißen? Vielleicht hatte sie eine Überraschung vorbereitet. Junggesellenabschied oder so. Wir schlossen uns dem Menschenstrom an und ließen uns die Reeperbahn nach oben treiben. Die Stimmung auf der Straße hatte sich geändert, anderer Aggregatzustand, schnellere Taktung. Die Abendgäste – Musicalbesucher, Kiezbummler, Touristen – zog es nach Hause oder ins Hotel, um der Nachtschicht Platz zu machen.

Zwei befreundete Ehepaare aus Winsen an der Luhe, Anfang dreißig, haben im *Schmidts Tivoli* eine Veranstaltung besucht und beschließen, weil die Stimmung heute ohne besonderen Grund *beschwingt* ist, entgegen ihrer Gewohnheit noch was trinken zu gehen, das machen sie sonst nie, normalerweise sind sie um diese Zeit schon längst auf dem Heimweg. Senile Stadtflucht. Da Vorsicht die Mutter der Porzellankiste ist, lassen sie einander nicht aus den Augen und sichern sich ab, wie Soldaten auf dem Rückzug. Wo kann man hier eigentlich noch so hingehen? Achselzucken, eigentlich kennen sie nur das Operettenhaus und die Davidswache. Guck mal, das *Herz von Sankt Pauli*, liegt eh auf dem Weg zum Parkhaus, scheint ganz friedlich zu sein, und erschossen wird man sicher auch nicht gleich. Sie haben gehört, dass man in gewissen Läden sein Glas nicht unbeaufsichtigt stehenlassen darf, weil einem sonst K.-o.-Tropfen hineingeschüttet werden. Sie fühlen sich nicht recht wohl und beeilen sich mit dem Trinken. Die Musik ist laut, wenigstens kennen sie die Titel, das hilft:

Einen Stern, der deinen Namen trägt,
Hoch am Himmelszelt,
Den schenk ich dir heut Nacht,
Einen Stern, der deinen Namen trägt,
Alle Zeiten überlebt,
Und über unsre Liebe wacht.

Ein paar Leute tanzen. Dann traut sich auch eines der Pärchen. Seht her, geht doch! Triumphierend gucken sie zu ihren Freunden rüber, die etwas unbeholfen dastehen und verlegen «Heu, heu, heu» oder so ähnlich machen. Wenn schon nicht tanzen, dann wenigstens anfeuern. *Schwo-*

fen nennen sie das daheim in Winsen. Harmlose Worte für eine harmlose Stimmung, mehr ist es nicht und wird es auch nicht werden, geht irgendwie nicht, natürliche Sperre. Ihre Laune wird zusehends besser, die Musik, der Alkohol, die anregende Samstagabendausgehatmosphäre. Sie bestellen noch was, mit Ausnahme des Fahrers, der Schorle trinkt, was ihm aber nichts ausmacht, denn er kann auch ohne Alkohol fröhlich sein. Leute, die Alkohol trinken müssen, um sich amüsieren zu können, haben *sein tief empfundenes Mitgefühl*. Statt funktionieren sagt er immer funktionuckeln. Ein Uhr. Jetzt müssen sie aber wirklich los. Husch, husch nach Hause. Als sie sich in ihren behaglichen Höhlen eingemuschelt haben, sind sie irgendwie doch erleichtert. Aber spannend war es. Das machen sie jetzt öfter! Machen sie eh nicht, aber egal. Der Fahrer überlegt, ob er nach dem elenden Schorlegesaufe ein Feierabendbier trinken soll, entscheidet sich aber dagegen, denn morgen Vormittag geht's zum Fußball, und selbst *ein* Bier merkt man.

Unschlüssig latschte ich neben Janne her.

«Wo geht's eigentlich hin?»

«Später in den *Pudel*, aber dafür ist es noch zu früh. Wir können ja vorher noch in irgendeine Bumsbude.»

«Was meinst du mit Bumsbude?»

«Irgendeinen Schrottladen.»

«Nix dagegen.»

«Komm, wir gucken mal.»

Eingekeilt zwischen den Massen, rückten wir im Schneckentempo weiter. Lange würde ich das Geschiebe und Gedränge, das Gegröle und die aufgeladene Stimmung nicht mehr ertragen. Wieso amüsierten sich eigentlich alle? Es gab doch überhaupt keinen Grund! Ich verstand es nicht und würde es nie verstehen, zwecklos, hoffnungsloser Fall. Ich sah mich schon morgens um sieben oder acht mit ausgeschlagenen Zähnen in irgendeinem Hauseingang am Hamburger Berg liegen, ab und an hebt eines der winzigen Schoßhündchen der Edelnutten das Bein und pisst mir ins Gesicht.

«Sag mal, wollen wir nicht bald runter von der Reeperbahn? Ist ja furchtbar.»

«Ja, nächste Möglichkeit.»

Wir bogen ab in den Hamburger Berg und wieder links in die Simon-von-Utrecht-Straße.

«Ob hier überhaupt noch was ist? Das sieht doch ganz tot aus.»

«Weiß ich auch nicht, wir gucken mal. Irgendwas wird schon sein.»

Wir passierten ein paar Saufkneipen, bis Janne vor einem unscheinbaren Laden stehenblieb. 1900 – Disco & Dancing.

Sie schaute mich fragend an.

«Das könnte was sein. Der Name ist jedenfalls schon mal gut.»

«Von mir aus.»

Obwohl es erst halb zwei ist, wirkt es, als wäre im 1900 der Zenit bereits überschritten. Alles erinnert an die längst wieder aus der Mode gekommenen After-Work-Partys, bei denen die Gäste spätestens um Mitternacht von CD-DJ Frank oder Kassetten-DJ Stumpi zum Inga-und-Wolf-Klassiker

«Gute Nacht, Freunde» hinauskomplimentiert werden. Samtrote Plüschlandschaften säumen die chromblitzende Tanzfläche, der Tresen ist Eiche rustikal. Man hat das Gefühl, irgendwo im Niemandsland der norddeutschen Tiefebene gelandet zu sein, wo die Zeit über weite Gebiete bekanntlich Ende der Achtziger stehengeblieben ist und Diskotheken, in denen sich hinterkopflose Freizeitbodybuilder und Provinz-Gangsta-Rapper das Revier teilen, *Mausefalle* oder *Zeppelin* heißen. Wir holen uns Caipirinha (nur 7 Euro!) und gehen zu einem der überdimensionalen Sofahaufen, in dessen hinterster Ecke eingesackt ein junger Mann SMS tippt. Im vorderen Teil der *Sitzlandschaft* lümmelt eine Clique, vier Jungen, drei Mädchen. Wir pflanzen uns dazwischen, Beobachterposition, genau das Richtige.

Der SMS-Tipper, ein schmächtiger Normalo, passt genauso wenig hierher wie wir. Vielleicht ist er der Bruder von der Freundin von irgendjemandem, einer, den man ab und an aus Mitleid mitnimmt und dann vergisst. Seine Leute sind vor einer halben Stunde weitergezogen, sie haben ihn pro forma gefragt, ob er noch mitmöchte, doch er fühlt sich heute besonders schlecht und bleibt lieber hier. Er wartet ab, vielleicht geschehen ja noch Zeichen und Wunder.

Die Clique ist bei näherem Hinsehen keine Clique, aber eventuell auf dem Weg dahin, noch sind es zwei getrennte Gruppen, eine Jungen- und eine Mädchenclique. Die Jungen sind aus Bergedorf und ziehen bereits seit neun über den Kiez. Machen sie fast jedes Wochenende so, von einem Laden zum nächsten, wenn sie reingelassen werden. Mädchenjagd nennen sie das etwas übertrieben, denn so gut wie nie ist die Jagd von Erfolg gekrönt. Aber vorhin hat mal was geklappt: Im *Thomas Read*, einer Diskothek ähnlich dem 1900, nur viel größer, hat der Anführer, ein bulliger Schlägertyp mit eng zusammenstehenden Augen und Ohren, die aussehen, als hätte sich mal ein Kampfhund in ihnen verbissen, die Mädchenclique angesprochen und überredet, gemeinsam mit ihnen weiterzuziehen. Erst wollten sie nicht, weil die Typen nicht ihre *Liga* sind, aber eins der Girls hat mal gehört, das 1900 sei ein geiler Laden, egal, ist noch früh, gehen wir mal mit. Der Anführer hat einen schneeweißen NIKE-Trainingsanzug an und ist behängt mit goldenen Ketten, Ringen, Kreuzen, dem typischen Plunder aus der Asservatenkammer amerikanischer Hiphop-Videos. Wie zwei seiner drei *Kollegen* ist er Halbtürke oder Halbgrieche oder Halbirgendwas; komplettiert wird die Gruppe von einem Milchbubi, den sie «Affe» nennen und dafür verachten, dass er Deutscher ist und sich Affe nennen lässt.

Die Mädchen sitzen in der Mädchenecke und die Jungen in der Jungenecke, wie in der Berufsschule. NIKE betrachtet sich als Anführer, daher ist es auch sein Job, die Mädchen in Stimmung zu bringen. Er ist nervös und hat für ein halbwegs menschenwürdiges Gespräch schon zu viel getrunken. Viel erwarten die Girls nicht, aber NIKES Asigestammel ist nun wirklich unter aller Sau. Er lernt es einfach nicht. Anstatt erst um elf oder zwölf loszuziehen und sich sauftechnisch wenigstens am Anfang zurückzuhalten, macht er immer wieder die gleichen, vermeidbaren Fehler. Und nun hat er Angst, dass die Girls kommentarlos aufstehen und einfach gehen oder, viel schlimmer, sich anderen

Typen anschließen, die längst schon auf der Lauer liegen und auf ihre Chance warten. «Das wär ja wohl noch schöner, wenn solche Prolls die geilen Weiber hier abschleppen!» Die Entrüstung ist echt. NIKE hat es auf die kleine, feenhafte Halbasiatin abgesehen, die von einer blondierten Sexbombe mit Riesenglocken (echt) und einer Brünetten ohne besondere Kennzeichen flankiert wird. Mit ihren Hüfthosen und den weit ausgeschnittenen Blusen sehen die Girls aus wie Laiendarstellerinnen aus Gerichtsshows. Direkt nach der Aufzeichnung sind sie losgezogen, jetzt weiß man endlich mal, was die nach Feierabend so machen. Tatsächlich werkelt die Sexbombe an einer TV-Karriere. (Am besten Moderatorin. Schauspielerin geht auch.) Ihr letzter Einsatz beim nervlich schwer angeschlagenen Sexrichter Alexander Hold (drei Aufzeichnungen pro Tag!) liegt erst ein paar Wochen zurück. Im Zeugenstand hat sie ihren einzigen Satz geschrien: «Ey, das Schwein hat mich angetatscht, halt die Schnauze, jetzt red ich, ey, und dafür soll er mir büßen bis zum Ende seines Lebens.» Sie brüllt, weil sie das mit Schauspielerei verwechselt. Dann ist sie in Tränen ausgebrochen, obwohl der Regisseur ihr gesagt hat, dass sie das gefälligst bleibenlassen soll, scheißegal, sie will ihre Chance nutzen. Da bei Sexrichter Alexander Hold (drei Aufzeichnungen pro Tag!) alles zack, zack gehen muss, ist ihr hysterisches Geschluchze auch tatsächlich nicht ganz geschnitten worden. Sie hat es bisher auf vier Einsätze in Gerichtsshows gebracht, dazu Daily-Talk-Auftritte («Du Schwein! Heute kommt alles raus»/«Du Sexsau. Sag endlich die Wahrheit: Von wem ist das Kind wirklich?»/«Du Schwein. Du verdammte Sexsau!»), ist

bei einem Werbespot von links nach rechts durchs Set ge-
latscht – erst zu langsam, weil sie möglichst lange im Bild
sein wollte; in diesem Fall jedoch hat der Regisseur sich
durchgesetzt – und hat beim «Großstadtrevier» als Kom-
parsin mitgewirkt. Irgendein alter Bock aus dem Team
hat sie in einer Drehpause angegraben, was bildet sich
das geile Schwein eigentlich ein, sie konnte sich gerade
noch beherrschen, ihm nicht die Eier wachsweich zu treten. Nächste Woche ist sie mit einem Kumpel verabredet,
der ihre Auftritte zu einem Castingband (korrekt muss
es Showreel heißen, sie könnte kotzen, wenn irgend so
ein Amateur Castingband sagt) zusammenschneidet, und
dann wird richtig Gas gegeben. Mit ihrem letzten Freund
hat sie Schluss gemacht, weil dessen *Schluffigkeit* sie run-
tergezogen hat. Ein Verlierer an ihrer Seite ist das Letzte,
was sie brauchen kann, ein Typ soll sie pushen. Ihr Held
ist Xavier Naidoo, dem sie regelmäßig schreibt, den Brie-
fen legt sie Fotos, selbstgemalte Zeichnungen und Smileys
bei: «Danke für die Gänsehaut». Das 1900 findet sie jetzt
schon voll peinlich.

NIKE ist fahrig und sauer auf seine Kollegen, die außer
«Ey, Digga, lass mal den Scheiß» (seit neuestem ersetzen
sie das ewige «Digga» durch «Opfer» = «Ey, du Opfer, lass
mal den Scheiß») nichts zur Unterhaltung beitragen. Die
Deutschen sprechen wie Ausländer und die Ausländer wie
Deutsche, die wie Ausländer sprechen. Ihre zerfetzten
Sätze ähneln den Lauten von Pinguinen, die damit unter
Abermillionen identisch aussehender Tiere die eigene Brut
wiederfinden. NIKE begleitet sein schnarchlangweiliges
Gestammel mit Grimassen und Armrudern, er müht sich,

so etwas wie Schwung vorzutäuschen, langsam wird die Zeit knapp, er spürt, dass die Entscheidung längst gefallen ist. Eine Zigarettenlänge Gnadenfrist bleibt ihm noch. Er hat echt zu viel getrunken und glotzt die Asiatin an, wie es glotziger nicht geht, aber das ist jetzt auch schon egal. Sie ist wirklich hübsch, eine Porzellangestalt mit Kindergesicht, viel weniger prollig als die Sexbombe. Wiegt sicher nicht mehr als fünfundvierzig Kilo. Ihr wird ganz mulmig von dem geilen Gestarre, sie saugt im Akkordtempo an ihrer Zigarette und will endlich weiter. Was für eine Scheißidee, mit den Asis mitzugehen. Sie überlegt, wie viele Stufen die unter ihr stehen. Zwei? Zweieinhalb? Dreieinhalb? Ständig ist sie am Rechnen. Sie drückt ihre Zigarette aus und schaut zu ihren Freundinnen, die wie auf Kommando aufstehen. NIKE steht die ungeheure Enttäuschung ins Gesicht geschrieben.

«Ey, das ist doch nicht euer Ernst. Wollt ihr echt schon los? Das ist noch nicht mal zwei, Aldda.»

«Nee, wir hauen ab. Ihr (die Sexbombe deutet auf die Asiatin, die Brünette bleibt stumm) ist schlecht, sie muss nach Hause.»

Die doofste Ausrede, die sie im Repertoire hat, aber für die Prolls muss es reichen. NIKE sieht ein, dass es keinen Zweck hat, nach den Handynummern zu fragen. Die Lage ist hoffnungslos, er kann es sich nicht leisten, noch mehr Kraft zu vergeuden. Er schüttelt einem Girl nach dem anderen brav die Hand und schaut sehnsuchtsvoll der Asiatin hinterher, die sich fast panisch rausdrängelt. Gott, wie süß und zierlich die ist, meine Güte, meine Güte. Nachher im Bett, wenn er sich einen runterholt, wird er «Baby, Baby» oder so was vor sich hin gurgeln. Er liebt dieses Mädchen. Er liebt dieses Mädchen, und seine Scheißkollegen hasst er. Spastiker! Mongos! Brabbeln ungerührt weiter, als wäre gerade nichts passiert. Affe wagt es gar, einen Witz zu machen: «Faust in den Arsch schieben und oben auch was, und dann kommt das in der Mitte zusammen, haha», irgendwie so. Dafür fängt er sich eine richtig harte Ohrfeige. NIKE schreit ihm ins Ohr: «Ey, du bist ja so was von behindert, dass das im Ausweis steht.» Affe hält sich die Wange und macht eine entschuldigende Geste, sonst hat er gleich noch eine sitzen. NIKE hat genug von dem Scheißladen und seinen Versagerfreunden. Wütend erhebt er sich und kippt beim Aufstehen seinen Drink um. Ungeschickter Kaffeetrinker. Egal, so schnell gibt er nicht auf. Am Kiosk besorgt er sich eine Literflasche Cola und trinkt sie in hastigen Zügen aus. Klarer Kopf, er muss unbedingt wieder einen halbwegs klaren Kopf bekommen. Heute muss etwas passieren, es muss einfach!

Ich schaute Janne an:

«Und?»

«Mir gefällt es in solchen Läden. Aber wenn's dir zu viel wird, können wir auch wieder gehen.»

«Nö, nö.»

Jetzt waren wir mit dem Stillen allein, der gar nicht aufhören wollte mit seiner SMS-Tipperei. Zwei junge Frauen setzen sich zu ihm, entfernte Bekannte, oder welche von seinen Leuten, die auch hiergeblieben waren und, weil er ihnen leidtut, ab und an nach dem Rechten schauen. Geil

sehen die nicht mehr aus, kein Vergleich mit den Gerichts-
showludern, sie sehen eher aus wie Dick und Doof oder
Pat und Patachon oder Hella und Dirk. Dabei heißen sie
in Wahrheit BABE und SCHLAMPE. Das steht jedenfalls
auf ihren T-Shirts. Sie trauen sich bis zur endgültigen Aus-
musterung nur noch in Läden wie den *Pupasch* oder das
1900, ein paar Ecken weiter wartet bereits freundlich win-
kend der *Goldene Handschuh*, um ihnen endgültig aus dem
Mantel zu helfen. BABE sieht irgendwie ganz komisch
aus, ihr Gesicht wirkt seltsam zusammengedrückt, ihr
Körper auch, und das dunkelgrüne T-Shirt lässt sie noch
kleiner und eckiger erscheinen; Querstreifen strecken
und Längsstreifen stauchen, oder war es umgekehrt?
Ein Prügelopfer, eine, die immer wieder an die gleichen
Schlägertypen gerät. Warum löst sie bei den Männern
nur immer solche Aggressionen aus? Irgendwas muss sie
falsch machen, wenn sie nur wüsste, was. Die *Beziehungen*
enden meist damit, dass die Typen sie rausschmeißen.
Sie können das devote Etwas an ihrer Seite (an *ihrer Seite*
ist gut) nicht mehr ertragen, haben Angst, sie eines Tages
aus Versehen totzuschlagen und für so eine Scheiße auch
noch im Knast zu landen. Babes letzter Freund hat eines
Nachts einfach ihre Sachen aus dem Fenster geschmis-
sen und sie anschließend aus der Wohnung geschubst.
Anstatt sich zu verkrümeln (in diesem Fall das passende
Wort), blieb sie winselnd im Flur liegen, und das fand er
nun wirklich ekelhaft. Viel hatte nicht gefehlt und er hätte
sie tatsächlich totgeschlagen. Ersatzweise schüttete er
ihr irgendeine Pisse über den Kopf und zischte sie an, sie
solle endlich verschwinden. Wie immer ist sie erst mal bei

ihrer Schwester untergekommen. Die ständigen Prügel haben ihre Proportionen verändert, sie ist ganz verkürzt und verdreht und verknotet, als hätte man ganze Stücke aus ihr herausgeschlagen oder rausgesägt. Lange dauert's nicht mehr, dann wird sie bis ganz unten durchgereicht, wo Maik Bohnsack schon darauf wartet, seine in jahrelangen Gefängnisaufenthalten perfektionierten Foltertechniken in aller Ruhe an ihr auszuprobieren.

SCHLAMPE sieht nach irgendwas mit Bulimie aus. Ihr T-Shirt ist von DOLCE & GABBANA. Der Rest auch: Jeans, Schuhe, String, Accessoires. Und der Gürtel, über dessen gesamte Länge mit goldenen Nieten der Name des italienischen Designerduos eingestampft ist. Fehlt nur noch ein Gesichtstattoo mit dem Logo ihrer Lieblingsausstatter. BABE und SCHLAMPE sind hiergeblieben, weil sie zwei Männer kennengelernt haben. Der eine sieht aus wie ein ADAC- oder Dekra-Gutachter, wie immer die auch aussehen, passt schon, der andere hat einen Eierschädel und kreisrunden Haarausfall. Ladenhüter, die keine großen Ansprüche stellen und auch nicht stellen dürften. BABE flirtet unkonzentriert mit dem Dekra-Typen, ihr Blick schweift dauernd ab zu einer Gruppe Bodybuilder, die gelangweilt an ihren Drinks nippen. Sie hat schon immer auf solche Typen gestanden, den einen findet sie richtig gut, der sieht fast so geil aus wie Dolph Lundgren zu seinen besten Zeiten, ach Quatsch, geiler. Vor ein paar Jahren hätte der sicher zurückgeguckt, jetzt aber eben nicht mehr. Die Ladenhüter müssen die Regeln einhalten, da achten die Frauen peinlich genau drauf, die müssen sich richtig anstrengen, bevor sie randürfen an die Buletten.

SCHLAMPE kann zwar mit Buletten *nicht wirklich* dienen, hat aber hoffentlich was anderes drauf. BABE zieht ihre Freundin auf die Tanzfläche, vielleicht bemerken die Bodybuilder sie endlich, aber die denken nicht daran, sondern befühlen unauffällig ihre Muskeln und besprechen, wohin sie als Nächstes gehen. Nicht eine einzige geile Alte hier. Dekra und Eierkopf sind zum Tresen, Caipis bestellen. Sie haben sich den Frauen gegenüber prophylaktisch als «Tanzmuffel» geoutet. Hoffentlich kommen die Fotzen bald wieder, denkt Eierkopf. Was bleibt ihm übrig, außer geduldig abzuwarten? Wenn er auf seinen erfolglosen Beutezügen eines gelernt hat, dann dies: Es sind *immer* die Frauen, die bestimmen, wie und wann und ob überhaupt was geht. Die Bodybuilder verlassen im Gänsemarsch den Laden. Keine einzige geile Alte hier, nicht eine einzige geile Alte! BABE ist enttäuscht. Sie stößt SCHLAMPE an, Zigarettenpause. Aber nicht gleich wieder zu den Ladenhütern, die sollen ruhig noch ein bisschen schwitzen. Jetzt schlägt die Stunde des Stillen, der sich als Pausenclown profilieren kann, oder als Pausenzeichen oder -füller, denn für einen Pausenclown ist er entschieden zu unwitzig. Er versucht, die Ladys zu unterhalten, aber aus seinem Mund klingt alles falsch, er kann es nicht und lernt es in diesem Leben auch nicht mehr. Schon nach wenigen Sätzen hören sie ihm nicht mehr zu, er starrt wieder auf sein Handy, traut sich aber nicht zu schreiben, sonst sind sie vielleicht beleidigt. BABE tippt ihre Freundin an. Wo sind eigentlich die Ladenhüter abgeblieben, die standen doch gerade noch da vorn? Die werden es sich doch nicht noch anders überlegt oder gar etwas Besseres gefunden haben in der Zwischenzeit?! BABE hat schon ganz schön einen im Kahn, Säuferpanik und Säufertrauer und Säuferminderwertigkeitskomplexe und Säuferphobie und Säuferparanoia, und die ganzen anderen unseligen Zustände, in die man sich sauftechnisch reinbugsieren kann. Sie stürzen zum Tresen, Riesenerleichterung, da sind sie ja, hinter dem Pfeiler, die Schweine!

Langsam geht die Selektion in ihre Endphase. Wenn es jetzt nichts wird, dann wird es woanders auch nichts mehr, den Schuppen wechseln ist zu riskant, was hier noch gut war, kann nebenan schon schlecht sein. Das böse Wort, das mit *Reste* anfängt, hängt schlecht gelaunt über der *Location*, drohend, zur Eile mahnend. BABE stupst ihre Freundin an, die soll ein letztes Mal mit auf die Tanzfläche kommen. *Rock DJ* von Robbie Williams, ihr «Lieblingsabgehstück». Die Ladenhüter kriegen langsam schlechte Laune, irgendwann ist auch mal gut mit Hinhalten. Dekra hat Eierkopf überredet, ihm BABE zu überlassen, das Gedrungene macht ihn scharf, er könnte ihr mit der flachen Hand auf den Kopf hauen. Eigentlich ist er kein Gewalttyp, aber irgendwas an BABE regt seine für gewöhnlich nicht sehr ausgeprägte Phantasie an. Sie kommt ihm vor wie ein Nagel, der noch halb aus der Wand guckt. Jedes Mal, wenn man mit dem Hammer dran vorbeikommt, muss man ihn ein Stück hineinkloppen, man muss einfach. Was man mit der wohl so alles machen kann? Sicher einiges, sie hat schließlich keine Wahl. Eierschädel ist es irgendwie egal, die Dürre soll ihm auch recht sein. Plötzlich schießt ihm etwas durch den langen Eierschädel: Wenn sie nun nicht rasiert ist! Was für eine

Vorstellung: Lang und dünn und schütter und grisselig, von weißen Zotteln durchsetzt, an denen was klebt. Ogott-ogottogott. Schnell ablenken.

Es sind jetzt vielleicht noch zwanzig Besucher im 1900, darunter zwei sehr dicke Frauen, bei denen sich den ganzen verfluchten Abend nichts, aber auch gar nichts getan hat, noch weniger als bei allen anderen zusammen. Immer wieder zwingt die noch Dickere ihre Freundin in die Verlängerung:

«Komm, eine noch.»

«Aber dann gehen wir echt.»

Nächste Zigarette. So dick und rauchen! Wie dick die wohl erst wären, wenn sie mit dem Rauchen aufhörten? Seit Stunden hocken sie am Tresen und werden immer starrer. Hockerinnen hocken, bis irgendjemand sie wegpflückt, die Pflückzeit bestimmt gleichzeitig ihren Marktwert. Die männliche Entsprechung ist der Starrer, die Planstelle des männlichen Hockers ist unbesetzt.

Auf Rock DJ folgt Mr. Vain. «Call him Mr. Raider, call him Mr. Wrong, call him Mr. Vain ... I know what I want, and I want it now, I want you, cause I am Mr. Vain.» Das war meine Zeit, denkt BABE. SCHLAMPE kann nicht mehr. Sie hat schon wieder den ganzen Tag so gut wie nichts gegessen, und die Aussicht auf das bevorstehende Sexabenteuer lässt die Kotze in ihr aufsteigen. Ach Gott, ach Gott, was soll nur aus ihr werden. Sie stakst in die Plüschecke, zu dem Stillen. Wie der so traurig dasitzt. Sie wird auf einmal ganz weich und hat positive Gefühle, von denen sie nicht genau weiß, was für welche das sind, im Zweifelsfall Muttergefühle. Mutterinstinkt. Sie schafft ihre Zigarette nur noch halb, sie ist zu schwach, die Kippe richtig auszudrücken. Ein Gespräch mit ihm anzufangen wäre zu mühsam, er eignet sich allenfalls als Kippenganzausdrücker oder Aschenbecherentleerer. Er macht auch keine Anstalten, ihr einen auszugeben, abgesehen davon, dass sowieso keine Flüssigkeit mehr in sie hineingeht, noch nicht mal Wasser, sie ist zu voll, bis obenhin voll. Es passt nichts mehr in sie hinein, und schon gar kein Sperma.

Der Stille würde gern was sagen, aber ihm fällt partout nichts ein.

Wenn von dem nicht gleich was kommt, geht sie wieder.

Wenn er nur nicht immer alleine sitzen muss! Er lehnt sich zurück, überlegt. Dabei legt er seinen Arm auf die Lehne, absichtslos, nie würde er es wagen, sie zu berühren. Doch SCHLAMPE verwechselt das mit *Anmache* und schiebt seinen Arm demonstrativ mit beiden Händen zurück. Dann verschwindet sie, sie wird nicht noch einmal zurückkehren.

Mit ungeheurer Wucht wird ihm die Unabänderlichkeit seines Schicksals bewusst. Wohin gehen, wohin fliehen? Für jemanden wie ihn gibt es nirgendwo eine Verwendung. Wieder nimmt er sein Handy und tippt eine SMS. Wem er wohl die ganze Zeit schreibt? Und vor allem was? «HILFE, HILFE, HILFE!» Den ganzen Abend schon, nichts anderes: «HILFE, HILFE, HILFE!» In seinem Kopf spulen sich die immer gleichen, von Viren zerfressenen Splittercodes ab: Error! Der ganze Mensch eine Fehlermeldung, B-Ware, dysfunktional, unvollständig auf die Welt gekommen, Gewölle, in Bruchstücken herausgepresst, und niemand hat sich die Mühe gemacht, das Puzzle richtig zusammenzufügen. Sein ganzes Leben eine unausgesetzte Schwächung, immer entwich irgendwas, ohne dass mal was hinzugekommen wäre. Nie ist etwas in Schwingung geraten, dabei hätte man nur mal eine Saite anzupfen müssen, früher, und gleich hätte das ganze Orchester mit eingestimmt. Er ist erfüllt, von oben bis unten ausgegossen mit diesem brennenden Schmerz, sein Herz ein blutender, schwerer Klumpen, der langsam nach unten durchsackt. Er steht auf und schleicht nach draußen, um sich dem Strom derer anzuschließen, die unverdaut wieder ausgespuckt wurden und nun verglühen in den Feuern der Einsamkeit. Wie lange erträgt man es, zu wissen, dass nichts mehr kommt?

Es wurde Zeit, woanders hinzugehen.

«Und nun?»

Janne schaute auf die Uhr. Viertel nach drei, meine Güte, so spät schon.

«Lass mal zum *Pudel*.»

Ohne sie wäre es mir genauso ergangen wie dem Stillen, das war mal sicher. In den Absturzkneipen am Hamburger Berg herrschten unfassbare Temperaturen. Vierzig Grad. Fünfzig Grad. Sechzig Grad. Grad, Grad, Grad! Die Leute gingen nur rein, um sich mit Getränken zu versorgen. Das arme Tresenpersonal! Wir überquerten die Reeperbahn und bogen an der Davidswache ab Richtung Hafen. Jeder Nutte standen exakt 30 Quadratzentimeter zur Verfügung. Käfighaltung. Und niemals ging ein Freier mit. Rätselhaft.

Vielleicht werden die Frauen ja mittlerweile als Touristenattraktion von Vater Staat subventioniert.

Die Häuser an der Hafenstraße wirkten seltsam unbewohnt. Nirgendwo brannte Licht, kein Pieps war zu hören.

«Wohnen da überhaupt noch Leute?»

«Ja, sicher wohnen da Leute.»

«Und, haben die Mietverträge? Sind das reguläre Mieter?»

«Ich glaub schon.»

«Wer hat denn nun gewonnen? Die Stadt oder die Autonomen?»

«Weiß nicht. Beide beanspruchen das für sich. Ach Gott, ich weiß es auch nicht.»

«Ich dachte, du wärst eine Politische. Ich meine, könnte ich da auch hinziehen? Das interessiert mich, wie die Vergabe so läuft. Das entscheidet bestimmt ein Bewohnergremium.»

«Weiß ich nicht. Langweilig.»

«Von wegen langweilig. Kannst du dich noch dran erinnern, als Anfang der Neunziger die Einkaufswagenchips eingeführt wurden?»

«Was kommt denn jetzt?»

«Da ging eine Welle der Solidarität durchs Volk. Die Leute haben nicht gewartet, bis ihre Vorgänger den Einkaufswagen zurückgeschoben haben, sondern mit einer gezückten Mark ‹Hier bitte schön, kann ich Ihren Wagen haben› oder so gesagt. Die Menschen haben wieder miteinander gesprochen. Aber nur am Anfang, das ist schon bald verebbt, und jeder hat sich seinen Einkaufswagen selbst gezogen.»

«Da war ich noch zu jung.»

«Deswegen erwähn ich's. Und die Einkaufschipaffäre war der Anfang vom Ende von Jürgen Möllemann.»

«Ach, Jürgen Möllemann, der Fallschirmspringer.»

«Genau, Riesenstaatschef Mümmelmann. Sein Schwager oder so besaß eine Fabrik, die die Chips herstellte, und Möllemann hat sich dafür eingesetzt, dummerweise auf offiziellem Ministerbriefpapier. Das war's dann.»

«Ach so.»

«Genau, von wegen langweilig.»

Die Treppe, die zum *Pudel* hinunterführte, war überfüllt. Hundert? Hundertfünfzig? Oder noch mehr?

«Wie viele Leute hier wohl auf der Treppe sitzen. Ich kann so schlecht schätzen.»

«Normalerweise sagen das immer die Frauen, dass sie schlecht schätzen können.»

«Dann eben nicht.»

Der *Golden Pudel Klub* hatte im neunzehnten Jahrhundert als Kurzzeitknast für Schmuggler gedient, die im Hafen auf frischer Tat ertappt worden waren. Bevor sie in ein reguläres Gefängnis überführt wurden, mussten sie ein paar Tage in der dunklen Kaschemme schmoren, wahrscheinlich war Klaus Störtebeker der erste Stammgast gewesen (mal richtig rechnen, du Opfer!). In dem von tiefen Rissen durchzogenen Gebäude quollen Drähte aus allen möglichen Löchern und Spalten. Das sah gefährlich aus und war bestimmt auch gefährlich. Es gab sicher niemanden, der *genau* wusste, wo die Drähte herkamen und wo sie hingingen und ob sie Strom führten oder nicht. Von Rechts wegen hätte das Haus längst eingestürzt oder abgebrannt sein müssen, dass es trotz Hausschwamm, Hausbock, unzähligen Wasserschäden und nicht vorhandener Statik immer noch stand, kam einem Wunder gleich. Der *Pudel* gilt seit Ewigkeiten als coolster Club der Stadt, und das in HH, wo, wie in allen Großstädten, die Halbwertzeit für angesagte Locations begrenzt ist. Die mittlerweile in die Jahre gekommene Gründergeneration und deren Sympathisanten haben den nachrückenden Teenyhorden Platz gemacht, die die eigentliche Bedeutung nicht mehr kennen und sich auch nicht sonderlich dafür interessieren. Im *Pudel* ist jeden Abend was los, meist wird aufgelegt, gelegentlich spielen Bands auf der winzigen Bühne. Sonntag und Montag sind Insidernächte für Szenegänger, am Wochenende ist es wie überall bunt gemischt.

Nachdem wir uns die Treppe hinuntergezwängt hatten, beschlich mich auf einmal ein ungutes Gefühl. Ich war mir plötzlich sicher, dass der Abend kippen würde. Ein Königreich für ein Steak-House, schnell essen, anschließend ohne Abendbrot ins Bett. Etwas anderem fühlte ich mich nicht mehr gewachsen. Ausgerechnet jetzt, wo die Nacht ihren Sinn bekam und alles Vorherige belanglos wurde, denn erst jetzt fallen die *Entscheidungen*. Die einen steigen auf in der Nacht, die anderen stürzen ab.

«Komm, lass reingehen.»

«Aber nur Bier holen.»

«Ich will aber auch nochmal tanzen heute.»

Drinnen war es unerträglich heiß, die Luft schwer und verbraucht. Wie nannte man eigentlich die *Musikrichtung?* Techno? Gab es Techno überhaupt noch? Elektro? Dixie?

Oder vielleicht was ganz anderes, etwas, von dem ich noch nie gehört hatte? Meine Güte, was wusste ich eigentlich? Kein Wunder, wenn man ausschließlich NDR 1 Welle Nord hört (Oma, Opa, Tante, Onkel).

Der Weg, den ich oft in Gedanken geh,
Führt am Fluss entlang zum See,
Und zu dir, denn dort wartest du am Blue Bayou.
Unter Bäumen liegt ein Haus,
Es sieht wie im Märchen aus,
darin wohnen die Liebe und du, am Blue Bayou.

Das alles hier hatte mit dem schönen Blue Bayou nichts zu tun, weniger ging nicht. Wahnsinnig peinlich, dass ich noch nie hier gewesen war. In der Kunsthalle war ich auch noch nie, und im Planetarium auch nicht, obwohl es gleich um die Ecke liegt (Stadtpark). Janne drängelte sich zum Tresen, ich blieb an der Tür stehen. Die ungünstigste Stelle im ganzen Laden, aber ich traute mich nicht weiter hinein. Sie kam erstaunlich schnell zurück und drückte mir wortlos ein Bier in die Hand. Schon wieder Bier, immer nur Bier. Bier, Bier, Bier. Bierfolter. Und nun? Irgendwann ist auch mal gut mit Labern. Sie strich mir flüchtig über den Arm und verschwand Richtung Tanzfläche. Ohne mich. Einfach stehengelassen. Wahrscheinlich wollte sie endlich allein sein, mal sehen, was ohne die Bremse alles passiert.

Ich kannte mich nicht aus, hielt es aber durchaus für möglich, dass es im Nachtleben ein ungeschriebenes Gesetz gibt, dem zufolge ab einem bestimmten Zeitpunkt jeder auf sich gestellt ist. Der Moment der Wahrheit, eine Mutprobe, die nicht zu gewinnen war, jedenfalls nicht von mir. Ich spürte, wie meine Schläfen heiß wurden, wund gescheuert von dem immer gleichen Gedanken: Warum kostet mich alles nur so unendlich viel Mühe? Eine wachsende Innenspannung, eine kaum noch erträgliche Unruhe drohte mich zu überwältigen, und nur mühsam gelang es mir, die dicht unter der Oberfläche liegende, blitzschnell aufflammende Verzweiflung unter Kontrolle zu halten. Die Beklemmung, die tief in meinem Inneren lebendig gewesen war, wartete die ganze Zeit darauf, mich beim geringsten Anzeichen von Schwäche zu überwältigen. Da die Rempeleien am Eingang immer ärger wurden, drängelte ich mich in die Nähe des DJ-Pultes. Hier schien eine Art toter Punkt zu sein, ein Fleckchen, an dem ich wenigstens nicht im Weg stand. Wo fing die Tanzfläche an, wo hörte sie auf? Kein – Rand – Bedingung: die Vorstellung, dass das Universum endlich ist, aber keine Ränder besitzt. Die Tanzfläche war auch endlich und hatte auch keine Ränder.

Den meisten Männern schien es wie mir zu gehen, eingemauert in der eigenen Erstarrung. Oder bildete ich mir das ein? Wenn es einem schlechtgeht, wünscht man sich, dass es allen anderen ebenso schlechtgeht. Ach Quatsch, viel schlechter. Verzerrte Wahrnehmung. Oder hatte ich etwa doch recht? Was war das denn: Männer mit mondblassen, erdrückten Gesichtern, die mit kleinen, gierigen, fiebrig glänzenden Augen das Treiben auf der Tanzfläche verfolgen, geplagt von dunklen, schroffen Phantasien, geschwächt vom zähen Ausharren, erschöpft von den Erniedrigungen eines Lebens, für das sie nicht gemacht sind, verformt von der Brutalität der Zurückweisung, kontaminiert durch den Sex, den sie nicht haben, ganz durcheinander vom Wahnsinn, den das Begehren gebärt, und tief drin dieses nie nachlassende, wütende Toben.

Pump up da Shit!

Schräg gegenüber ein Typ, der versucht, Blickkontakt mit einem Mädchen herzustellen. Als sich ihre Blicke treffen, verzieht er sein Gesicht, heraus kommt ein Reflex reiner Verzweiflung, eine heftige Verzerrung, die seine Züge zu einer grotesken Idiotenfresse entstellt. Das kannte ich ja. Das Mädchen weicht geschockt einen Schritt zurück, stumm und endgültig. Er hat alle seine Kraft an diese Aktion verschwendet, nun kann er das Elend seines irreparablen Innendefekts nicht mehr ertragen, und er verlässt den Club.

Die Pofis übernehmen die Hoheit über das Nachtleben. Immer das Gleiche: Amateure verlieren, wenn sie in die Blendzone zwischen Tag und Nacht eintreten, einen Großteil ihrer Masse, wie Meteoriten, die in der Erdatmosphäre verglühen. Oder: Der doofe Scotty von «Raumschiff Enterprise» hat seine verdammte Technik mal wieder nicht im Griff. Die Forschercrew gerät auf dem unbekannten Planeten in Lebensgefahr. Jetzt bloß schnell zurück ins Raumschiff! Scotty beamt und beamt und beamt, doch der Beam ist verrostet oder zu schwach oder beides. Die Umrisse des Expeditionskorps bleiben schemenhaft, ein Expeditionsmitglied nach dem anderen wird von Aliens getötet.

Profis machen sich durchlässig für die Energie des Raumes, verwandeln sie in eigenen Brennwert, blähen sich auf zu Sonnen mit eigener Gravitation und Trabanten- und Planetengefolge. Alle zehn Milliarden Neuronen feuern auf die gleiche Stelle, die innere Sekretion arbeitet auf Hochtouren. Die Ionenkanäle sind offen wie Scheunentore, ein Trommelfeuer aus Adrenalin und Noradrenalin, Oxytocin und Beta-Endorphin, fortschreitende Selbstverstärkung, synaptisches Zucken, neuronale Erregungen. Von gewaltigen Energieverdichtungen nach oben geworfen, gelangen sie auf den äußersten Kamm, treiben in rhapsodischer Steigerung dem Feuerball entgegen, werden selbst zu einem pulsierenden, purpurnen Fleck. Kurz bevor ihnen der Brennstoff ausgeht, ziehen sie sich zusammen, die Kontraktion presst die Atome zusammen und heizt sie erneut auf. Sie beginnen zu leuchten.

It takes the physical to create the physical, so make yourself ready for da warning!

Wo war eigentlich Janne? Abgehauen? Dann war es eben so. Ich schob mich näher an die Tanzfläche und wippte von einem Bein auf das andere. Meine Bewegungen fühlten sich schwach an, puddinghaft und hölzern zugleich. Was sich so anfühlt, sieht bestimmt auch so aus. Ich zuckte rhythmisch mit den Schultern. Hoffentlich guckt keiner. Natürlich guckte keiner, die Leute hatten genug mit sich selbst zu tun. Nach ein paar Minuten Rumgezucke gelangte ich irgendwie, zufällig, ins Epizentrum, in dessen Mitte ein untersetzter, massiger Typ tanzte, der mit seiner starken, gewölbten Stirn, den wild wuchernden, buschigen Augenbrauen und den breiten Koteletten aussah wie ein rumänischer Gewichtheber, Montreal 1976 (die erste Olympiade, die ich bewusst miterlebt hatte). Die pechschwarzen Haare hingen ihm wirr ins gedunsene Gesicht, die unteren Knöpfe seines Hemdes waren auf, und der dicke, behaarte Bauch quoll über den Gürtel. Unter *normalen* Umständen hätte das nicht gut ausgesehen. Er ging in die Hocke, und als er wieder hochkam, schüttelte er sich wie ein großer Hund nach einem unfreiwilligen Bad. Der Schweiß stob in alle Richtungen. Wieder ging er in die Hocke und sprang in die Höhe. Er brüllte einem sehr hübschen Mädchen ins Gesicht. «RRÄÄÄ» oder «GEÖÖÖ» oder so ähnlich. Oje, dachte ich, jetzt hat er den Bogen überspannt. Doch das Mädchen stieß einen hohen, fledermausähnlichen Schrei aus und rieb sich an seinem Bauch. Sie schrien, schrien wie Angezündete. Immer rasender wurde das Geschreie und Gebrülle; es erfasste die ganze Tanzfläche. Jetzt entwich auch mir ein Geräusch, eine Art mittiges Lungenrasseln, dem eine Reihe von Ächzlauten folgte. Egal. Die Leute rissen ihre Arme nach oben, ein religiöses Fieber, das mit unausweichlicher Konsequenz seinem Höhepunkt entgegentaumelte. Vereint in ihrem Wunsch nach individueller Selbstaufgabe, erlösender Verschmutzung, bereit, sich der Macht der Sekrete, dem Diktat von Enzymen und Hormonen zu unterwerfen. Eine verräterische Elektrizität, eine magnetische Strömung zwischen den Körpern, Wahrheit auf molekularer Ebene, alles Dürftige und Beschränkte ausgelöscht, untergegangen in einem Meer aus Weck- und Betäubungsstoffen. In der Ekstase tut sich ein Wurmloch auf, ein schmaler Gang, der für einen kurzen Moment den Blick zurück gestattet. Die Mu-

sik strömte durch mich hindurch, und in meinem Kopf ver-
mengten sich Splitter von ehemaligem Sinn, unverdaute
Brocken von Wahrnehmung, Ideenfragmente, unbearbei-
tete Fetzen. Dann verließen mich schlagartig alle Gedanken, und ich geriet in eine Zone der Stille. Meine Güte,
meine Güte, was war das bloß? Alles kündete von einem:
dem nahen Ende der Einsamkeit!

**Da roof, Da roof, Da roof is on fire, burn, mother,
burn!**

Besser konnte es nicht mehr werden. Ich drängelte mich
nach draußen, überquerte die Straße und setzte mich auf
die Mauer. Auf der anderen Seite der Elbe lag Dock 11,
Blohm + Voss, in dem gerade ein riesiges Containerschiff
überholt wurde. Das Wasser war schwarz und spiegelglatt.
Es roch nach Hafen und Aufbruch und weiten Reisen. Gut
roch es. Ob eine Kreuzfahrt wohl was für mich wäre? Ich
beschloss, mich beim nächsten Hamburgstopp der *Queen
Mary* 2 den staunenden Fans anzuschließen, wenigstens einmal auf einer Welle kollektiver Begeisterung mit-
schwimmen, einmal um die ganze Welt, wenigstens aber
bis New York. Die *Queen Mary* 2 legt zum Glück sehr oft in
Hamburg an.

Es war halb fünf, und ich hatte Janne seit einer Stunde nicht
mehr gesehen. Abgehauen, ihr gutes Recht. Wenn man
die ganze Nacht auf einen Depressionshansel aufpassen
muss, damit der keinen Rückfall erleidet, hat man sich den
Feierabend redlich verdient. Ich drehte mich um. Dann sah
ich sie, in der Nähe der Tür. Sie unterhielt sich mit einem
Typen, der aussah wie ein geiler Typ. Sie standen dicht bei-

einander, ihrer Körpersprache nach zu urteilen würde da noch was laufen. Vielleicht sollte ich rübergehen und mich verabschieden, dann bräuchte sie wenigstens kein schlechtes Gewissen zu haben. Egal, hatte sie wahrscheinlich eh nicht. Worüber ich mir schon wieder Gedanken machte. Baby an Bord, Schwachsinniger on Tour, abgerechnet wird wie überall zum Schluss. Ich wandte meinen Blick ab und schaute wieder auf das Hafenpanorama. Vielleicht sollte ich mich auf die andere Seite der Mauer fallen lassen und einfach liegen bleiben. Je steiler der Höhenflug, desto tiefer der Absturz.

Jemand drückte mir etwas Kaltes an den Rücken. Ich drehte mich um.

«Da bist du ja. Wie geht's denn?»

«Och. Ganz gut.»

Gott sei Dank! Ja wirklich, zum ersten Mal und überhaupt: Gott sei Dank, Gott sei Dank, Gott sei Dank!

«Komm, das war's hier, wir gehen noch Schnaps trinken.»

«Wo denn?»

«*Elbschlosskeller.*»

«War ich noch nie.»

«Und ins *La Paloma* können wir auch noch kurz, wenn wir schon dabei sind.»

«Okay, dann lass jetzt aber auch los.»

Die Sauf- und Grölkneipe *La Paloma*, in der ausschließlich deutsche Schlager in zumeist ohrenbetäubender Lautstärke gespielt werden, ist in den frühen Morgenstunden ein Sammelbecken aller, die immer noch nicht genug haben, eine brisante Mischung aus Begünstigten und Geschlagenen der Nacht.

Auf einem der Tische tanzen drei Mädchen und werden dabei lautstark von ihren Kumpels angefeuert: «Hey, Hey, baby, hu, na, I wanna knoooow, if you be my girl.» Sie haben sich in Stade auf der Berufsschule kennengelernt und fahren seither regelmäßig zum Feiern nach Hamburg. Die Mädchen sind noch gut beieinander, sie haben den ganzen Wahnsinn einfach nicht an sich rangelassen. Bei ihren Begleitern ist längst die Luft raus, sie trauen sich aber nichts zu sagen, sie wollen den Mädchen nicht die Laune verderben und außerdem irgendwann auch mal was anderes, als immer nur den Chauffeur zu geben. Was sie nicht wissen: Falls es jemals einen richtigen Zeitpunkt gegeben hat, haben sie den verpasst, und nun ist ihr Guter-Kumpel-Status auf Lebenszeit festzementiert, mehr Zement geht gar nicht.

Der Star der Truppe heißt Karina, eine rustikale Schönheit mit einer bezaubernd natürlichen Ausstrahlung und charmantem Tollpatsch-Einschlag, eine, die es im Alten Land jederzeit zur Kartoffel-, Heide- oder Sauerampferkönigin bringen könnte, wenn sie denn wollte. Einer der Kumpel hat sie vor ein paar Wochen im Freibad heimlich mit dem Handy fotografiert. Irgendwie scheint Karina zu ahnen, dass sie als Wichsvorlage herhalten muss (Frauen spüren so etwas), denn seitdem ist sie ihm gegenüber seltsam reserviert. Sie wohnt wie ihre beiden Freundinnen noch zu Hause. Karina ist ein sog. Papakind. Ihr Vater haut öfter mal auf den Tisch, und wenn er schlechte Laune hat, verbietet er ihr den Mund, und ihrer Mutter gleich mit dazu. Die Mutter hat außerdem nicht den blassesten Schimmer, wie viel er verdient. Braucht sie auch nicht, sie bekommt schließlich ausreichend Haushaltsgeld. So einer jedenfalls ist ihr Vater. Karina würde sich von dem Mann an ihrer Seite zur Not gelegentlich auch den Mund verbieten lassen, aber eben von einem Mann und nicht von einem Bubi. Sie wackelt manchmal mit dem Arsch, das muss den Jungs reichen, den Rest können sie sich denken. Ihre Freundinnen sehen auch gut aus, beide mit Topfiguren ausgestattet, aber irgendwie blass, es fehlt ihnen an Ausstrahlung, sie haben mit ihren ins Blöde schwimmenden Augen etwas leicht Totes, ganz gut im Schweigen, umso schlechter im Reden. Es macht ihnen nichts aus, dass die Männer sich fast ausschließlich für Karina interessieren:

«Wie heißt du denn eigentlich?»

«Karina.»

«Ach, Karina, schöner Name. Seid ihr öfter hier?»

«Nee, zum ersten Mal.»

«Und, ist das da dein Freund?»

«Nee, das sind nur unsere Kumpels.»

«Dann können wir ja noch woanders hingehen.»

«Ich glaub erst mal nicht, mir gefällt's hier ganz gut.»

«Ach so.»

Die Chancen der Typen sind in etwa die gleichen wie die von Jürgen Degowski bei Silke Bischoff. Karina bleibt immer nett und höflich, trotzdem ist die eisige Wand um sie herum undurchdringlich. An so einer beißt man sich die Zähne aus. Wenn mal jemand zu hartnäckig ist oder gar aufdringlich wird, zieht die Gruppe einfach weiter in den nächsten Laden.

Barfuß im Regen tanzen wir zu zwein
Und wir tanzen und tanzen und tanzen.
Süß ist dein Kuss, ein Hauch von Sonnenschein
Und wir küssen und küssen und küssen.
Leute gehn vorbei und sie drehn sich alle um
Und wir singen und singen und singen.
Barfuß im Regen, glücklich wie noch nie
Und wir tanzen und tanzen und tanzen.

Janne hatte schon wieder Bier organisiert. Bier, immer nur Bier, als ob es auf der Welt kein anderes Getränk gäbe. Sie hatte doch was von Schnaps gesagt. Warum konnten wir uns das Intermezzo nicht schenken und die verbliebenen Kräfte für den *Elbschlosskeller* aufsparen? Am besten natürlich gar nichts mehr. Wie gerne hätte ich allein nur wegen eines anderen Mundgeschmacks einen schönen Schoppen Weißwein aus einem geriffelten Schoppenglas mit Alpenmotiven getrunken.

«Schon wieder Bier? Das ist Folter. Bierfolter. Hier ist es doch schrecklich. Komm, wir stellen uns wenigstens nach draußen.»

«Ja, gut.»

An der Tür kamen uns die Gangstas aus dem 1900 entgegen. NIKES Augen waren extrem gerötet, sein Trainingsanzug mit Kotze und / oder etwas anderem Ekligen bekleckert. Er schaute mich an und dann Janne und dann wieder mich. Verzweiflung, Wut, Begehren und Trunkenheit. Oje, gleich würde er mir eine scheuern, jetzt war ich der Affe.

Es huschte jedoch eine Art anerkennendes Grinsen über sein Gesicht.

«Ey, Digga, euch kenn ich doch. Was geht denn?»

Ich rief die einzige Phrase ab, die mir zu dem Thema einfiel.

«Einiges, Digga, einiges.»

«Richtige Antwort. Gib mir fünf.»

Mir blieb nichts übrig, als mitzumachen. NIKE ging direkt zu dem Tisch, auf denen die Mädchen tanzten bzw. schunkelten. Kehrausmusik, Balladen, Rausschmeißer. Seinen Kollegen sah man die Erschöpfung an, aber Chef ist Chef, und wenn der noch nicht nach Hause will, dann will er noch nicht nach Hause. NIKE feuerte die Mädchen an und sang mit. Woher um Himmels willen kennt er nur den Text?

Du hast ja Tränen in den Augen.
Ich weiß, die gelten mir allein.
Mir sagt das Lächeln deines Mundes,
Es müssen Freudentränen sein.

Es war nichts mehr von ihm übrig, der Text passte zu seiner Verfassung wie die Faust aufs Auge. Vielleicht kennt er das Stück (die deutsche Version von *Cryin' in the Chapel*) von zu Hause (Mutter Schlagerfan). Er brüllte in waidwundem Ton mit:

Lange war ich in der Ferne,
Es war ein weiter Weg zu dir,

Mir sagt das Schlagen deines Herzens,
Du gehörst noch heut zu mir.

Costa Cordalis! Den kann jemand wie er doch eigentlich nur aus dem RTL-«Dschungelcamp» kennen. Seine Kollegen schämten sich. Dass ihr Chef solche Scheiße überhaupt kennt, geschweige denn gut findet.

Und die Tränen in den Augen,
Die will ich niemals wieder sehen,
Denn das Lächeln deines Mundes
ist ja tausendmal so schön.

Nach ihrem frustrierenden Abgang aus dem 1900 sind sie ziellos auf dem Kiez herumgeirrt, Dutzende Mädchen haben sie angesprochen, jedoch mit ihrer armseligen Kanaksprak nie den richtigen Ton getroffen, immer zu laut, zu besoffen, zu dumm, ohne Gespür für irgendwas, lächerliche Abziehbilder. Volksvergnügen wie Dom, Hafengeburtstag oder Alstervergnügen wären das Richtige für sie, kein Eintritt, keine Türsteher, keine Kleiderordnung, und mitgebrachten Alk kann man auch problemlos saufen. Was darüber hinausgeht, überfordert sie hoffnungslos. Aber sie sind noch so jung, das kann doch unmöglich alles gewesen sein, jetzt doch noch nicht! Sie wollen einfach nicht begreifen, dass es für sie keine Verwendung gibt, sie einer sinnlosen Überproduktion entsprungen sind, dass kein Platz auf dieser Welt ist für sie und ihr einziger Sinn und Ausweg: sich einem Selbstmordkommando anschließen.

Ihre vorletzte Station war eine Tabledancebar gewesen.

Eintritt frei, dafür kostet das Bier zehn Euro, andere Getränke sind unbezahlbar. Merkwürdig, dass der Koberer sie überhaupt reingewinkt hat, wo man ihnen tausend Meilen gegen den Wind ansieht, dass sie kein Geld haben. Die Tänzerinnen sind eigentlich gehalten, sich zu jedem neuen Gast zu setzen, um ihm Getränke aus dem Kreuz zu leiern (ein paar sind auch Nutten), aber bei der Loserbande ist nix zu holen. Die Girls blicken Rat suchend zum Chef, wieso schmeißt der die Asis nicht raus, er ist doch sonst nicht so? Aber der Chef reagiert nicht, vielleicht denkt er grad an was anderes, oder er lässt aus unerfindlichen Gründen Gnade vor Recht ergehen oder weiß der Kuckuck. Die Jungs setzen sich direkt an die Tanzfläche, nippen an ihren Bieren und versuchen, einen möglichst gleichgültigen Eindruck zu machen, was ihnen nicht gelingt, denn sie sind nicht cool und abgebrüht, sondern heiß und aufgeregt. Auf der Bühne müht sich eine untersetzte Filipina mit dicken Oberschenkeln ab, sie öffnet ihren BH. Die traurig herabhängenden, wulstigen Nippel passen nicht zu ihrem Minibusen. Ihre Art zu tanzen grenzt an Arbeitsverweigerung.

Brown girl in the ring,
Sha la la la la here's a brown girl in the ring,
Sha la la la la,
Brown girl in the ring,
Sha la la la
She looks like a sugar in a plum.
Plum plum.

Eigentlich ist Feierabend, aber wann *genau* der ist, bestimmt ausschließlich einer, nämlich der Chef, und bis dahin wird getanzt und sich um die Stange gewickelt, denn wer weiß, vielleicht geschehen Zeichen und Wunder, und der Kaiser von China oder wenigstens Franz Beckenbauer schaut noch auf einen Absacker herein.

> *«She looks like a sugar in a plum.*
> *Plum plum.»*

Vielleicht lässt der Chef die Scheißmusik nur spielen, um den Mädchen die Laune endgültig zu verderben. Die Asiatin geht in die Hocke, dreht sich um und zeigt den Jungs ihren schlaffen Po. Ein Strip hat ungefähr die Länge eines Stückes. Ganz zum Schluss zieht sie etwas ungeschickt ihren roten String aus, lässt ihn um den Zeigefinger kreisen und wirft ihn hinter sich in die Tiefe der Bühne. Dann bedeckt sie mit der rechten Hand ihre Scham und verschwindet im Backstage, um Platz für die nächste Tänzerin zu machen.

Aber was für eine: Meine Güte, die ist doch höchstens sechzehn, und außerdem viel zu hübsch für den Aids-Schuppen hier, wie in aller Welt ist die nur hierhergeraten? Sie reibt sich teilnahmslos an der Stange und wechselt plötzlich übergangslos in den Spagat. Sagenhaft! Obwohl sie sich bemüht, ordinär und nuttig zu gucken, scheint etwas Unverbrauchtes, Kindliches durch. Sie ignoriert die Jungs, natürlich, doch als sie aus dem Spagat wieder hochkommt, treffen sich ihre und NIKES Blicke. Zufällig. Und zufällig bleibt sie einen Tick zu lange hängen, sollte nicht passieren, passiert aber manchmal, selten. NIKE ist wie vom Blitz getroffen. So, wie die grad guckt, da ist er zu einhundert Prozent sicher, so hat sie noch nie in ihrem ganzen Leben einen Mann angeschaut. Das kann nur Liebe sein, denn den einen, den Richtigen, erkennt man sofort, dem vermag man bis ins Herz zu schauen. NIKE hatte die ganze Zeit gewusst, dass heute noch was passiert. Siehste! Es ist so weit, endlich! Gleich ist sie fertig, es war bestimmt ihr letzter Auftritt für heute. Selbst wenn nicht, egal, er wird auf sie warten und sie mitnehmen und sein ganzes Leben lang für sie sorgen. Viel verlangt er nicht, nur am Abend soll sie neben ihm sitzen.

Wenn du fast zu atmen vergisst,
Nur weil sie dich freundlich begrüßt,
Wenn du noch nach Worten suchst
Und sie dich längst schon versteht,
Wenn sich die Gedanken verwirren,
Weil sich eure Hände berührn,
Dann wehr dich nicht,
Denn dann ist es zu spät.

Oft kannst du nicht schlafen, wenn die Angst gewinnt,
Dass ein anderer Mann dir dieses Mädchen nimmt.
Geh zu ihr und sag ihr, was du für sie fühlst,
Sie weiß es lang schon und sie wartet drauf, dass du sie mit dir
nimmst.

Wenn du fast zu atmen vergisst ...

Du wirst immer da sein, wenn sie Hilfe braucht,
Wirst sie nie enttäuschen, wenn sie dir vertraut.
Geh mit ihr dorthin, wo euch kein Mensch mehr stört,
Halt sie ganz fest und lass sie nie mehr los, weil sie zu dir gehört.

Wenn du fast zu atmen vergisst ...

Ja, so ist es, wenn Märchen wahr werden. *Touchstone Figures,* wie man im Theater die Figuren nennt, in deren Nähe jeder sein wahres Wesen zeigt. Nach der Kleinen folgen noch zwei Tänzerinnen, dann geht die Musik aus und das Licht an, endgültig, und statt der Kleinen mit gepackter Reisetasche kommt der Chef und sagt «Feierabend», in einem Ton, der keinen Widerspruch duldet. NIKE kann es zunächst nicht glauben, er zwingt seine Kollegen, draußen noch eine Viertelstunde mit ihm zu warten, aber die Mädchen sind längst durch den Hintereingang verschwunden.

Karina und ihre Freundinnen halten sich eng umschlungen und tanzen mit geschlossenen Augen. Das sieht süß und geil aus. Karina hat einen unglaublichen Arsch, gibt's nicht. Die eine Freundin auch.

Wenn du dir sagst, alles ist vorbei,
Wenn du nicht glaubst, sie ist immer treu,
Dreh dich einmal um, schau in ihr Gesicht,
Und du wirst sehen, Tränen lügen nicht.

Mein Gott, NIKE! Wie angewurzelt steht er da und starrt zu ihr hoch. Seine Kollegen sind vor lauter Peinlichkeit fast wieder nüchtern. Karinas Kumpel stehen Gewehr bei Fuß, falls es brenzlig wird.

> Bei Tag und Nacht mit ihr war es schön.
> Die Tür steht auf, willst du wirklich gehn?
> Wie ein offenes Buch ist ihr Herz für dich.
> Und du erkennst, Tränen lügen nicht.

Genickstarre. So arg war es noch nie. Deutsche Schlager sind das Allerletzte. Hoffentlich fängt er nicht gleich an zu weinen. Die Kollegen schämen sich wie selten, bei den Kumpels löst sich die Anspannung, es sieht nicht so aus, als ob der Honk handgreiflich würde. Harmlos, ein aufgegeilter Besoffener.

> Die große Stadt lockt mit ihrem Glanz,
> Mit schönen Fraun, mit Musik und Tanz.
> Doch der Schein hält nie, was er dir verspricht.
> Kehr endlich um. Tränen lügen nicht.

Karina hat eine Ausstrahlung, wie NIKE sie noch bei keinem anderen Mädchen gesehen hat. Das nächste Stück ist von Roy Black:

> Mona, Mona, es kann Liebe sein.
> Sicher ist es nicht die Nacht allein,
> Was wir versäumen, wenn wir nur träumen,
> Mona, das kann Liebe sein,
> Mona, Mona, sag jetzt nicht «vielleicht»,
> Es wär schade um die Nacht, bleib nicht allein,

Da ist ein Feuer in deinen Augen,
Mona, es kann Liebe sein.

Das finden die Mädchen scheiße. Roy Black ist: absolut no go. Sie sind noch zu jung, um zu wissen, dass er der größte Schlagersänger in der Geschichte Deutschlands ist, sie haben keine Ahnung, dass die Amerikaner Elvis haben und die Deutschen Roy Black, sie finden Roy Black genauso scheiße wie Heino, sie kennen sich allgemein nicht so aus mit Deutschland. Aber darüber können sie sich auf der Heimfahrt Gedanken machen. Oder auch nicht. Sie steigen von den Tischen herunter und signalisieren Aufbruchbereitschaft. Endlich. Endlich geht's ab nach Haus.

NIKE steht ein paar Minuten wie betäubt da, dann schleicht er raus, seine Kollegen schleichen hinterher. Zurück nach Bergedorf. Er besorgt sich von seinem letzten Geld einen Flachmann (Nordhäuser Doppelkorn) und leert ihn in großen, wütenden Schlucken. Alles egal jetzt. Trinken, um runterzukommen, aber er ist so aufgeladen, dass er Passanten anrempelt, um eine Schlägerei anzuzetteln. Die meisten riechen den Braten schon von weitem, sie huschen ängstlich davon oder verdrücken sich in eine der vielen Spielhallen. Seine Kollegen folgen ihm in gebührendem Abstand. Jetzt bloß nichts Falsches sagen oder machen. Sie steigen die Treppe hinunter zur S-Bahn, Haltestelle Reeperbahn. Rasend vor Wut tritt NIKE gegen den Fahrkartenautomaten.

«Ihr Scheißfotzen, wenn ich euch erwisch, ey, ich schwör's euch.»

Seine Kollegen haben Schiss vor dem Sicherheitsdienst, den Bullen oder Kontrolleuren oder einer wie immer auch gearteten Instanz.

«Ey, Digga, lass doch, Digga, komm.»

«Ey, halt die Schnauze, Alter, ich schwör's dir, halt die Schnauze.»

Mehrmals noch tritt er gegen den Automaten, dann dreht er ab und wankt zum Bahnsteig, auf dem sich zu dieser Zeit gerade mal eine Handvoll Leute verlieren. Er tigert herum, tritt gegen eine Bank, einen Papierkorb und haut Affe mehrmals ins Gesicht. Die Wartenden verpissen sich stumm ans andere Ende der Haltestelle.

Zwei Mädchen kommen die Rolltreppe herunter. Die eine ist robust und kräftig, die andere klein und zierlich. Die Robuste hält ihr Handy in alle Richtungen:

«Gibt's doch gar nicht, es gibt mittlerweile Verstärker für den Handyempfang, ey, die Scheißstadt, Geld für die Scheißkontrolleure haben die, aber tausend Euro, oder was das kostet hier, haben die nicht. Huren!»

Die Kleine nickt. Sie bewundert ihre Freundin dafür, dass sie so redet, sie könnte das nicht wg. Erziehung, Scheißguteerziehung, Scheißguteselternhaus, lässt sich einfach nicht abschütteln. Sie ist stolz, dass die Große sie mitgenommen hat, und dann gleich auf den Kiez, es hat endlos gedauert, bis sie ihre Eltern überredet hatte. Jetzt ist sie müde und erschöpft, aber gut drauf. Den ganzen Abend über hat sie nur drei kleine Bier getrunken, das ist ja praktisch nichts. Mit zwei Jungs hat sie geknutscht, doch dann hat der, den sie eigentlich gut fand, ihr gleich zwischen die Beine gefasst. Idiot. Schade. Sie hätte sich gern mit ihm verabredet, aber so nicht. Dass die Jungens auch alle so bescheuert sind. Ihre Freundin hat mit niemandem geknutscht, sie ist mit ihrem Schwimmerkreuz und der großen Fresse sowieso mehr der Kumpeltyp, außerdem hat sie seit einem halben Jahr einen festen Freund, und *sich mit Typen rumbeißen* kommt nicht in die Tüte. Ihr Macker kriegt das sowieso raus, und dann war's das, er gibt jedem Menschen genau eine Chance, und wer die vergeigt, wird mit dem Arsch nicht mehr angeguckt, und zwar genau bis ans Lebensende. Die Kleine ist niedlich, sehr niedlich sogar. Ganz kindlich und süß, und riechen tut sie bestimmt auch hervorragend, überall, und zierlich, unter fünfzig Kilo, ach was, unter fünfundvierzig Kilo. NIKE denkt an die Asiatin aus dem 1900, die Stripperin und an Karina, und an alle anderen zierlichen, süßen, unerreichbaren Prinzessinnen.

«Fotze, blöde Fotze», murmelt er vor sich hin. Einmal wenigstens kommen die nicht ungestraft davon. «Fotzen, Scheißfotzen.» Verdammte Schlampen, wie die ihre Scheißärsche spazieren führen, als ob nichts wäre.
Die Mädchen sind den ganzen Abend von Typen wie NIKE angemacht worden, nervig, aber so ist das nun mal. Sie unterschätzen die Situation.

«Na, ihr kleinen Drecksscheißen (als er nach einer weiteren Steigerung zu «Fotze» sucht, kommt er auf «Drecksscheißen»), von wem lasst ihr euch gleich durchficken?»

Sie gucken genervt weg. Seine Beschimpfungen werden immer wüster.

«In den Arsch gefickt werden wollt ihr, richtig schön, stundenlang hart in den Arsch.»

Genau, das wollen sie, am besten augenblicklich und von irgendjemand Hergelaufenem. Einzige Ausnahme: NIKE.

«Guckt nicht so bescheuert. Fleischnutten.»

Nächste Steigerung: Fleischnutten, das klingt besonders hart und scheiße. Büßen sollen sie! Dumpf grollend fährt die Bahn ein. Die Mädchen wollen den dritten Wagen von vorn erwischen, weil der am Jungfernstieg direkt an der Treppe hält, die zur U 1 hochführt. Die Robuste packt ihr Handy in die Handtasche; als sie wieder hochschaut, sieht sie gerade noch, wie NIKE ihrer Freundin einen Schubs gibt, zum Glück nicht besonders kräftig. Sie bekommt die Kleine irgendwie an der Schulter zu fassen, die Mädchen krallen sich aneinander fest und lassen sich fallen. Sie haben noch gar nicht richtig begriffen, was passiert ist. NIKE bleibt wie angewurzelt stehen. Mein Gott, was hat er nur gemacht! Er dreht sich um und rennt weg, so schnell er kann. Nach ein paar Metern reißt er die Hände vors Gesicht, weil ihm einfällt, dass überall Kameras laufen. Seine Kollegen rennen hinterher. NIKE läuft die Holstenstraße hoch, er schlägt Haken, macht kleine Sätze, wie ein Hase, o nein, o nein, o nein, er weiß, dass sie ihn erwischen werden. Er rennt und rennt und rennt, bis zur S-Bahn Königstraße, dann verlassen ihn die Kräfte, er bleibt stehen, verschnauft und kehrt zu seinen Kollegen zurück, die längst schlappgemacht haben und auf ihn warten.

Sie brauchen bis zum Mittag, um sich halbwegs wieder einzukriegen, dann fahren sie zurück nach Bergedorf. Die Fotos der Überwachungskameras werden veröffentlicht, man sieht jedes Detail, es ist wirkich unglaublich. Am Freitag stellt NIKE sich freiwillig, der Fahndungsdruck ist unerträglich geworden. Jetzt sitzt er da, wo er hingehört, und es geht ihm so gut wie noch nie in seinem Leben. Ach, könnte er nur ewig hierbleiben!

Es war längst hell. Sehr hell. Ich schüttete das Bier auf die Pflastersteine.

«Ich kann nicht mehr.»

«Ach Quatsch. Wir müssen die Schleife vollmachen. Los, komm.»

«Welche Schleife vollmachen? Was redest du denn da? Ich kann nicht mehr.»

«Doch, kannst du. Die Schleife nicht vollmachen bringt Unglück.»

«Schleife. So ein Schwachsinn.»

«Los, komm jetzt.»

«Jaja, von wegen.»

Mit hängenden Schultern trottete ich hinter ihr her. Wir überquerten die Reeperbahn, und Janne blieb vor dem *Elbschlosskeller* stehen. Der *Elbschlosskeller* heißt Elbschloss-keller, weil er im Keller liegt. Ich wollte da nicht rein. Vielleicht ein anderes Mal. Zu spät, sie ging die Stufen hinunter.

In der durchgehend geöffneten, lichtlosen Kaschemme ist die Stimmung zu jeder Tages- und Nachtzeit gleich, über so etwas wie Uhrzeiten ist man hier längst hinweg. Die Hälfte der über den Daumen gepeilt fünfzehn Gäste saß vornübergebeugt auf ihren Stühlen und pennte, einige starrten hospitalismuswippend vor sich hin und

quittierten unsere Ankunft mit unverständlichen Grunz-
lauten, eine ältere Frau schlurfte brabbelnd zwischen den
Tischreihen hindurch. Eine gespenstische Mischung aus
Männerwohnheim, Ü-Sechzig-Party, Tagesaufenthalts-
raum in der Geschlossenen. Ich kam mir vor wie ein ekelhafter Gaffer.

«Ich finde das nicht richtig, hier zu sein.»

«Wieso?»

«Man darf die Menschen in ihrem Elend nicht stören.
Man raubt denen doch das letzte bisschen Würde.»

«Ich weiß, was du meinst. Lass uns trotzdem ein wenig
bleiben.»

Der Wirt war sogar im Gesicht tätowiert.

«So, was wollt ihr?»

«Zwei Holsten, zwei Rum.»

Ich:

«Schon wieder Bier? Und wieso auf einmal Rum? Ich
kann bald nicht mehr.»

Am Tresen hockte ein Mann. Er hob kurz seinen Kopf
und schaute uns aus verschwiemelten Augen an:

«Guck mal an, er kann nicht mehr. Wo kommt ihr überhaupt her? Aus Arschlochstadt. Ihr kommt aus Arschlochstadt.»

Dann hob er drohend seinen rechten Arm. Ich sah, dass
es eine Prothese war. Aus welchem Material die wohl gemacht werden? In Piratenfilmen sind Prothesen aus Ei-
sen, mit einem Enterhaken dran, heutzutage werden die
bestimmt aus irgendeinem leichten Kunststoff gefertigt,
Aluminium oder Fiberglas. Ja, Fiberglas, das klingt gut, Fiberglas klingt immer gut.

Der Wirt mischte sich ein:

«Ey, Käpt'n, für heute reicht's. Lass gut sein. Du weißt, was sonst los ist.»

Käpt'n? Vielleicht wegen der Prothese, Kürzel für Käpt'n Ahab.

«Du nimmst jetzt deine Frau, und dann haut ihr schön ab. Gibt nichts mehr.»

Seine Frau? Das unförmige Geschöpf, das neben ihm saß und leise vor sich hin röchelte, sollte seine Frau sein? Als sie nicht reagierte, quasselte er auf sie ein. Er quasselte und quasselte und quasselte, es klang wie eine Geheimsprache, deren Intonation man erst einmal auf sich wirken lassen muss, um sie verstehen zu können. Dann wandte er sich wieder an uns:

«Hab ich recht, ihr kommt aus Arschlochstadt?»

Der Wirt ist gewohnt, dass der Käpt'n ab und an Zufallsgäste anpöbelt. Eigentlich mag der Wirt Zaun- und Zufallsgäste auch nicht, aber was soll er machen? Außerdem geben die wenigstens Trinkgeld.

«Nicht drauf achten, ist egal.»

Der Käpt'n ließ nicht locker.

«Ist egal, ist egal. Alles egal. Gib ihm doch 'n Malzbier. Und dann sollen die abhauen, wieder nach Arschlochstadt zurück.»

Janne zog mich am Ärmel in den hinteren Teil des Ladens. Der Käpt'n folgte uns mit seinen Blicken; um aufzustehen und uns weiter zu beschimpfen, fehlte ihm die Kraft. Eingemauert in den Wahnsinn blieb er sitzen, nur um seine Mundwinkel zuckte es gelegentlich.

«Ich weiß nicht, ob ich das Bier noch schaff.»

«Da denkst du jetzt ernsthaft drüber nach, stimmt's?»

«Ja, da denk ich ernsthaft drüber nach. Aber ich denk auch noch über ganz andere Sachen nach.»

«So, worüber denn noch?»

«Vis à vis (ich sagte tatsächlich vis à vis), im *Goldenen Handschuh*, da hat Fritz Honka in den siebziger Jahren die Prostituierten kennengelernt, die er anschließend mit zu sich nach oben genommen und zersägt hat.»

«Ja, genau.»

«Und jetzt hab ich gerade überlegt, ob Hitler damals in Wien auch in solchen Läden abgehangen hat.»

«Wie kommst du denn da jetzt drauf? Außerdem hat Hitler doch keinen Alkohol getrunken.»

«Neenee, erst später hat er nichts mehr getrunken. Aber im Männerwohnheim hat er wie alle anderen auch gesoffen.»

«Das ist mir neu. Aber selbst wenn, worauf willst du hinaus?»

«Beide hatten einen Schnurrbart und ungefähr dieselbe Statur, Honka war Nachtwächter und Hitler Postkartenmaler, quasi die gleichen Berufe, vom Ding her dieselben Voraussetzungen, Startbedingungen. Verstehst du?»

«Ja.»

«Hitler hat es gewollt, und die anderen haben es nicht gewollt.»

«Aha.»

«Ein ganzes Volk ist einer verhaltensgestörten Schießbudenfigur mit in den Untergang gefolgt. Ich sag dir eins: Darüber werden die Deutschen nie hinwegkommen, Hitler lässt die Deutschen nicht mehr los. Bald wird an der Stelle, wo man ihn verbrannt hat, seine morsche Faust einen Riss in die Erdkruste treiben. Kilometer weit schlägt das Höllenfeuer in den Himmel, und in der Flammenwand zeichnet sich sein Antlitz ab. Und dann sieht man es: Der Führer winkt seinem Volk, ihm zu folgen, wie der tote Kapitän Ahab auf Moby Dick verheddert in den Leinen seiner Mannschaft zugewinkt hat. Wie findest du das?»

«Ganz gut. Da feilst du aber länger schon dran?»

«Ja, egal. Aber ist doch gut. Die deutsche Seele dürstet nach Gleichschaltung, Erlösung, Blutopfer und Untergang. Und weißt du was?»

«Nee, was denn?»

«Das Nachtleben ist genau das, in genau der gleichen Reihenfolge.»

Der Käpt'n begann erneut zu randalieren:

«Was wollt ihr eigentlich. Haut doch ab nach Arschlochstadt. Oder gebt wenigstens einen aus.»

Für den Wirt war es schwierig genug, den Laden im Griff zu behalten. Er beugte sich drohend zum Käpt'n hinüber.

«Ey, ich sag's nicht nochmal, lass die Leute in Ruhe. Du nimmst jetzt deine Frau und haust ab. Ich sag's nicht nochmal. Du weißt ja, was sonst passiert!»

DAS wusste der Käpt'n nur zu genau. Wenn er etwas wusste, dann das. Was schon alles passiert war, gerade passierte und noch alles passieren würde. Aber heute war ihm das egal, es machte ihm auch nichts, es sich im einzigen Laden zu verscherzen, in dem er noch geduldet wurde.

«Wie seid ihr denn eigentlich drauf. Noch nicht mal einen ausgeben. Arschlöcher, alles Arschlöcher. Aus Arschlochstadt!»

Er krabbelte ungeschickt vom Hocker und nestelte an seinem Hosenschlitz herum. Der Wirt stand sprungbereit da, falls der Käpt'n es tatsächlich wagen sollte, sein Ding auszupacken. Doch der schloss nur den auf halbmast stehenden Reißverschluss und rüttelte an seiner Frau:

«Komm, wir hauen ab. Mit den Arschlöchern hier will ich nichts zu tun haben.»

Die Frau grunzte und drehte ihren Kopf zur anderen Seite.

«Hast du gehört? Los, komm jetzt.»

Er griff sich eine halbvolle Flasche Bier und schüttete sie ihr über den Kopf. Sie schlug augenblicklich um sich, verlor das Gleichgewicht und krachte mit einem fürchterlichen Geräusch auf den Boden. Nach ein paar Sekunden hob sie den Kopf, wischte sich den Schmutz aus dem Gesicht und zog sich an der Tischplatte hoch. Nix passiert, Wahnsinn. Der Wirt erlitt einen Tobsuchtsanfall.

«SO, JETZT REICHT'S ENDGÜLTIG, HIER AUCH NOCH SAUEREIEN MACHEN. LOS, SOFORT RAUS. UND DU BRAUCHST AUCH NICHT MEHR ANGESCHISSEN ZU KOMMEN. DAS WAR'S, ENDGÜLTIG. HAUSVERBOT. FOR EVER. HÖRST DU, FOREVER, FOR NOTTINGHAM!»

Das war ernst gemeint. Wo sollte der Käpt'n jetzt bloß hin? Vielleicht beruhigt sich der Wirt wieder, vielleicht bringt es was, am frühen Abend wiederzukommen und sich zu entschuldigen, dann ist alles wieder gut, vergeben und vergessen.

Benommen torkelt er mit seiner Frau nach draußen. Für den Weg zu ihrer nur hundert Meter entfernten Bruchbude benötigen sie fast eine Viertelstunde, immer wieder müssen sie anhalten, weil der Frau schwindelig wird. Vielleicht hat sie sich ja doch etwas getan, Gehirnerschütterung oder was Schlimmeres. Vor einem halben Jahr haben sie Silberhochzeit gefeiert. Silberhochzeit! Muss man sich mal vorstellen, kann sich kein Mensch vorstellen. Wenn sie nach ihren Saufmarathons nach Hause zurückkehren, zettelt die Frau fast immer Streit an, sie schlägt und tritt ihren Mann, der viel länger braucht, um in Rage zu kommen. Irgendwann haut er dann doch zurück. Er hätte sie sicher längst totgeschlagen, wenn sie nicht so groß und fett wäre. Eigentlich können sie sich nicht mehr prügeln, jedenfalls nicht mehr richtig. Sie hauen aufeinander ein, die Schläge sind wie die von Kleinkindern, kraftlos, gedämpft, mit den Jahren haben sie eine Technik entwickelt, sich praktisch geräuschlos zu prügeln, damit die Nachbarn nichts davon mitkriegen und andauernd die Polizei holen. Irgendwann schlafen sie vor Erschöpfung ein, wachen ein paar Stunden später auf und kriechen durch unvorstellbares Chaos ins Schlafzimmer. Was um alles in der Welt lässt sie noch am Leben festhalten?

Ich zitterte am ganzen Körper.

«Ich glaub, ich hab genug für heute. Wir nehmen ein Taxi, und ich setz dich zu Hause ab.»

«Ach was, wir fahren zu dir.»

Die Sache wuchs mir endgültig über den Kopf.

«Zu mir? Wie kommst du denn da jetzt drauf? Ich weiß gar nicht, wie es da aussieht.»

«Ich weiß gar nicht, wie es da aussieht, ich weiß gar nicht, wie das da aussieht. Wie bist du denn drauf?»

Janne torkelte vor mir die Treppe hinauf. In der Wohnung roch es irgendwie gut.

«Willst du noch was trinken?»

«Hast du Sekt? Zur Abwechslung.»

«Ja. Vorne rechts ist das Wohnzimmer, ich komm gleich.»

Als ich mit dem Sekt und zwei Gläsern ins Wohnzimmer nachkam, saß sie auf dem Sofa und hatte den Fernseher angestellt.

Ich setzte mich neben sie. Vor sie, neben sie, hinter sie, auf sie. Herrlich egal mittlerweile.

«Also prost. Geht's dir gut?»

«Ja, ganz gut. Vorhin dachte ich, ich schmier ab.»

«Ich weiß. Aber jetzt hast du's überstanden.»

Wir lehnten uns zurück, und sie zappte durch die Einkaufskanäle. «RTL Shop»: Handywerbung, Walter lässt sich von seinem Co-Moderator fotografieren, um die hohe Auflösung der eingebauten Kamera zu demonstrieren. Grinst in die Kamera. Sagt anstatt «Cheese» «Ameisenscheiße». Mein Gott, Walter! Hoffentlich schaut der Programmdirektor nicht gerade zu. HSE 24: «Künstlerpuppen». Irre Monster, groteske Zombies, gefertigt, um Kinder in den Wahnsinn zu treiben. QVC: Dosenset in den Farben Pink, Orange, Rot, Grün und Blau. Orange und Grün schon begrenzt. Ich versuchte, wach zu bleiben, das Glück noch ein wenig zu genießen. Janne schien immer noch nicht müde zu sein:

«Kannst dich noch an Dr. Stefan Frank erinnern, der Arzt, dem die Frauen vertrauen?»

«Ja logisch. Der Mercedes unter den Arztserien. Das lief doch bestimmt zehn Jahre in der Endlosschleife. Wieso kennst du das überhaupt? Dafür bist du doch noch viel zu jung.»

«Das lass mal meine Sorge sein. Ist dir aufgefallen, dass alle Darsteller genau so aussehen, wie sie mit bürgerlichem Namen heißen?»

«Hä. Versteh ich nicht. Wie meinst du das?»

«Der Hauptdarsteller heißt doch Sigmar Solbach.»

«Ja, und?»

«Sigmar Solbach sieht genau so aus wie jemand, der Sigmar Solbach heißt. Ein gutaussehender Mann, jedenfalls, wie sich gewisse Frauen einen gutaussehenden Mann vorstellen, aus halbwegs gutem Haus mit Abitur und einer gewissen Tendenz zur Pfannkuchenhaftigkeit.»

«Ach so. Stimmt.»

«Und erinnerst du dich an die Tierärztin, mit der er ein Techtelmechtel hatte?»

«Ja, klar, ich weiß aber nicht mehr, wie die im richtigen Leben heißt.»

«Daniela Strietzel. Zwergenhaft klein, untersetzt, Himmelfahrtsnase. Stimmt also auch.»

«Stimmt.»

«Weiter geht's. Die zentralen Nebenrollen, also Haushälterin und ihr einfältiger Bruder, beide typisch bayrische Grantler und Urviecher, werden von Erna Sowieso und Alois Sowieso besetzt. Und der ebenso skrupellose wie sexbesessene Antagonist von Dr. Stefan Frank: Siemen Rühaak.»

«Ach, der Schönheitschirurg.»

«Genau, geldgeiler Schnipsler, wie er im Buche steht. Siemen Rühaak, da stellt man sich jemand Schlanken mit schmal geschnittenem Gesicht, schönen Händen und hoher Stirn vor. Und genau so ist es auch.»

«Stimmt schon wieder.»

Herrliches Gespräch. Ich konnte trotzdem nicht mehr und schlief ein.

Die Zunge Europas

Die Sonne knallte mir direkt auf den Kopf, es musste also irgendwas zwischen eins und zwei sein. Meine Lippen fühlten sich taub und gedunsen an, ich hatte einen metallischen Geschmack im Mund, wie Blut. Die Kleidung klebte am Körper, meine Füße waren kochend heiß; noch nicht einmal die Schuhe hatte ich ausgezogen. Ich ruckelte vorsichtig mit dem Kopf. Fühlte sich nach Sofalehne an, also alles wie immer. Ich horchte in mich hinein, um das unmittelbare Gefühl zu ergründen, das sich direkt nach dem Aufwachen einstellt. Ganz gut. Ich fühlte mich, wie jemand sich fühlt, der einiges richtig und wenig falsch gemacht hat, woraufhin Dinge passiert sind, die man nicht für möglich gehalten hätte.

Wie ich wohl im Schlaf aussehe? Ein fratzenhaft entstellter Ausdünster? Ein angeschwemmter, halb vermoderter Wal, ein von einer Wolke vergorener Unterleibszersetzungsprodukte eingehülltes Vieh? Ein Vieh, das beständig ekelhafte Geräusche absondert: Schnarchen, Schnauben, Röcheln, Grunzen, Furzen, Rülpsen, Schmatzen. Monsieur 100 Dezibel, schon von der Lautstärke zum ewigen Alleinschlafen verdammt. Die Wahrheit über einen

Menschen: wie er im Schlaf ist. Tja. Obwohl das ja wohl objektiv wichtig ist, hatte ich mir darüber noch nie richtig Gedanken gemacht. Um das rauszukriegen, müsste ich mich quasi selbst observieren. Vielleicht war es ja auch ganz anders. Schönes Bild: Ein normaler, mittlerer Mann, dessen Brustkorb sich unmerklich hebt und senkt, die Andeutung eines Lächelns auf den von undramatischen Träumen entspannten Zügen; alle halbe Stunde dreht er sich um (drehen, nicht wälzen), rechts, links, Mitte, wie es sich gehört. Der Mann sieht nicht aus wie ein mit einem abgesplitterten Kochlöffel zu Tode geschabtes Rührei, sondern wie ein edles Stück Fleisch mit definierter Struktur und Maserung. Die Haut ist trocken, der Mann schwitzt nicht, es gibt nichts zu schwitzen oder auszuschwitzen, weder ein schlechtes Gewissen noch ein schlechtes Sonstwas. Ein vom Spielen, Tollen und vielen heiteren, jedoch nie banalen Gedanken redlich erschöpfter Lausbub.

Das Letzte, woran ich mich erinnern konnte, war, dass Janne sich eine Zigarette angesteckt hatte. Vielleicht lag bzw. saß sie schlafend neben mir. Wie wäre das eigentlich? Einerseits, andererseits. Ich konzentrierte mich, so doll ich konnte. Wenn sie tatsächlich noch hier wäre, müssten doch Atemgeräusche, Stoffrascheln, irgendwas zu hören sein. Man spürt doch die Anwesenheit eines anderen. Nichts, nur von draußen entferntes Kindergeschrei, Autos und die Bimmel vom Eismann. Oder Eiermann. Oder Eimann. Klingelingeling. Vielleicht war ja auch *alles* Einbildung, und ich wälzte mich schon wieder in einer Pfütze.

Gott o Gott, das hatte ich ja ganz vergessen! Gestern

die teure Federkernmatratze, heute das teure Sitzmöbel, morgen die noch teurere Küchenzeile. Vorsichtig ließ ich meine Hand nach unten wandern: Klebrig, aber trocken, die Tanks hatten gehalten! Leider quoll meine Wampe unter dem verrutschten Hemd hervor. Fühlte sich nicht gut an, sah sicher auch nicht gut aus. Ich zog vorsichtig den Bauch ein und stopfte das Hemd in die Hose. Was, wenn Janne hellwach und kerzengrade neben mir saß und mich schon die ganze Zeit beobachtete. Ich hielt es nicht mehr aus, riss die Augen auf und drehte ruckartig meinen Kopf nach rechts. Aua, Nacken! Da war keiner. Auf dem Tisch lag ein Zettel:

Guten Morgen / Tag!
Du bist ziemlich schnell eingeschlafen. Ich hab noch ein Gläschen getrunken.
Erhol Dich.
Bis bald,
Janne

Ich studierte ihre Schrift. Schrift ist gut, unleserliche Sauklaue, krakeliges Geschmiere einer linkshändigen Nazirichterin, ermüdet vom Abzeichnen unzähliger Todesurteile. Auf dem Tisch stand die halbvolle Flasche Sekt. Ich nahm sie in die Hand und schüttelte sie vorsichtig. Prickelte und schäumte und zischte, als hätte man sie gerade geöffnet, ohne Löffel, ohne Kühlung, ohne alles. Die verdammte Kohlensäure ist einfach nicht totzukriegen, kämpft zäh ums Überleben, will nicht verschwinden, sich für immer in Luft auflösen. Löst sich Kohlensäure überhaupt in Luft auf? Gute Frage für ein TV-Wissensmagazin. Die teuersten Getränke werden immer erst dann verkostet, wenn man nichts mehr von ihnen hat, ein Anstandsschlückchen, und das war's. Nachts kommt der Hund und kippt die Flasche um. 24 000 Euro teurer Rothschild, vom Dobermann aufgeschleckt, Probleme der oberen Zehntausend. Routinierte Nachtschwärmer sollten stets ein paar gut gekühlte Pikkolöchen vorrätig haben, dann schmerzt es nicht allzu sehr, die übriggebliebene Plörre wegzuschütten, außerdem setzen überschaubare null Komma zwei Liter einen Zechkumpan frühmorgens nicht noch unnötig unter Leistungsdruck. Ich schenkte mir ein Glas ein und trank es in einem Zug aus. Der Morgenglimmer ist der schönste Glimmer, da die Blutalkoholaufnahme weder durch Verdauungstätigkeit* noch durch die Erschöpfung nach einem langen Arbeitstag behindert wird. Außerdem knallt warmer Sekt

* INFOKASTEN: **die immerhin ein Drittel des Grundumsatzes ausmacht!**

besser, darüber sind sich alle ernstzunehmenden Opinionleader einig. Ich trank gleich noch ein Glas und fühlte mich herrlich beschwingt, mein Herz hüpfte und wurde nach oben geschleudert, ohne gleich wieder hinabzusinken in die vertraute Düsternis oder sich in nichts aufzulösen wie die verdammte Kohlensäure.

Vielleicht war das Bewusstsein, dass so etwas wie gestern möglich ist, nie verloren gegangen, war es vielleicht nur überdeckt worden von einer Horde aufgeplusterter Gespenster und idiotischer Erscheinungen. Möglicherweise hatte sich sogar der liebe Gott *himself* eingeschaltet und die Keksdose, in der er mich seit Jahr und Tag gefangen hielt, ein paar Zentimeter gelüpft, nur so weit, dass ich meinen Kopf hinausstrecken konnte, um mir einen Überblick über die vielen wichtigen Dinge zu verschaffen, die es noch zu erledigen galt. Ganz wenig gelüpft und auch nur für kurze Zeit; bald würde sich der Deckel wieder schließen, und die Kraft, die in ihrem Wiedererwachen eine ungeheure Macht enthüllt hatte, würde in den Löchern verrinnen, die ich in die Luft starrte. Und wer weiß, ob und wann der liebe Gott mir noch einmal Ausgang gewährt. Wenn die Keksdose sich wieder geschlossen hatte, würde der Wille zur Veränderung aus meinem Arsenal verschwinden und an seine Stelle eine unendliche Trauer treten. Die ungenutzte, ungeforderte Leidenschaft würde sich endgültig in ihr Gegenteil verwandeln, und spätestens dann heißt es hocken und starren und starren und hocken und sich jeden Abend vor dem Einschlafen überwältigen lassen von trostlosen Erinnerungen an das eigene Leben, das rückblickend nur als zufällige, konturlose Zeitballung erscheint, eine einzige Quälerei aus Angst, Begehren, Krankheit, Demütigung, Einsamkeit und Schuld. Immer höher und höher türmt sich die Trauer und verdichtet sich zu einem Bild:

Jeden Abend vor dem Einschlafen
träume ich davon, erschossen zu werden in Polen,
diesem dunklen schweren Land im Herzen Europas.
Die Phantasien sind unendlich süß und schwer.
Irgendwo in einem kleinen Dorf
werde ich von drei Männern auf einen etwas abseits gelegenen Acker geführt.
Einer von ihnen steht vor mir und schaut mich an.

Ich blicke in ein klares Gesicht, in freundliche Augen.
Die anderen beiden sind hinter mir, wobei einer meine Hand hält
und leise auf Polnisch zu mir spricht; ich verstehe kein Wort.
Der Dritte drückt mir seine Pistole sanft an den Hinterkopf.
So knie ich an diesem warmen Herbstnachmittag
in der gesegneten polnischen Erde.

Erschießungsphantasien in Polen,
unendlich süß und schwer,
Erschießungsphantasien in Polen,
voll Schmerz und Sehnsucht.

Ich bin mein Leben lang unstet gewesen, ein irrlichternder Nichts-
nutz,
in die Welt geworfen und immer entwurzelt geblieben,
und nun, ausgerechnet hier,
in der milden roten Abendsonne,
empfange ich meine Auslöschung aus den Händen dieser Männer.

Erschießungsphantasien in Polen,
unendlich süß und schwer,
Erschießungsphantasien in Polen,
voll Schmerz und Sehnsucht.

Meine Tage vergehen in banaler, immer gleicher Abfolge,
ebenso die Abende, an denen ich nur dasitze und trinke.
Einzig der kurze Moment vor dem Einschlafen lohnt,
der Moment, in dem die Kraft dieses Bildes mich jedes Mal von
neuem überwältigt
und ich mich ihm bedingungslos hingebe,

ich kann nicht anders.
Die schönste, erhabenste Sekunde in meinem Leben,
wenn endlich der Schuss fällt und mein erlöster Leib auf die hei-
lige polnische Erde sinkt.

Verlockungen des Todes, die eine eigentümliche Befriedigung verschaffen. Anderes Bild (das Gleiche in Grün bzw. lustig):

Die Kamera zoomt auf eine Siedlung, die in den Sechzigern versehentlich auf einer Giftmülldeponie errichtet wurde und nun zur Geisterstadt verkommen ist: Sämtliche Häuser sind geräumt, lediglich ein einzelner Mann hat nach zähem, jahrelangem Prozessieren (bis nach Karlsruhe rauf, Digga) lebenslanges Wohnrecht eingeklagt: ich, genannt «Toxic-Man», weil ich trotz der verseuchten Umgebung immer noch lebe, ein medizinisches Wunder. Was ich zum Leben benötige, wird mir alle drei Monate von einem Spezialbringdienst (Asbestanzüge, Asbestmasken, Asbestschuhe, Asbesthandschuhe, Asbestmundschutz, Asbestsackschutz) geliefert. Die Lebensmittel lagere ich in zwei überdimensionalen Tiefkühltruhen, was nicht mehr reingeht, grabe ich im kontaminierten Garten ein. Auf dem Dach meines Hauses steht eine Antenne, mit der ich Eutelsat empfange, das es eigentlich gar nicht mehr gibt. Ich empfange es trotzdem (Paradoxon). Weil mir das Wort so gefällt: Eutelsat. Oft spreche ich es stundenlang vor mich hin: Eutelsat, Eutelsat, Eutelsat. Je häufiger ich es ausspreche, desto vielschichtiger werden Klang und Bedeutung: Eutelsat, Keulensalz, Eulenkraft, Säulenkampf, Räumungsast. Eigentlich geht es mir gar nicht schlecht, ein von trübem, nebligem Wohlbehagen begleitetes Fortschreiten. Weil mein Körper vergiftet ist, schlafe ich oft tagelang nicht, dann breche ich plötzlich wie vom Schlag getroffen zusammen und falle in tiefe Ohnmacht. Ich habe ein freundliches Wesen, mein Gesicht ist großflächig und je nach Stimmung wandelbar. Ein warziges, staubiges, mehliges, aus mehreren filzig miteinander verwobenen Schichten wulstig wucherndes Geschöpf, dessen Gewicht über die Körpergrenzen hinausschwappt. Mein von Giften, Ermüdungsbrüchen und süßsaurem Abrieb brüchiger, formloser Körper droht in einem plötzlichen Zeitvorsprung, in einen größer werdenden Hohlraum vorzustürzen und von der eigenen Masse erdrückt zu werden. In meinem Schlafzimmer hängt ein Vierfarbdruck von Muschi Stoiber bei der Gartenarbeit. Sonst besitze ich keine Poster oder Bilder.

Regelmäßig berichtet das Fernsehen über die albinohafte Mullgestalt, ich bin eine Attraktion, eine lebende Legende. Heute ist mal wieder das RTL-Regionalfernsehen zu Gast. Für die blutjunge Moderatorin ist es die Feuerprobe, wenn sie *das* gut über die Bühne bringt, hat ihr der RTL-Chef versprochen, dann wird sie zu einem Sendergesicht aufgebaut. Sie soll an Stelle von Oli Geissen (wegen Reichtums geschlossen) bereits die kommende Ausgabe der «nervigsten Sommerhits der Neunziger» moderieren. Diese Chance will sie nutzen, unbedingt. Allerdings verlangt ihr der Spezialauftrag alles ab, sie kann den Blick kaum von meiner *Augenpartie* abwenden. Ich habe mir erst kürzlich vor lauter Langeweile die Brauen weggeschnitten und mit einer Haushaltszange Fuß- und Fingernägel gezogen. Das sieht ganz schön *strange* aus. Es war gar nicht schlimm, durch die vielen Gifte bin ich fast so schmerzunempfindlich wie ein Waschbär (Waschbären gelten tatsächlich als besonders schmerzunempfindlich, habe ich extra recherchiert, damit mir keiner einen Strick draus drehen kann). Einen Zahnarzt habe ich seit vielen Jahren nicht mehr von innen gesehen, die Laute, die meinem vergammelten Gebiss entströmen, sind kaum zu verstehen, ein nasses, feuchtes Grummeln und Raunen. Deshalb ist der Beitrag untertitelt. Ich habe gute Laune. Anstatt die Fragen zu beantworten (Wie lange wollen Sie noch hier wohnen bleiben? Haben Sie irgendwelche Hobbys?), mache ich Sprüche, einen nach dem anderen: «Willst was gelten, mach dich selten.» – «Wer Geld hat, schickt sein Kind ins Bad, wer kein's hat, wäscht es selber ab.» – «Den Sack schlägt man, aber den Esel meint man.» – «Das Leben ist zu kurz für ein langes Gesicht.» – «Frau am Lenker – schlenker schlenker.»

Mein Niedergang geht in die letzte Phase. Ich erledige alles nur noch halb, bei genau der Hälfte breche ich ab: Kreuzworträtsellösen, Abwasch, Lesen, Körperpflege, Stuhlgang und Harnen. Mittlerweile zur Larve verkrümmt, schleppe ich mich mit halbgefüllter Blase vornübergebeugt durch die Wohnung, ein Stuhlverhalter, ein von Krätze und Notdurft gezeichnetes Fabelwesen, dessen einziges körperliches Vergnügen der innere Druck der abführenden Organe ist und das sich schrittweise rückverwandelt, rückverpuppt, rückeit. Ja, genau, rück-eit, rückeit ist ein gutes Wort, die festen Teile meiner Ausdünstungen lagern sich auf der Haut ab und verdicken sich zu einer

Schale, braun-grauen Eierschale, aus der irgendwann nur noch mein Kopf und die Extremitäten hinausgucken. Im Ei bildet sich dickflüssige grüne Schmiere, Eigelb bzw. Eigrün. Zum Ende hin kann ich kaum noch den Kopf drehen, so zäh ist die Schmiere. Endlich ist es so weit: Ich schleppe mich mit letzter Kraft in den Garten, grabe in Schildkrötenmanier ein tiefes Loch in die Erde und lasse mich hineinplumpsen. Ein 7000-Watt-Radiator heizt die Grube auf: sechzig Grad, einundsechzig Grad, zweiundsechzig Grad – Zieltemperatur. Nach drei Tagen hat sich das Ei selbst ausgebrütet. Auferstehung aus Schmiere. Ich werde zum fetten Führer eines senilen Schrumpelvolks, der Honks.

Drei Telefonnummern werde ich auswendig mit ins Grab nehmen, die von Onkel Friedrich gehört dazu.

«Manstein.»

«Hier ist Markus. Markus Erdmann.»

«Das gibt's doch nicht. Markus. Das ist ja 'ne Überraschung.»

«Find ich auch. Wie geht's denn so?»

«Ach, du weißt ja, wie das ist. Wer sich in der Jugend viel bürstet, muss sich im Alter nicht mehr kämmen.»

Hä? Versteh ich nicht. Astrein. Hermeneutische Geilheit.

«Ach so, ja.»

«Wie geht's denn Oma und Opa? Und vor allen Dingen, wie geht es dir? Hast du gut zu tun?»

«Tja, wie man's nimmt. Deshalb ruf ich unter anderem an.»

Ich erklärte ihm mein Vorhaben. Toll, er schien es toll zu finden. Obwohl «toll» in seinem Vokabular natürlich nicht vorkam. Alte Schule. Ein Buch, das seine Verdienste würdigt! Endlich konnte er mal auspacken. Ich verschwieg ihm allerdings, dass das Buch voraussichtlich nicht unter seinem Namen erscheinen würde.

«Wenn's dir recht ist, würde ich gleich am Montag mal vorbeikommen. So 'ne Stunde oder zwei. Vielleicht fällt uns ja gleich was ein.»

«Montag ist schlecht. Aber Dienstag, da hab ich den ganzen Tag Zeit. Kannst dir aussuchen.»

«Dann um elf.»

«Alles klar. Und grüß mir die Großeltern. Ich komm sie bald mal wieder besuchen.»

«Mach ich. Bis Dienstag dann.»

«Tschüs, Markus.»

Spitze! Und nun? Hinsetzen und schon mal anfangen? Skizzen. Entwurf. Plot. Synopsis. Mir fehlte irgendwie noch der rechte Zugang. Ich beschloss, bis Dienstag zu warten und mich vom sicherlich reichhaltigen Angebot Onkel Friedrichs inspirieren zu lassen. Aber ein erster Schritt war getan. Beziehungsweise zwei Schritte, eigentlich sogar drei. Im Grunde war das Ding im Kasten.

Ich ging zum Fenster und blinzelte in den hohen Himmel. Das Licht schien noch eine Spur härter zu sein als sonst. Entspann dich mal, du Schranze. Ein letztes, wütendes Aufbäumen, der Sommer nahm noch einmal seine ganze Kraft zusammen, um am letzten Tag seiner Herrschaft möglichst viele Lebewesen mit in den Untergang zu reißen; alle Wetterdienste prognostizierten das Ende der

Affenhitze innerhalb der nächsten vierundzwanzig Stunden. Atlantiktief! Schwere Unwetter! Sintflutartige Regenfälle! Heftige Gewitter! Orkanartige Böen! Taubeneigroße Hagelkörner! Überschwemmungen! Temperatursturz ins Bodenlose! Ich trank noch ein Glas.

Wie oft hatte ich nachts hellwach neben Sonja gelegen, kurz davor, sie wach zu rütteln und anzuschreien: «WAS IN GOTTES NAMEN MACHEN WIR HIER EIGENTLICH!?» Genau, warum nicht mal zur Abwechslung in Gottes Namen? Und was machten wir da eigentlich? Seit vielen Jahren. Was hatten wir vor? Noch vor? Oder ursprünglich mal vorgehabt? Und wie um Himmels willen sahen wir eigentlich aus? Zwei, die sich durchgemogelt haben und nun in einem von beiderseitiger Rücksichtnahme und Schonung lebenden Quatsch hängengeblieben sind. Die Liebe hat sich in die Niederungen des Alltags verabschiedet, und jetzt verrinnen die Tage in trostloser Eintönigkeit, im großen, nichtssagenden Leiden, in dumpfem Warten und panischem Erkennen, wie spät es schon ist. Wir haben nichts gegeben und nichts gefordert, übrig geblieben sind nur wir selbst und unsere Verweigerung. Achselzucken, leises Schnaufen, noch leiseres Gefurze. Bäuerchen.

Knallt euch doch wenigstens mal eine! Ein kräftiger Tritt in den Unterleib tut's auch. Oder wenigstens vom Fahrrad oder vom Gartentraktor schubsen. Das könnte die Lösung sein: dem lächerlichen Kleinkrieg, dieser Karikatur des Kampfes, eine Absage erteilen. Im Feld ist man etwas wert, da wird das Herz noch gewogen! Ein offenes Gefecht, das die gemeinsame Vergangenheit rückstandsfrei tilgt, tage- und nächtelanges Prügeln, Ringen, Beißen, Schlagen, Kratzen, Haareausreißen, bis man blutend, grün und blau, vor Kraftlosigkeit zitternd, auf allen vieren durch die Wohnung kriecht und übereinander herfällt, um sich ein letztes Mal zu vereinigen. Es wegbumsen. Die schwere, schwere Last verbrennen. Interessante Idee eigentlich, kann man sich zumindest gut vorstellen. Doch dann hatte ich mir wieder nur auf die Zunge gebissen und mich auf die andere Seite gerollt.

Ich musste ihr alles sagen. Heute. Gleich. Sofort. Anrufen und sagen, dass ich nicht erst um sieben komme, sondern mich sofort auf den Weg mache. Dass es etwas zu besprechen gibt, etwas, das keinen Aufschub duldet.

Ich putzte mir die Zähne. Mundgeruch schwächt und hemmt. Man kann schlechten Atem in Wahrheit auch übers Telefon riechen. Der Hörer war so fettig, dass er sich nicht mehr zwischen Schultern und Kopf klemmen ließ. Auch die Ladestation war fettig. Und schmutzig. Und angelaufen. Feinstaub, ungewaschene Hände, Haare, Asche, Hunde, Cola Rum, Ohrenschmalz und wer weiß was noch hatten sich festgefräst. Elektroschrott, ein Torso, ein Wrack, eine Ruine, ein irres Gewirr aus Fett, Plastik, Drähten und angelaufenen Kontakten (Grünspan?). Wie es wohl im Hörerinneren aussah? Hatte ich jemals die Akkus gewechselt? Wie viele Millimeter standen die Tipptasten / Knöpfe / Schalter / Stöpsel / Nupsis vor? Die Zwei und die Neun gingen schwerer als die übrigen Zahlen, und die Rautetaste ging praktisch gar nicht. Die Sofalehne hatte einen kleinen Riss, das war mir noch gar nicht aufgefallen. Aus einem kleinen Riss wird irgendwann ein großer, das liegt in der Natur der Sache. Und ein Riss legt Eier: neue Risse, die auf die Sitzfläche übergreifen und hinüberwandern von einer Lehne zur anderen. Das ganze Möbel ein Mopp, ein Sofamopp. Langsam wurde es lächerlich.

Tüüüüt.

Vielleicht war sie nicht da oder ging nicht ans Telefon.

Klick.

«Meyer.»

«Erdmann.»

«Ach, du bist es. Was hatten wir eigentlich gesagt, kommst du zu mir oder ich zu dir?»

«Ich zu dir.»

«Wann denn. So um sieben?»

«Nee, nicht erst abends. In einer halben Stunde. Wir müssen auch mal reden.»

«Wie reden? Über was denn? Ist irgendwas?»

«Sag ich dir dann.»

«Was Schlimmes?»

«Wie man's nimmt.»

«Wie, kannst du nicht sagen? Was Schlimmes oder nicht, das kann man doch wohl sagen?»

«Pass auf, ich beeil mich. Bis gleich.»

«Worum geht's denn überhaupt?»

«Mann, Sonja, ich beeil mich. Okay?»

«Ja, dann beeil dich aber auch. Bis gleich.»

Es gab nichts vorzubereiten, ich hatte seit Jahren alles im Kopf.

Bevor ich die Wohnung verließ, sortierte ich noch

schnell die Post. Die Post von gestern und die Post von heute. Berge. So viel Post für eine Person! Da kriegt der Bote ja einen Leistenbruch (unwahrscheinlich, was mir täglich ins Haus flattert, obwohl ich mich so defensiv wie möglich verhalte und niemals etwas bestelle. Erstaunlicherweise wurde ich zur Abwechslung mal nicht aufgefordert, irgendwelche Zähler abzulesen. Dafür kündigte sich der Schornsteinfeger für den kommenden Donnerstag an. Schornsteinfeger sehen lustig und harmlos aus, sind in Wahrheit aber kreuzegoistische Böcke, die mit Zähnen und Klauen ihr Schornsteinfegermonopol von achtzehnhundertschießmichtot verteidigen. Weiter im Text: Toommarkt. Blitzkredit. «Financial Times Deutschland». Seit Wochen schon wurde ich mit der «Financial Times Deutschland» beliefert. Unangefordertes Probeabo, da musste ein Irrtum vorliegen. Vielleicht auch nicht. Steffen Klusmann, der amtierende Chefredakteur, wohnte früher zwei Stockwerke über mir, als er noch nicht Chefredakteur war. Vielleicht hat er sich bei einer oder zwei Flaschen schweren Rotweins an mich erinnert und in einem Anfall von Nächstenliebe dazu entschlossen, mir anonym etwas Gutes zu tun. Der Unterschied zwischen Schnapsideen, Sektlaunen und Rotweinnebel: Dem Rotweinnebel entsteigt immer etwas Gutes, Schweres, mit Substanz. Vielen Dank, Steffen! Oft nehme ich die «Financial Times Deutschland» mit ins Zombiecafé oder sonst wohin und lege sie demonstrativ auf den Tisch. Ich werde eigentlich ganz gern für jemanden gehalten, der die «Financial Times Deutschland» liest. Oder das «Handelsblatt» oder «Manager-Magazin». Jemand, der im Geschäftsleben weit oben positioniert ist und täglich Entscheidungen von beträchtlicher Tragweite trifft. Weisungsbefugt. Das ist ungefähr so wie früher mit dem «Spiegel», den ich als Siebzehnjähriger immer im Bus gelesen habe, auf dem Weg zur Schule. FAZ hätte man mir nicht abgenommen, außerdem ist das Format nicht buskompatibel.

Zwischen der Werbung vom «Pelzschloss Dmoch» (ich bin aus unerklärlichen Gründen im Verteiler von «Pelzschloss Dmoch» gelandet. Ein richtiges Schloss, voller Pelze! Pelzschloss Dmoch, wirklich toller Name, fast so gut wie «Musikschule Meinhard Gnom». Falls ich jemals zu Geld kommen sollte, werde ich mir einen Zobelmantel zulegen. Pelzmäntel tragen und überall das Licht brennen lassen, stummer Protest gegen die sich ankündigende Ökodiktatur) und den Bankauszügen der letzten Monate hatte sich eine Postkarte verhakt. Ich bekomme praktisch nie Karten. Keine Karten und auch keine Briefe. Allerdings schreibe ich auch nie welche, noch nicht einmal Weihnachtsgrüße, deshalb darf ich mich auch nicht beklagen. Früher haben die Leute geschrieben, als ob's kein Morgen gäbe, allein der Briefwechsel zwischen Goethe und Schiller füllt Dutzende Ankleidezimmer. Goethe hat bestimmt ein Achtel seines Lebens mit Briefeschreiben verbracht, ein Wahnsinn schon wieder alles. Auf der Vorderseite der Karte war ein Motiv der Harzer Brockenbahn. «Wernigerode, das Harzer Herz». Aha. Vielleicht verschollene Verwandte, die mir eine überraschende Erbschaft in Aussicht stellten. Ich drehte die Karte um. Tatsächlich, Omaschrift, ganz klein und eng und schief und fast so unleserlich wie die von Janne.

Lieber Markus,

Du erinnerst Dich sicher nicht mehr an uns. Das letzte Mal haben wir uns gesehen, als Du noch ein Kind warst. Da haben wir Dich und Deine Großeltern besucht, Weihnachten 1983. Du hast Dich sehr gefreut über das Mondauto, das Dir Onkel Otto geschenkt hat. Wir haben oft an Dich gedacht, aber leider haben wir uns mit den Großeltern zerstritten, und daher ist auch der Kontakt zu Dir abgerissen. Weswegen ich Dir schreibe: Onkel Otto ist letzten Monat gestorben, und gestern war die Testamentseröffnung. Markus, setz Dich hin, falls Du noch nicht sitzt: Du erbst seine vier Sägewerke! Das wollte ich Dir nur schon mal vorab sagen, Du erhältst in den nächsten Tagen noch offiziell Post vom Notar. Ich hoffe, es geht Dir gut. Komm uns doch bald mal besuchen! Du hast ja in Zukunft viel zu tun hier.

Liebe Grüße aus Wernigerode,

Deine Tante Gertraud

Sägewerksmogul Erdmann. Stahlkönig. Eigene Tankerflotte. Billig-Airline. Milliardär und Weltraumtourist. Schön wär's. In Wahrheit stand auf der Karte nämlich ganz was anderes:

Lieber Markus,

mir geht's scheiße, ich brauch mal Abstand. Ich hau für ein paar Tage oder so ab, wohin, weiß ich selber noch nicht, wahrscheinlich Ostsee, Niendorf. Vielleicht lichten sich die Dinge dann etwas.

Ich hab Schiss. Drück mir die Daumen.

Melde mich, wenn ich wieder da bin.

Dein Freund Sven

Sagenhaft, dass ich nach so vielen Jahren seine Handschrift nicht kenne. Zu Goethes Zeiten war's umgekehrt, da kannte man jeden noch so kleinen Huckel in der Schreibe, aber den ganzen großen Rest nicht. Lieber Markus. Dein Freund Sven. Das klang schön. Eigentlich sollte man alle Karten, die mit *Hallo* beginnen, ungelesen wegschmeißen. Und Mails und SMS ungelesen löschen. Und Grüße nicht erwidern. Hallo! Alles gut? Geht's noch? Irgendwie gingen mir die Zeilen nahe. Mein Freund Sven. Ich merkte, wie viel mir an unserer Freundschaft lag und wie schrecklich es wäre, wenn sie keinen Bestand hätte. Zerbrochen an schlechten Gags. Ich legte die Karte zu Jannes Zettel. Zwei Botschaften. Botschaft reiht sich an Botschaft reiht sich an Botschaft. Heute war eben der Tag der Botschaften. Unter anderem.

Als ich vor Sonjas Tür stand, war die Beschwingtheit einem unangenehmen Druck im Magen gewichen. Bei lebendigem Leib ausgenüchtert. Kurz vor sechs. Da ich meinem Vorrat an Energie und Entschlossenheit misstraute, musste ich es in einer Stunde hinter mich gebracht haben. Spätestens. Aus der Wohnung drang Lärm, das Scheppern eines umstürzenden Stuhls, hastige, stampfende Schritte, Türenknallen und ein Geräusch, als würde jemand Gardinen oder Vorhänge aus den Schienen reißen. Dann ein Wutausbruch. «Scheißviecher, hört endlich auf damit. Drecksbande. Bald hab ich endgültig genug.» Die Hasen. Immer dasselbe: Sie hatte die Viecher aus dem Käfig gelassen, und jetzt sprangen sie hakenschlagend durch die Wohnung und ließen sich nicht wieder einfangen. Wum. Bum.

Der richtige Moment, um zu klingeln. Mit einem Ruck öffnete sie die Tür und starrte mich an. Ihr Gesicht war schneckenhaft farblos, die Haare hingen schlaff ins Gesicht, und zwei kurze, harte Risse bogen ihren vor Wut bebenden Mund nach unten. Schon wieder ein neuer Leidenszug.

«Du musst mir mal helfen, die Hasen wieder einzufangen.»

Regelmäßig wurde ich zur Hasenjagd zwangsrekrutiert. Wieso hatte sie ihnen überhaupt Freigang gewährt, wenn sie doch wusste, dass ich gleich komme? Unhöflich. Hase: Kamerad Schlappohr, Wurzelsepp, Mümmelmann. Hasen sind fast so dumm wie Pferde, zu nichts zu gebrauchen. Hase – Tier im Off. Paulchen, der Größere und Ältere, hatte Felix in die Ecke neben den Fernseher getrieben und sich in seinem Nacken verbissen. Er drückte seinen vor Todesangst stocksteifen Artgenossen hinunter und vollführte an ihm Fickbewegungen. Obwohl seit Jahren kastriert, spulte sich das Programm gnadenlos ab, mit oder ohne Eier.

Schreckliches Bild aus der Kindheit: Eine überfahrene Taube ist zum Sterben in einen Straßengraben gekrochen. Der Flügel ist gebrochen und hängt verrenkt an nur wenigen Sehnen, aus der Brust sickert Blut. Eine zweite Taube kommt angeflogen, legt sich auf den halbtoten Vogel und fickt ihn. Alles, was es über Sex zu sagen gibt.

«Jetzt reicht's aber, Paulchen. Komm mal her hier.»

Sonjas Stimme klang seltsam spasmisch und nasal. Sie packte das durchgedrehte Biest am Schlafittchen und bugsierte es in den Käfig zurück. Felix blieb zitternd in der Ecke hocken. Was für ein Leben. Welke Salatblätter mümmeln und sich von einer kastrierten Drecksau vergewaltigen lassen. Sonja setzte sich aufs Sofa, ich mich auf den einzigen Sessel. Auf dem Tisch standen eine entkorkte Flasche Rotwein und eine Dose mit dunkelbraunen, biologisch abbaubar aussehenden Keksen. Als ob wir seit neuestem Ökokeksesser wären. Wir starrten beide in die Ecke, in der Felix zusammengekrümmt vor sich hin zuckte. Wie der sich wohl fühlte? Wahrscheinlich fühlt er sich schon sein ganzes kleines Leben lang so. Ich sagte nichts, und sie sagte auch nichts, es war eh klar, wer dran war. Ich öffnete den Mund und hoffte, die Worte würden endlich herauspurzeln, doch es war, als habe mein Gehirn einen Zugriffsfehler, der erste Satz wollte sich einfach nicht lösen. Wie lange kann man das aushalten?

Plötzlich spürte ich einen von flackernden Spiralen und grellen Lichtpunkten begleiteten heftigen Druck in Gesicht und Kiefer, der die Augäpfel zerquetschte. Ich verzog vor Schmerzen das Gesicht. Was war das denn nun schon wieder? Ein Anfall! So kann sich nur ein Anfall anfühlen. Ich kannte mich zwar nicht aus mit Anfällen, war mir jedoch sicher, dass es einer war. Aber was für einer? Gicht? Rheuma? Asthma? Migräne? Pumpe? Hirnschlag? Sonja tat so, als würde sie es nicht bemerken, und schenkte ein. Wieso war mir noch nie aufgefallen, dass ihre Arme mit einem dünnen, weißlichen Flaum bedeckt waren? Und irgendein komischer Geruch ging von ihr aus. Wir schwiegen und tranken und tranken und schwiegen, und die Schmerzen ließen etwas nach, und endlich gelang es mir, die Sperre zu durchbrechen.

Ich ließ nichts Wichtiges weg und fügte nichts Unwichtiges hinzu. Mir war es fast peinlich, wie die Rede schnurrte, wie überzeugend und unwiderlegbar meine Worte waren. Wenigstens schien es mir so. Keine abgebrauchten Formeln, schmerzstillenden Verse, falschen Pausen, Dummheiten und Gemeinplätze, die Abschiede häufig so erbärmlich machen. Wenn sie etwas nicht verstand, fragte sie nach. Das fand ich ganz erstaunlich.

Als ich fertig war, nahm sie einen Keks aus der Dose und rieb die gezackten Kanten an den Fingernägeln ihrer linken Hand, sodass sich zwischen Nagel und Nagelbett ein braunes Krümelreservoir bildete. Das gleichmäßige, dumpfe Rauschen des Verkehrs mischte sich mit den Scharr- und Raschelgeräuschen der Hasen. Sonja legte den Keks auf den Tisch. Der komische Geruch wurde intensiver. Was war das nur, was war das nur?

Jetzt hatte ich es: Brathähnchen. Wieso roch sie auf einmal nach Brathähnchen? Ich musste an meine Lieblingsteleshoppingsendung denken, bei der George Foreman seinen George-Foreman-Profigrill präsentiert. George Foreman, den mächtigen Bauch von einer Schürze umspannt, steht vor dem George-Foreman-Profigrill, auf dessen Rost eine Batterie draller, glänzender Industriehähnchen vor sich hin brutzelt. Das Fett puckert aus der krossen Haut, wirft Blasen und tropft in eine Fettauffangrinne. George Foreman schöpft das flüssige Fett regelmäßig mit einer Spezialkelle ab; wenn er grade nicht im Bild ist, genehmigt er sich hin und wieder auch einen schönen Schluck davon.

Es war heiß und still. Sonja holte Felix aus seiner Ecke

und setzte sich auf den Boden. Ihre Mundpartie zitterte, und einen Moment lang sah es aus, als würde sie anfangen zu weinen oder einen Wutausbruch kriegen. Schuft! Schwein! Verräter! Doch ihr nur vom Aufeinanderpressen der Lippen belebtes Gesicht verriet eher tiefe Erschrockenheit. Wir wussten beide, dass ich recht hatte. Sie hatte nichts mehr zuzusetzen, die Kräfte, die sie in die Erhaltung der Normalität gesteckt hatte, waren verbraucht, übrig blieben die Strapazen so vieler langweiliger Tage, die Erschöpfung nach erschöpfendem Lebenslauf und die Angst. Sie legte ihren Kopf auf die Knie und schaukelte hin und her. Was sollte ich machen? Sie trösten? Aufstehen und gehen? Noch was sagen? Und was war mit ihr? Wollte sie etwas sagen? Vorschlagen, es trotzdem noch einmal zu versuchen? Trennung auf Probe. Offene Beziehung. Gemeinsame Wohnung. Gemeinsame Wohnung auf dem Land. Kinder. Swingerclub. Telefonsex. Professionelle Beratung. Auswandern. Es sah nicht so aus.

Dann schaute sie mich an. Wir schauten uns normalerweise nicht an, jedenfalls nicht so und nie länger als maximal eine Sekunde. Wir waren nicht dafür gemacht, uns lange und bedeutungsvoll anzuschauen. Tiefe Blicke tauschen war so lächerlich wie die Vorstellung, ich könnte ihr das Herz brechen. Oder sie meines. Ich bin kein Mann, der Frauen das Herz bricht, und sie ist keine Frau, die Männer um den Verstand bringt, das blieb anderen vorbehalten.

Jetzt war es also vorbei. Nichts Bedeutendes, die Zeit würde es hinter sich lassen. Eine Liebesbeziehung ohne Entwicklung, ohne Schicksal, die nach jahrelangem Decrescendo mehr oder weniger tonlos ausklingt. Keinen trifft Schuld. Oder beide trifft gleich viel Schuld. Jedenfalls hat der eine nicht mehr Schuld als der andere. Und doch war ich unendlich traurig, mir schien, als wäre ich noch trauriger als sie. Das Wissen um das Maß der Bedeutungslosigkeit, die man schon bald füreinander besitzt, ist nur schwer zu ertragen. Und man bekommt es mit der Angst zu tun, einer ganz schlimmen Angst.

Ob irgendetwas anders gekommen wäre, wenn wir uns nicht begegnet wären? Sie gehört zu den Menschen, für die es so etwas gegeben hat wie die Zeit ihres Lebens *(The Time of my Life/Dirty Dancing)*, in der sie die ganze für sie vorgesehene Ration Glück auf einmal verbrauchte. Die schreckliche Täuschung des Glücks: dass es einem vorgaukelt, es würde immer so weitergehen. Wahrscheinlich der Grund dafür, dass sie so ungern von früher spricht; die Erinnerung ist zu schmerzhaft.

Die Melancholie, die als düsterer Schatten über ihrer Kindheit gelegen hatte, kapselte sich mit Eintritt in die Pubertät irgendwo in der hintersten Ecke ihres Herzens oder sonst wo ein wie ein Zeck. An ihrer Zimmertür hing von einem Tag auf den anderen ein Schild: «Sorgen eintreten verboten!» Mit einem Mal brachte das kraftlose, ungesellige, wie von einer unsichtbaren Kälteschicht umgebene Mädchen die Gesichter zum Leuchten, sie trug Freude in die Welt und quietschte, wenn man sie berührte, wie frische Spargelstangen, die man aneinanderreibt. Im letzten Sommer ihrer Schulzeit, als sie die großen Ferien gemeinsam mit ihrer besten Freundin in Italien verbrachte, lief ihr Glück in einem einzigen, unauslöschlichen Bild voller Herrlichkeit zusammen.

Aber wie schnell dann alles ging. Als sie das Studium aufnahm und ihre erste sturmfreie Bude schon keiner richtig stürmen wollte. Als ihre alte Clique sich in alle Himmelsrichtungen zerstreute, wie sich Jugendcliquen auf der ganzen Welt in alle Himmelsrichtungen zerstreuen, wenn man plötzlich offiziell für erwachsen erklärt wird und es dafür noch viel zu früh ist, man ist doch noch gar nicht so weit!

Und plötzlich ist es vorbei, man wird zum Gespenst, vom Licht der Zukunft abgeschnitten, ein nasses Streichholz, an dem man ewig streichen kann, es brennt einfach nicht. Man kann es zunächst gar nicht fassen! Die Kraft und der Zauber und die satten Farben, das alles kann sich doch nicht einfach aufgelöst haben! Die vielen schönen Farben! Irgendein Schelm muss den Tuschkasten verlegt haben. Und das Glück? Vielleicht hat es sich hinter einem Strauch versteckt, um unvermittelt herauszuspringen und sich fröhlich pfeifend wieder einzuhaken. Doch das Glück denkt gar nicht daran, es hat sich längst woanders untergehakt. Das kann doch nicht sein, nach Adam Riese nicht und nach anderen Rechenmodellen auch nicht. Ein schönes heißes Bad nehmen, das ist es, baden und so lange sitzen bleiben, bis einem die Lösung einfällt! Doch am Ende hockt man nur ganz verschrumpelt im eisekalten Wasser und holt sich den Tod. Auf den kleinen weißen Glückskekszetteln steht auch nichts, und vor einem liegt jetzt nur noch der lange, dunkle Tunnel, marode und einsturzgefährdet von den vielen Schwermütigentransporten, die ihn schon passiert haben.

Der Virus, der so viele Jahre geduldig gewartet hat, entfaltet seine volle Wirkung erst jetzt, die glanzlose Gegenwart wird von keiner Zukunft mehr abgelöst und erneuert sich ewig aus sich selbst heraus. Was bleibt, ist die Erinnerung an die kurze Saison des Glücks, in die man sich einnistet wie in einen unvergänglichen Traum. Man hat die Vergeblichkeit des Lebens hingenommen und doch insgeheim gehofft, dass noch etwas kommt.

Was bleibt, ist ihr Name: Sonja Meyer.

Ich setzte mich neben sie und legte meinen Arm um ihre Schulter und war mir nicht sicher, ob das richtig war oder falsch. Ich war mir auch nicht mehr sicher, was von dem, was ich gesagt hatte, richtig war und was falsch. Wir schauten uns an. In ihrem Gesicht spiegelte sich der Widerschein von etwas Fernem, keine Täuschung und keine Lüge versperrte mehr die Sicht.

Unser beider Leben war angehalten.

Wir saßen noch eine Weile so da, dann nahm sie meine Hand weg und tat den Hasen zurück in seinen Käfig. Zeit für mich zu gehen.

Es war kurz vor neun. Ich ging zu Fuß nach Hause (halbe Stunde). Schwere Wolken waren aufgezogen, der Donner grollte und kam schnell näher. Es war auf einmal Nacht geworden, am schwarzen Himmel blitzte es. Ich versorgte mich am Kiosk mit Bier, Jägermeister und Zigaretten und setzte mich in den Sandpark. Ein riesiger, tiefschwarzer Wolkenberg türmte sich über mir auf, starke Böen fegten über den betonharten Boden. Dann knallte es, krachender, hoher, kreischender Donner, fast zeitgleich mit der ungeheuren Entladung, einem gewaltigen Leuchten, einem Blitz aus unglaublich hellem Licht, der vom Himmel zur Erde oder von der Erde zum Himmel fuhr. Ein Moment völliger Stille, dann brachen die Wolken, es dröhnte wie eine Panzerarmee. Ich fühlte es auf mich niederprasseln, erst warm, dann immer kühler. Das Wasser lief in Sturzbächen zur Straße hinunter. Der Regen tropfte von meiner Nasenspitze, und bald klebten die Kleider an mir, als hätte ich einen Fluss durchschwommen. Ich übersiedelte ins Buswartehäuschen, man muss schließlich auch an die Zigaretten denken. Der Geruch nasser Erde und nassen, mit Regentropfen vermischten Staubs stiegen mir in die Nase, und der Wind wehte nicht mehr heiß in den Rücken, sondern kühl ins Gesicht. Es regnete und regnete und hörte nicht mehr auf, und alles Lebende und Wachsende um mich herum seufzte und erholte sich. Ein Staunen, dass es endlich vorüber war und jemals hatte geschehen können. Ich schaute auf die andere Straßenseite, da lag es schon, ich konnte es sehen. Alles so schlicht und wahr, die schlichte Wahrheit, lebendig und zum Greifen nah. Mein Gesicht wurde ganz heiß, ich war ins Leben abgetaucht, mein einziges Leben.

Fleisch ist mein Gemüse
Eine Landjugend mit Musik

In Harburg ist er aufgewachsen. Harburg, nicht Hamburg. Mitte der 80er ist Heinz volljährig und hat immer noch Akne, immer noch keinen Job, immer noch keinen Sex. Doch dann wird er Bläser bei Tiffanys, einer Showband, die auf den Schützenfesten zwischen Elbe und Lüneburger Heide bald zu den größten gehört. rororo 23711

Großer Schmerz im kleinen Leben.
Heinz Strunk bei rororo

Fleckenteufel
Roman

Wir schreiben das Jahr 1977. Thorsten Bruhn ist sechzehn und Spätzünder. Der Geschlechtstrieb hält ihn dennoch heftig auf Trab. Erst recht auf der Familienfreizeit mit der evangelischen Gemeinde in Scharbeutz an der Ostsee. Das erste Mal rund um die Uhr mit Gleichaltrigen zusammen. Mit allen Konsequenzen. rororo 25224

Die Zunge Europas
Roman

Sieben Tage im Leben des vierunddreißigjährigen Markus Erdmann. «Mein größter und in Wirklichkeit einziger Wunsch: Mit nacktem Oberkörper Holz hacken, ohne dass es scheiße aussieht. Glück könnte so einfach sein. Nichts schmeckt so gut, wie Dünnheit sich anfühlt.» rororo 24843

Weitere Informationen in der Rowohlt Revue *oder unter* www.rororo.de